Classiqu

D0427530

Fred Vargas
Pars vite et reviens tard

Présentation, notes, questions et après-texte établis par

MICHÈLE SENDRE-HAÏDAR
inspecteur de l'Éducation nationale

MAGNARD

Sommaire

FRED VARGAS ET SES « ROMPOLS [1] »

Tisser des liens entre la vie de Fred Vargas et ses « rompols », comme elle surnomme ses romans policiers (neuf titres à ce jour, traduits en quinze langues), est relativement aisé.

Née à Paris en 1957, elle situe nombre de ses intrigues dans la capitale, même si les lecteurs de *Pars vite et reviens tard* chercheront en vain la pension Decambrais et le bistrot de Joss, le crieur de nouvelles. « J'aime bien tout inventer, sauf les lieux, affirme-t-elle dans une interview. Parler d'une ville ou d'un pays où on n'a pas mis les pieds, c'est impossible ; pour moi, ce n'est pas un but, c'est une fatalité [2]. »

Étudiante, elle se spécialise en archéologie, après plusieurs chantiers de fouilles durant ses « années lycée », et en histoire médiévale. Elle travaille aujourd'hui plus particulièrement sur les ossements d'animaux du Moyen Âge.

C'est pourquoi ses romans, qu'elle rédige pendant les vacances, font souvent référence à l'Antiquité (*Ceux qui vont mourir te saluent*, 1993), à nos peurs ancestrales, comme celle des loups (*L'Homme à l'envers*, 1999) ou de la peste, qui hante ce roman. Même ses personnages ont le goût du passé : « théseux » qui se transforment un temps en enquêteurs (*Debout les morts,* 1995), historien-femme de ménage qui oriente l'enquête dans les méandres d'une reconstitution historique, ou « crieur » professionnel sur la place publique, à la manière des colporteurs d'antan, à l'époque des autoroutes de l'information !

---

1. Contraction de « romans policiers ».
2. *In* ledevoir.com (2002).

Cependant, ses récits ne sont pas uniquement tournés vers le passé. Ses héros décalés, marginaux, sont bien ancrés dans la petite et la grande histoire : indifférents, engagés, sentimentaux, révoltés... pour des causes – toujours justes – et les besoins d'une enquête savamment construite. On retrouve des personnages récurrents d'un roman à l'autre, comme le commissaire Adamsberg, enquêteur en titre depuis *L'Homme aux cercles bleus*, le lieutenant Danglard, son adjoint, alcoolique et père « célibataire » de cinq enfants, et la jeune amoureuse, Camille, musicienne et plombier, qui « part mais revient vite » à chaque roman.

Enfin, Fred Vargas est aussi une musicienne des mots. Bien avant d'écrire, elle rêvait de faire danser au son de son accordéon. « Le livre, ce n'est rien d'autre qu'un orchestre, se plaît-elle à dire. Chaque personnage est une voix, un instrument[1]. » Et c'est tout à fait juste. Chacun d'eux a son « franc » parler et un parler « vrai », en lien avec ses origines et son histoire. Les intrigues de Fred Vargas se construisent aussi souvent sur des formules, des maximes, des proverbes détournés, comme en témoigne le titre même de ce septième roman, *Pars vite et reviens tard*, qui fait référence aux initiales CLT dont on découvrira la teneur en entrant dans la lecture...

---

1. *In* ledevoir.com (2002).

Fred Vargas
Pars vite et reviens tard

I

Et puis, quand les serpents, chauves-souris, blaireaux et tous les animaux qui vivent dans la profondeur des galeries souterraines sortent en masse dans les champs et abandonnent leur habitat naturel ; quand les plantes à fruits et les légumineuses[1] se mettent à pourrir et à se remplir de vers (...)

---

1. Plantes dont le fruit est une gousse (pois, haricot), fourrage (trèfle, luzerne), etc.

BIEN LIRE

Pourquoi ce premier chapitre est-il surprenant ?

II

Les types, à Paris, marchent beaucoup plus vite qu'au Guilvinec, Joss l'avait constaté depuis longtemps. Chaque matin, les piétons s'écoulaient par l'avenue du Maine à la vitesse de trois nœuds[1]. Ce lundi, Joss filait presque ses trois nœuds et demi, s'efforçant de rattraper un retard
5 de vingt minutes. En raison du marc de café qui s'était déversé en totalité sur le sol de la cuisine.

Ça ne l'avait pas étonné. Joss avait compris depuis longtemps que les choses étaient douées d'une vie secrète et pernicieuse[2]. Hormis peut-être certaines pièces d'accastillage[3] qui ne l'avaient jamais agressé, de
10 mémoire de marin breton, le monde des choses était à l'évidence chargé d'une énergie tout entière concentrée pour emmerder l'homme. La moindre faute de manipulation, parce que offrant à la chose une liberté soudaine, si minime fût-elle, amorçait une série de calamités en chaîne, pouvant parcourir toute une gamme, du désagrément à la tragédie. Le
15 bouchon qui échappe aux doigts en était, sur le mode mineur, un modèle de base. Car un bouchon lâché ne vient pas rouler aux pieds de l'homme, en aucune manière. Il se love[4] derrière le fourneau, mauvais, pareil à l'araignée en quête d'inaccessible, déclenchant pour son prédateur[5], l'Homme, une succession d'épreuves variables, déplacement du
20 fourneau, rupture du flexible[6] de raccordement, chute d'ustensile, brûlure. Le cas de ce matin avait procédé d'un enchaînement plus complexe, amorcé par une bénigne[7] erreur de lancer entraînant fragilisation

---

1. Unité de vitesse maritime.
2. Nuisible.
3. De l'ensemble des accessoires de pont du navire.
4. Se blottit.
5. Chasseur.
6. Cordon souple.
7. Sans conséquence grave.

de la poubelle, affaissement latéral et épandage[1] du filtre à café sur le sol.
C'est ainsi que les choses, animées d'un esprit de vengeance légitime-
ment puisé à leur condition d'esclaves, parvenaient à leur tour par
moments brefs mais intenses à soumettre l'homme à leur puissance lar-
vée[2], à le faire se tordre et ramper comme un chien, n'épargnant ni
femme ni enfant. Non, pour rien au monde Joss n'aurait accordé sa
confiance aux choses, pas plus qu'aux hommes ou à la mer. Les premières vous prennent la raison, les seconds l'âme et la troisième la vie.

En homme aguerri[3], Joss n'avait pas défié le sort et avait ramassé le
café comme un chien, grain par grain. Il avait accompli sans broncher
la pénitence[4] et le monde des choses avait reflué sous le joug[5]. Cet inci-
dent matinal n'était rien, rien en apparence qu'un désagrément négligeable mais, pour Joss qui ne s'y trompait pas, il était le clair rappel que
la guerre des hommes et des choses se poursuivait et que, dans ce combat, l'homme n'était pas toujours vainqueur, loin s'en fallait. Rappel des
tragédies, des vaisseaux démâtés[6], des chalutiers écartelés et de son
bateau, le *Vent de Norois*, qui avait fait eau le 23 août en mer d'Irlande
à trois heures du matin avec huit hommes à bord. Dieu sait pourtant si
Joss respectait les exigences hystériques de son chalutier et Dieu sait si
l'homme et le bateau étaient conciliants l'un pour l'autre. Jusqu'à cette
foutue nuit de tempête où, pris d'un coup de sang, il avait frappé le plat-
bord[7] du poing. Le *Vent de Norois*, déjà presque couché sur tribord[8],
avait brusquement fait eau à l'arrière. Moteur noyé, le chalutier avait
dérivé dans la nuit, les hommes écopant[9] sans relâche, pour s'immobi-

1. Déversement.
2. Qui ne s'est pas encore manifestée nettement.
3. Endurci.
4. Le repentir.
5. La contrainte.

6. Sans mât.
7. La latte de bois entourant le pont.
8. Le côté droit d'un navire, quand on regarde
vers l'avant.
9. Vidant l'eau entrée dans le bateau.

liser enfin sur un récif[1] à l'aube. C'était il y a quatorze ans et deux hommes étaient morts. Quatorze ans que Joss avait déglingué l'armateur[2] du *Norois* à coups de botte. Quatorze ans que Joss avait quitté le
50 port du Guilvinec, après neuf mois de taule pour coups et blessures avec intention de donner la mort, quatorze ans que sa vie presque entière avait coulé par cette voie d'eau.

Joss descendit la rue de la Gaîté, les dents serrées, mâchant la fureur qui remontait en lui chaque fois que le *Vent de Norois*, perdu en mer, fai-
55 sait surface sur les crêtes de ses pensées. Au fond, ce n'était pas contre le *Norois* qu'il en avait. Ce bon vieux chalutier n'avait fait que réagir au coup en faisant grincer son bordage[3] pourri par les ans. Il était bien convaincu que le bateau n'avait pas mesuré la portée de sa brève révolte, inconscient de son âge, de sa décrépitude[4] et de la puissance des flots,
60 cette nuit-là. Le chalutier n'avait certainement pas voulu la mort des deux marins et à présent, gisant comme un imbécile au fond de la mer d'Irlande, il regrettait. Joss lui adressait assez souvent des paroles de réconfort et d'absolution[5] et il lui semblait que, comme lui, le bateau parvenait maintenant à trouver le sommeil, qu'il s'était fait une autre
65 vie, là-bas, comme lui ici, à Paris.

D'absolution pour l'armateur, il n'en était en revanche pas question.
— Allons, Joss Le Guern, disait-il en lui tapant sur l'épaule, vous le ferez encore cavaler dix ans, ce rafiot[6]. C'est un vaillant et vous êtes son maître.

---

1. Rocher à fleur d'eau.
2. Frappé violemment l'exploitant du bateau.
3. Les tôles de la coque extérieure.
4. Son affaiblissement.
5. De pardon.
6. Vieux bateau.

70 — Le *Norois* est devenu dangereux, répétait Joss obstinément. Il vrille[1] et son bordage se fausse. Les panneaux de cale[2] ont travaillé. Je ne réponds plus de lui sur un gros coup de mer. Et le canot n'est plus aux normes.

— Je connais mes bateaux, capitaine Le Guern, répondait l'armateur
75 en durcissant le ton. Si vous avez peur du *Norois*, j'ai dix hommes prêts à vous remplacer sur un claquement de doigts. Des hommes qui n'ont pas froid aux yeux et qui ne geignent pas comme des bureaucrates sur les normes de sécurité.

— Et moi, j'ai sept gars à bord.

80 L'armateur rapprochait son visage, gras, menaçant.

— Si vous vous avisez, Joss Le Guern, d'aller pleurer à la capitainerie du port, vous pourrez compter sur moi pour vous retrouver sur la paille avant d'avoir eu le temps de vous retourner. Et de Brest à Saint-Nazaire, vous ne trouverez plus un gars pour vous embarquer. Je vous conseille
85 donc de bien réfléchir, capitaine.

Oui, Joss regrettait toujours de ne pas avoir achevé ce type, le lendemain du naufrage, au lieu de s'être contenté de lui rompre un membre et défoncer le sternum[3]. Mais des hommes de l'équipage l'avaient tiré en arrière, ils s'y étaient mis à quatre. Fous pas ta vie en l'air, Joss, ils
90 avaient dit. Ils l'avaient bloqué, empêché. De crever l'armateur et tous ses valets, qui l'avaient rayé des listes dès sa sortie de prison. Joss avait gueulé dans tous les bars que les gros culs de la capitainerie palpaient des commissions, si bien qu'il avait pu dire adieu à la marine marchande. Refoulé de port en port, Joss avait sauté un mardi matin dans le
95 Quimper-Paris pour échouer, comme tant d'autres Bretons avant lui,

---

1. Bouge.
2. De l'espace situé entre le pont et le fond du navire.
3. L'os plat de la cage thoracique.

sur le parvis de la gare Montparnasse, laissant derrière lui une femme en fuite et neuf types à tuer.

En vue du carrefour Edgar-Quinet, Joss remisa ses haines nostalgiques dans la doublure de son esprit et s'apprêta à rattraper son retard.
Toutes ces affaires de marc de café, de guerre des choses et de guerre des hommes lui avaient bouffé un quart d'heure au bas mot. Or la ponctualité était un élément clef dans son travail et il tenait à ce que la première édition de son journal parlé débute à huit heures trente, la seconde à douze heures trente-cinq, et celle du soir à dix-huit heures dix.
C'étaient les moments de plus grosse affluence et les auditeurs étaient trop pressés dans cette ville pour endurer le moindre délai.

Joss décrocha l'urne de l'arbre où il la suspendait pour la nuit, à l'aide d'un nœud de double bouline[1] et de deux antivols, et la soupesa. Pas trop chargée ce matin, il pourrait trier la livraison assez vite. Il eut un bref sourire en emportant la boîte vers l'arrière-boutique que lui prêtait Damas. Il y avait encore des types bien sur terre, des types comme Damas qui vous laissent une clef et un bout de table sans crainte que vous ne leur fauchiez la caisse. Damas, tu parles d'un prénom. Il tenait le magasin de rollers sur la place, *Roll-Rider*, et il lui laissait l'accès pour préparer ses éditions à l'abri de la pluie. *Roll-Rider*, tu parles d'un nom.

Joss déverrouilla l'urne, grosse caisse en bois construite à clin[2] de ses propres mains et qu'il avait baptisée le *Vent de Norois II*, en hommage au cher disparu. Ce n'était sans doute pas très honorifique pour un grand chalutier de pêche hauturière[3] de retrouver sa descendance réduite à l'état de boîte à lettres dans Paris, mais cette boîte n'était pas

---

1. Nœud marin d'une forme spécifique.
2. Dans laquelle les planches se recouvrent à la manière d'ardoises (terme marin).
3. En haute mer.

n'importe quelle boîte. C'était une boîte de génie, conçue sur une idée de génie, éclose il y a sept ans, et qui avait permis à Joss de remonter formidablement la pente après trois ans de travail dans une conserverie, six mois dans une usine de bobinage et deux ans de chômage. L'idée de
125 génie lui était venue une nuit de décembre où, affaissé verre au poing dans un café de Montparnasse empli pour trois quarts de Bretons esseulés, il entendait le sempiternel[1] ronronnement des échos du pays. Un type parla de Pont-l'Abbé et c'est comme ça que l'arrière-arrière-grand-père Le Guern, né à Locmaria en 1832, sortit de la tête de Joss pour s'accouder au bar et lui dire salut. Salut, dit Joss.

  – Tu te souviens de moi ? demanda le vieux.

  – Ouais, marmonna Joss. J'étais pas né quand t'es mort et j'ai pas pleuré.

  – Dis donc, fiston, tu pourrais éviter de déparler[2] pour une fois que
135 je te visite. Ça te fait combien ?

  – Cinquante ans.

  – Elle t'a pas arrangé, la vie. Tu fais plus.

  – J'ai pas besoin de tes remarques et je t'ai pas sonné. Toi aussi t'étais moche.

140   – Prends-le sur un autre ton, mon gars. Tu sais ce que c'est quand je m'énerve.

  – Ouais, tout le monde le savait. Ta femme surtout, que t'as battue comme plâtre toute sa vie.

  – Bon, dit le vieux en grimaçant, il faut remettre ça dans le siècle.
145 C'est l'époque qui le voulait.

  – Époque mon cul. C'est toi qui le voulais. Tu lui as bousillé un œil.

---

1. L'éternel.
2. Dire n'importe quoi.

— Dis donc, on ne va pas encore parler de cet œil pendant deux siècles ?

— Si. Pour l'exemple.

150 — C'est toi, Joss, qui me causes d'exemple ? Le Joss qu'a manqué éventrer un gars à coups de pied sur les quais du Guilvinec ? Ou je me trompe ?

— C'était pas une femme, et d'une, et c'était même pas un gars, et de deux. C'était une outre[1] à fric qui s'en foutait pas mal que les autres crè-
155 vent pourvu qu'il ramasse les billets.

— Ouais, je sais. Je peux pas te donner tort. C'est pas le tout, gamin, pourquoi tu m'as sonné ?

— Je t'ai dit. Je t'ai pas sonné.

— T'es une tête de cochon. T'as de la chance d'avoir hérité de mes
160 yeux parce que je t'en aurais bien collé une. Figure-toi que si je suis là, c'est parce que tu m'as sonné, c'est comme ça et pas autrement. D'ailleurs, c'est pas un bar où j'ai mes habitudes, j'aime pas la musique.

— Bon, dit Joss, vaincu. Je te paie un verre ?

— Si t'arrives à lever le bras. Car laisse-moi te dire que t'as déjà ta
165 dose.

— T'occupe, le vieux.

L'ancêtre haussa les épaules. Il en avait vu d'autres et ce n'était pas ce petit morveux qui allait le mettre en boule. Un Le Guern qui avait de la branche[2], ce Joss, il n'y avait pas à dire.

170 — Comme ça, reprit le vieux en sifflant son chouchen[3], t'as pas de femme et t'as pas de ronds ?

1. Un sac.
2. De la distinction (fam.).
3. Alcool breton sucré.

— Tu mets le doigt dessus, répondit Joss. T'étais moins malin dans le temps, à ce qu'on raconte.

— C'est d'être fantôme. Quand on est mort, on sait des trucs qu'on savait pas avant.

— Sans blague, dit Joss en tendant un bras faible en direction du serveur.

— Pour les femmes, c'était pas la peine de me sonner, c'est pas mon meilleur terrain.

— Je m'en serais douté.

— Mais pour le boulot, c'est pas sorcier mon gars. T'as qu'à copier la famille. T'avais rien à foutre dans le bobinage[1], c'était une erreur. Et puis tu sais, les choses, il faut s'en méfier. Passe encore les cordages, mais les bobines, les fils, et je ne te parle pas des bouchons, mieux vaut passer au large.

— Je sais, dit Joss.

— Il faut faire avec son hérédité. Copie la famille.

— Je ne peux plus être marin, dit Joss en s'énervant. Je suis tricard[2].

— Qui te parle de marin ? Il n'y a pas que le poisson dans la vie, nom de Dieu, manquerait plus que ça. J'étais marin, moi ?

Joss vida son verre et se concentra sur la question.

— Non, dit-il après quelques instants. T'étais le Crieur[3]. Depuis Concarneau jusqu'à Quimper, t'étais le Crieur de nouvelles.

— Ouais mon gars, et j'en suis fier. « Ar Bannour », j'étais, le « Crieur ». Il n'y en avait pas de meilleur que moi sur la côte sud. Chaque jour que Dieu faisait, Ar Bannour entrait dans un nouveau vil-

---

1. L'enroulement de fils conducteurs.
2. Interdit de séjour.
3. Préposé aux proclamations publiques.

lage et à midi, il criait les nouvelles. Et je peux te dire qu'il y avait du monde qui m'attendait depuis l'aube. J'avais trente-sept villages sur mon territoire, c'est pas rien, hein ? Ça fait du monde, hein ? Du monde
200 qui vivait dans le monde et grâce à quoi ? Grâce aux nouvelles. Et grâce à qui ? À moi, Ar Bannour, le meilleur collecteur de nouvelles du Finistère. Ma voix portait de l'église jusqu'au lavoir et je savais tous les mots. Chacun dressait la tête pour m'entendre. Et ma voix, elle apportait le monde, la vie, et c'était autre chose que du poisson, tu peux me
205 croire.

   – Ouais, dit Joss en se servant directement à la bouteille posée sur le comptoir.

   – Le second Empire[1], c'est moi qui l'ai couvert. J'allais chercher les nouvelles jusqu'à Nantes et je les ramenais à dos de cheval, fraîches
210 comme la marée. La Troisième République[2], c'est moi qui l'ai criée sur toutes les grèves, t'aurais dû voir ce tintamarre. Et je ne te parle pas du bouillon local : les mariages, les morts, les engueulades, les objets trouvés, les enfants perdus, les sabots à refaire, c'est moi qui transportais tout ça. De village en village, on me remettait des nouvelles à lire. La déclara-
215 tion d'amour de la fille de Penmarch à un gars de Sainte-Marine, je m'en souviens encore. Un scandale de tous les diables suivi d'un assassinat.

   – T'aurais pu te retenir.

   – Dis donc, j'étais payé pour lire, je faisais que mon boulot. Si je ne lisais pas, je volais le client et chez les Le Guern, on est peut-être des
220 brutes, mais on n'est pas des brigands. Leurs drames, leurs amours et leurs jalousies de marins pêcheurs, c'était pas mes affaires. J'avais assez

---

1. Régime politique de la France de décembre 1852 à septembre 1870 établi par Napoléon III, après le coup d'état du 2 décembre 1851.
2. Régime politique de la France du 4 décembre 1870 au 10 juillet 1940.

de ma propre famille à m'occuper. Une fois par moi, je passais par le village voir les gosses, aller à la messe et tirer un coup.

Joss soupira dans son verre.

225   – Et laisser des sous, compléta l'aïeul d'un ton ferme. Une femme et
huit gosses, ça bouffe. Mais crois-moi, avec Ar Bannour, ils n'ont jamais
manqué.

   – De baffes ?

   – De fric, imbécile.

230   – Ça payait tant que ça ?

   – Tant que tu voulais. S'il y a un produit qui ne tarit pas[1] sur cette
terre, c'est les nouvelles, et s'il y a une soif qui ne s'étanche jamais, c'est
la curiosité des hommes. Quand t'es crieur, tu donnes la tétée à toute
l'humanité. T'es assuré de ne jamais manquer de lait et de ne jamais
235 manquer de bouches. Dis donc fiston, si tu picoles tant que ça, tu pourras jamais faire crieur. C'est un métier qui demande des idées claires.

   – Je veux pas t'attrister, l'aïeul, dit Joss en secouant la tête, mais
« crieur », c'est plus un métier qui se pratique. Tu trouveras même personne pour piger le mot. « Cordonnier », oui, mais « crieur », ça n'existe
240 même pas au dictionnaire. Je ne sais pas si tu continues à te tenir
informé depuis que t'es mort, mais ça a pas mal bougé par ici. Personne
n'a besoin qu'on lui gueule dans les oreilles sur la place de l'église, vu que
tout le monde a le journal, la radio et la télé. Et si tu te branches sur le
réseau à Loctudy, tu sais si quelqu'un a pissé à Bombay. Alors imagine.

245   – Tu me prends vraiment pour un vieux con ?

   – Je t'informe, rien de plus. C'est mon tour à présent.

   – Tu lâches la barre, mon pauvre Joss. Redresse. T'as pas compris
grand-chose à ce que j'ai dit.

---

1. N'est jamais à sec.

Joss leva un regard vide vers la silhouette de l'arrière-arrière-grand-
père qui descendait de son tabouret de bar avec une certaine prestance.
Ar Bannour avait été grand pour son époque. C'est vrai qu'il ressemblait
à cette brute.

– Le Crieur, dit l'ancêtre avec force en plaquant sa main sur le comptoir, c'est la Vie. Et ne me dis pas que plus personne ne comprend ce
que ce mot signifie ni qu'il n'est plus inscrit au dictionnaire, ou c'est que
les Le Guern ont dégénéré et ne méritent plus de la crier. La Vie !

– Pauvre vieux con, murmura Joss en le regardant partir. Pauvre
vieux radoteur.

Il reposa son verre sur le comptoir et ajouta en braillant dans sa direction :

– Je t'avais pas sonné, de toute façon !

– Ça va comme ça maintenant, lui dit le serveur en le prenant par le
bras. Soyez raisonnable, parce que vous gênez tout le monde ici.

– J'emmerde le monde ! hurla Joss en s'agrippant au comptoir.

Joss se rappelait avoir été expédié hors du *Bar d'Artimon* par deux
types plus petits que lui et avoir tangué sur la chaussée sur une centaine
de mètres. Il s'était réveillé neuf heures plus tard sous un porche d'immeuble, à une bonne dizaine de stations de métro du bar. Vers midi, il
s'était traîné jusqu'à sa chambre, s'aidant des deux mains pour soutenir
sa tête en fonte, et il s'était rendormi jusqu'au lendemain six heures. En
ouvrant douloureusement les yeux, il avait fixé le plafond crasseux de
son logement et il avait dit, obstiné :

– Pauvre vieux con.

Cela faisait donc sept années que, après quelques mois de rodage[1]

---

1. Mise au point.

275 difficiles – trouver le ton, placer sa voix, choisir l'emplacement, conce-
voir les rubriques, fidéliser la clientèle, fixer les tarifs –, Joss avait
embrassé la profession décatie[1] de « crieur ». Ar Bannour. Il avait rôdé
avec son urne en divers points dans un rayon de sept cents mètres
autour de la gare Montparnasse dont il n'aimait pas s'éloigner, au cas où,
280 disait-il, pour finalement s'établir deux ans plus tôt sur le carrefour
Edgar-Quinet-Delambre. Il drainait[2] ainsi les habitués du marché, les
résidents, il captait les employés des bureaux mêlés aux assidus discrets
de la rue de la Gaîté, et happait au passage une partie du flot déversé par
la gare Montparnasse. Des petits groupes compacts se massaient autour
285 de lui pour entendre la criée des nouvelles, moins nombreux sans doute
que ceux qui se pressaient autour de l'arrière-arrière-grand-père Le
Guern mais il fallait compter que Joss officiait quotidiennement, et trois
fois par jour.

Il récoltait en revanche dans son urne une quantité de messages assez
290 considérable, une soixantaine par jour en moyenne – et bien davantage
le matin que le soir, la nuit étant propice aux dépôts furtifs –, chacun
sous enveloppe cachetée et lestée d'une pièce de cinq francs. Cinq francs
pour pouvoir entendre sa pensée, son annonce, sa quête lancée dans le
vent de Paris, ce n'était pas si cher payé. Joss avait tenté dans les débuts
295 un tarif minimal mais les gens n'aimaient pas qu'on brade leurs phrases
pour une pièce d'un franc. Cela dépréciait leur offrande. Ce tarif arrangeait donc les donneurs comme le receveur et Joss encaissait ses neuf
mille francs net par mois, dimanches compris.

Le vieil Ar Bannour avait eu raison : la matière n'avait jamais man-

---

1. Démodée.
2. Attirait à lui.

300 qué et Joss avait dû en convenir avec lui, un soir de cuite au *Bar d'Artimon*. « Bourrés de trucs à dire, les hommes, je t'avais bien averti », avait dit l'aïeul, assez satisfait de voir que le petit avait repris l'entreprise. « Bourrés comme des vieux matelas remplis de son. Bourrés de trucs à dire et de trucs à ne pas dire. Toi, tu ramasses la mise et tu rends service
305 à l'humanité. T'es le purgeur[1]. Mais gaffe, fiston, c'est pas de tout repos. En raclant le fond, tu pomperas de l'eau claire comme tu pomperas de la merde. Gare à tes couilles, il n'y a pas que du beau dans la tête de l'homme. »

Il voyait juste, l'ancêtre. Dans le fond de l'urne, il y avait du dicible[2]
310 et du pas dicible. « Indicible », avait corrigé le lettré[3], le vieux qui tenait une sorte d'hôtel à côté de la boutique de Damas. En relevant ses messages, Joss commençait d'ailleurs par former deux tas, le tas dicible et le tas pas dicible. En général le dicible s'écoulait par sa voie naturelle, c'est-à-dire par la bouche des hommes, en ruisselets ordinaires ou en flots
315 hurlants, ce qui permettait à l'homme de ne pas exploser sous la pression des mots entassés. Car, à la différence du matelas de son, l'homme engrangeait chaque jour de nouvelles paroles, ce qui rendait proprement vitale la question de la vidange. De ce dicible, une partie triviale[4] arrivait jusqu'à l'urne aux rubriques Vente, Achat, Recherche, Amour,
320 Propos divers et Annonces techniques, ces dernières étant limitées en nombre par Joss qui les facturait six francs en compensation de l'emmerdement qu'elles lui causaient à la lecture.

Mais ce que le Crieur avait surtout découvert, c'était le volume insoupçonné de l'indicible. Insoupçonné car aucune trouée n'était prévue dans

---

1. Celui qui élimine les éléments indésirables ou dangereux.
2. Mot inventé : ce qui peut être dit.
3. L'homme à la solide culture, notamment littéraire.
4. Vulgaire.

325 le matelas de son pour le dégagement de cette matière verbale. Soit qu'elle
dépasse les bornes licites de la violence, ou de l'audace, soit au contraire
qu'elle ne puisse se hisser à un degré d'intérêt qui légitime son existence.
Ces paroles outrancières ou indigentes[1] étaient donc acculées à une existence de recluses, enfoncées dans la bourre[2], vivant dans l'ombre, la honte
330 et le silence. Pourtant, et cela le Crieur l'avait bien compris en sept ans de
récolte, ces mots ne mouraient pas pour autant. Ils s'accumulaient, se
montaient les uns sur les autres, s'aigrissant à mesure que s'écoulait leur
existence de taupe, assistant, rageurs, à l'exaspérant va-et-vient des paroles
fluides et autorisées. En inaugurant cette urne fendue d'une fine ouverture
335 de douze centimètres, le Crieur avait créé une brèche par où les prison-
niers s'échappaient comme un vol de sauterelles. Il n'était pas un matin
sans qu'il ne puise de l'indicible au fond de sa boîte, harangues[3], injures,
désespoirs, calomnies, dénonciations, menaces, folies. Indicible parfois si
clairet[4], si désespérément débile qu'on peinait à lire la phrase jusqu'au
340 bout. Parfois si enchevêtré que le sens en échappait tout à fait. Parfois si
visqueux que la feuille vous tombait des mains. Et parfois si haineux, si
destructeur que le Crieur l'éliminait.

Car le Crieur triait.

Bien qu'homme de devoir et conscient d'extirper du néant les rebuts
345 les plus persécutés de la pensée humaine, de poursuivre l'œuvre salvatrice[5] accomplie par l'ancêtre, le Crieur se donnait droit d'exclure ce qui
ne passait pas ses propres lèvres. Les messages non lus restaient à disposition avec la pièce de cinq car, ainsi que l'avait martelé l'aïeul, chez les

---

1. Exagérées ou d'une grande pauvreté intellectuelle.
2. La matière constituée de poils, de fibres ou de déchets d'une pièce de literie.
3. Discours pompeux, ennuyeux.
4. Si ténu.
5. Qui sauve.

Le Guern, on n'est pas des brigands. À chaque criée, Joss étalait ainsi les
350 rebuts du jour sur la caisse qui lui servait d'estrade. Il y en avait toujours.
Tout ce qui promettait de pilonner les femmes et tout ce qui balançait
aux enfers les blacks, les crouilles[1], les citrons[2] et les têtes de pédés était
envoyé au rebut. Joss devinait d'instinct qu'un rien aurait pu le faire
naître femme, black et pédé et que la censure qu'il exerçait n'était pas
355 grandeur d'âme mais simple réflexe de survie.

Une fois par an, pendant la période creuse du 11 au 16 août, Joss mettait l'urne en cale sèche pour la retaper, la poncer, la repeindre, bleu vif
au-dessus de la ligne de flottaison, bleu outremer en dessous, le *Vent de
Norois II* peint en noir sur la face avant, en grandes lettres appliquées, les
360 *Horaires* sur le flanc bâbord, les *Tarifs* et *Autres conditions y affairentes*[3] à
tribord. Il avait beaucoup entendu ce mot lors de son arrestation puis de
son jugement et l'avait empoché en souvenir. Joss considérait que ce « y
affairentes » donnait de la tenue à la criée, même si le lettré de l'hôtel y
trouvait à redire. Un type dont il ne savait pas trop quoi penser, cet Hervé
365 Decambrais. Un aristocrate, sans aucun doute, très grand style, mais si
fauché qu'il devait sous-louer les quatre chambres de son premier étage
et augmenter son petit revenu par la vente de napperons et par la distri-
bution payante de conseils psychologiques à la noix. Lui vivait confiné
dans deux pièces au rez-de-chaussée, cerné de piles de livres qui lui man-
370 geaient l'espace. Si Hervé Decambrais avait avalé de la sorte des milliers
de mots, Joss n'avait pas crainte qu'il n'étouffe pour autant, car l'aristo
parlait beaucoup. Il avalait et régurgitait tout le jour, une véritable
pompe, avec des parties compliquées, pas toujours intelligibles. Damas

---

1. Terme injurieux et raciste pour désigner les arabes.
2. Terme injurieux et raciste pour désigner les asiatiques.
3. S'y rapportant (terme juridique) ; ici, mal orthographié par Joss.

ne captait pas tout non plus, c'était rassurant en un sens, mais Damas
375 n'était pas une lumière.

En déversant le contenu de son urne sur la table, en commençant à
séparer le dicible de l'indicible, Joss arrêta sa main sur une enveloppe
large et épaisse, d'un blanc cassé. Pour la première fois, il se demanda si
le lettré n'était pas l'auteur de ces messages luxueux – vingt francs dans
380 l'enveloppe – qu'il recevait depuis trois semaines, les messages les plus
déplaisants qu'il ait eu à lire en sept années. Joss déchira l'enveloppe,
l'ancêtre penché derrière son épaule. « Gare à tes couilles, Joss, il n'y a
pas que du beau dans la tête de l'homme. »

– Ta gueule, dit Joss.

385 Il déplia le feuillet et lut à voix basse :

– « *Et puis, quand les serpents, chauves-souris, blaireaux et tous les animaux qui vivent dans la profondeur des galeries souterraines sortent en
masse dans les champs et abandonnent leur habitat naturel ; quand les
plantes à fruits et les légumineuses se mettent à pourrir et à se remplir de vers
390 (…) »*

Joss retourna la feuille pour chercher une suite mais le texte s'arrêtait
là. Il secoua la tête. Il avait vidangé beaucoup de paroles hagardes[1] mais
ce type battait les records.

– Taré, murmura-t-il. Riche et taré.

395 Il reposa la feuille et décacheta rapidement les autres enveloppes.

---

1. Confuses.

III

Hervé Decambrais se présenta sur le pas de sa porte quelques minutes avant le début de la criée de huit heures trente. Il s'adossa au chambranle[1] et attendit la venue du Breton. Ses relations avec le marin pêcheur étaient chargées de silence et d'hostilité. Decambrais n'arrivait
5 pas à en déterminer l'origine ni les causes. Il avait tendance à en rejeter la responsabilité sur ce type fruste[2], taillé dans le granit, possiblement violent, qui était venu déranger l'ordonnance[3] subtile de son existence depuis deux ans, avec sa caisse, son urne saugrenue et ses criées qui déversaient trois fois par jour une tonne de merde indigente sur la place
10 publique. Au début, il n'y avait pas attaché d'importance, convaincu que ce type ne tiendrait pas la semaine. Mais son affaire de criée avait remarquablement fonctionné et le Breton avait arrimé[4] sa clientèle, faisant pour ainsi dire salle comble jour après jour, une véritable nuisance.

Pour rien au monde Decambrais n'aurait manqué d'assister à cette
15 nuisance et pour rien au monde il n'en aurait convenu. Il prenait donc place chaque matin avec un livre en main et écoutait la criée les yeux baissés, tournant les pages, n'avançant pas d'une ligne dans sa lecture. Entre deux rubriques, Joss Le Guern lui lançait parfois un bref regard. Decambrais n'aimait pas ce petit coup d'œil bleu. Il lui semblait que le
20 Crieur voulait s'assurer de sa présence, qu'il se figurait l'avoir ferré[5] à l'usure, comme un vulgaire poisson. Car le Breton n'avait rien fait d'autre qu'appliquer à la ville ses réflexes brutaux de pêcheur, ramenant

---

1. À l'encadrement d'une porte.
2. Grossier, rustre.
3. L'organisation.
4. Fidélisé, fixé solidement.
5. Accroché (terme de pêche).

dans ses rets[1] les flots des passants comme autant de bancs de morues, en véritable professionnel de la capture. Passants, poissons, du pareil au
25 même dans sa tête ronde, preuve en était qu'il leur vidait les entrailles pour en faire son commerce.

Mais Decambrais était pris et il était trop fin connaisseur de l'âme humaine pour l'ignorer. Seul ce livre qu'il tenait en main le différenciait encore des autres auditeurs de la place. Ne serait-ce pas plus digne de
30 poser ce foutu livre et d'affronter trois fois par jour sa condition de poisson ? C'est-à-dire de vaincu, d'homme de lettres emporté par le cri inepte[2] de la rue ?

Joss Le Guern avait un peu de retard ce matin-là, un fait très inhabituel et, du coin de son œil baissé, Decambrais le vit arriver en hâte et
35 accrocher solidement l'urne vide au tronc du platane, cette urne au bleu criard prétentieusement baptisée le *Vent de Norois II*. Decambrais se demandait si le marin avait toute sa tête. Il aurait aimé savoir s'il avait baptisé de la sorte tous ses biens, si ses chaises, sa table portaient un nom. Puis il regarda Joss retourner sa lourde estrade avec ses mains de
40 débardeur[3], la caler sur le trottoir aussi aisément qu'il aurait manipulé un oiseau, grimper dessus d'une enjambée énergique, comme s'il montait à bord, sortir les feuillets de sa vareuse[4]. Une trentaine de personnes attendaient, dociles, parmi lesquelles Lizbeth, fidèle au poste, les mains sur les hanches.
45 Lizbeth occupait chez lui la chambre n° 3 et, en guise de loyer, elle aidait à la bonne marche de sa petite pension clandestine. Aide décisive,

---

1. Filets.
2. Stupide.
3. D'ouvrier qui charge ou décharge des marchandises sur un navire.
4. Blouse courte et assez ample de pêcheur.

lumineuse, irremplaçable. Decambrais vivait dans l'appréhension du jour où un type lui faucherait sa magnifique Lizbeth. Cela arriverait, nécessairement. Grande, grosse et noire, Lizbeth se voyait de loin.

50 Aucun espoir donc de la dissimuler aux yeux du monde. D'autant que Lizbeth n'était pas de tempérament discret, qu'elle parlait fort et distribuait généreusement son avis sur tout. Le plus grave étant que le sourire de Lizbeth, heureusement pas si fréquent, déclenchait une envie irrépressible de se jeter dans ses bras, de se plaquer contre sa grosse poitrine

55 et d'emménager là pour la vie. Elle avait trente-deux ans et, un jour, il la perdrait. Pour l'instant, Lizbeth haranguait le Crieur.

– Tu as du retard à l'allumage, Joss, disait-elle, le corps cambré, la tête levée vers lui.

– Je sais, Lizbeth, disait le Crieur, essoufflé. C'est le marc[1] de café.

60 Lizbeth, arrachée à douze ans du ghetto noir de Detroit[2], avait été flanquée au bordel dès son arrivée dans la capitale française où, pendant quatorze années, elle avait appris la langue sur le trottoir de la rue de la Gaîté. Jusqu'à ce que, pour cause de corpulence, elle soit flanquée à la porte de tous les peep-shows[3] du quartier. Elle dormait depuis dix jours

65 sur un banc de la place quand Decambrais s'était décidé à aller la trouver, un soir de pluie froide. Sur les quatre chambres qu'il louait à l'étage de sa vieille maison, il y en avait une de libre. Il la lui avait proposée. Lizbeth avait accepté, s'était déshabillée dès l'entrée et s'était allongée sur le tapis, les mains sous la nuque, les yeux au plafond, attendant que

70 le vieux s'exécute. « C'est un malentendu », avait marmonné Decambrais en lui tendant ses vêtements. « J'ai rien d'autre pour payer », avait répondu Lizbeth en se redressant, jambes croisées. « Ici, avait conti-

---

1. Résidu.
2. Ville du nord des États-Unis.
3. Magasins spécialisés dans les spectacles de nu (mot anglais, de « lorgner »).

nué Decambrais, les yeux fixés au tapis, je ne m'en sors plus, avec le
ménage, le dîner des pensionnaires, les courses, le service. Donnez-moi
75 un coup de main et je vous laisse la chambre. » Lizbeth avait souri et
Decambrais avait manqué se jeter contre sa poitrine. Mais il se trouvait
vieux et il estimait que cette femme avait droit au repos. Du repos,
Lizbeth en avait pris : depuis six ans qu'elle était là, il ne lui avait connu
aucun amour. Lizbeth récupérait, et il priait pour que cela dure encore
80 un peu.

La criée avait commencé et les annonces se succédaient. Decambrais
réalisa qu'il avait manqué le début, le Breton en était déjà à l'annonce
n° 5. C'était le système. On retenait le numéro qui vous intéressait et on
s'adressait au Crieur « pour détails complémentaires y afférents ».
85 Decambrais se demandait où il avait bien pu attraper cette expression de
gendarme.

— *Cinq*, criait Joss. *Vends portée de chatons blancs et roux, trois mâles,
deux femelles. Six : Ceux qui font du tambour toute la nuit avec leur
musique de sauvages en face du n° 36 sont priés d'arrêter. Il y a des gens qui*
90 *dorment. Sept : Tous travaux d'ébénisterie, restauration de meubles anciens,
résultat soigné, enlèvement et dépose à domicile. Huit : Que l'Électricité et
le Gaz de France aillent se faire foutre. Neuf : C'est du flan, les types de la
désinsectisation. Il reste autant de cafards qu'avant et ils vous raflent six
cents balles. Dix : Je t'aime, Hélène. Je t'attends ce soir au Chat qui danse.*
95 *Signé Bernard. Onze : On a encore eu un été pourri et maintenant c'est déjà
septembre. Douze : Au boucher de la place : la viande d'hier était de la
carne et ça fait trois fois dans la semaine. Treize : Jean-Christophe, reviens.
Quatorze : Flics égale tarés, égale salauds. Quinze : Vends pommes et poires
du jardin, goûtues, juteuses.*

100 Decambrais adressa un coup d'œil à Lizbeth qui inscrivit le chiffre 15

sur son calepin. Depuis que le Crieur criait, on trouvait d'excellents produits pour pas cher et ça se révélait avantageux pour le dîner des pensionnaires. Il avait glissé une feuille blanche entre les pages de son livre et attendait, crayon en main. Depuis quelques semaines, trois peut-être,
105 le Crieur déclamait des textes insolites qui ne semblaient pas plus l'intriguer que les ventes de pommes ou de voitures. Ces messages hors du commun, raffinés, absurdes ou menaçants, apparaissaient à présent régulièrement dans la livraison du matin. Depuis l'avant-veille, Decambrais s'était décidé à les prendre discrètement en note. Son
110 crayon, long de quatre centimètres, tenait entièrement dans sa paume.

Le Crieur abordait la pause météo. Il annonçait ses prévisions en étudiant l'état du ciel depuis son estrade, le nez levé, et complétait à la suite avec une météo marine totalement inutile à tous ceux qui étaient groupés autour de lui. Mais personne, pas même Lizbeth, ne s'était avisé de
115 lui dire qu'il pouvait remballer sa rubrique. On écoutait, comme à l'église.

— *Temps maussade de septembre*, expliquait le Crieur, le visage tourné vers le ciel, *pas d'éclaircie à attendre avant seize heures, un mieux en soirée, si vous voulez sortir c'est possible, prenez une laine cependant, vent frais*
120 *s'atténuant au serein. Météo marine, Atlantique, situation générale ce jour et évolution : anticyclone 1030 au sud-ouest Irlande avec dorsale[1] se renforçant sur la Manche. Secteur Cap Finistère, Est à Nord-Est 5 à 6 au nord, 6 à 7 au sud. Mer agitée localement forte par houle[2] d'ouest à nord-ouest.*

Decambrais savait que la météo marine prenait du temps. Il retourna
125 sa feuille pour y relire les deux annonces qu'il y avait notées les jours précédents :

---

1. Ligne de hautes pressions sur une carte météorologique.
2. Mouvement d'ondulation de la mer.

À pied avec mon petit valet (que je n'ose pas laisser à la maison, car avec ma femme il est toujours à fainéanter) pour m'excuser de n'avoir pas été dîner chez Mme (…), qui, je le vois bien, est fâchée parce que je ne lui ai pas pro-
130 *curé le moyen de faire ses achats à bon compte pour son grand festin en l'honneur de la nomination de son mari au poste de lecteur, mais cela m'est égal.*

Decambrais fronça les sourcils, fouillant à nouveau dans sa mémoire. Il était convaincu que ce texte était une citation et qu'il l'avait lu quelque part, un jour, une fois, dans sa vie. Où ? Quand ? Il passa au
135 message suivant, daté de la veille :

Tels signes sont l'abondance extraordinaire des petits animaux, qui s'engendrent de pourriture, comme sont puces, mouches, grenouilles, crapauds, vers, rats, et semblables, qui témoignent une grande corruption, et en l'air, et es humiditez de la terre.

140 Le marin avait buté sur la fin de la phrase, prononçant « esse humiditèze de la terre ». Decambrais avait attribué l'extrait à un texte du XVIIe siècle, sans certitude.

Citations d'un fou, d'un maniaque, c'était le plus probable. Ou bien d'un cuistre[1]. Ou encore d'un impuissant qui cherchait à établir son
145 pouvoir en distillant l'incompréhensible, se hissant avec jouissance au-dessus du vulgaire, enfonçant l'homme de la rue dans son inculture crasse. Sans doute était-il sur place alors, mêlé à la petite foule, afin de se repaître[2] des expressions d'hébétude[3] que provoquaient les messages savants que le Crieur peinait à lire.

---

1. Pédant, qui « étale » des connaissances mal assimilées.
2. De se nourrir.
3. De démence.

150   Decambrais tapota la feuille de son crayon. Même présentés sous cet angle, le dessin[1] et la personnalité de l'auteur lui demeuraient obscurs. Autant l'annonce n° 14 de la veille, *Je vous emmerde, bande de nazes*, mille fois entendue sous des modes approchants, avait le mérite de la clarté dans sa rage brève et sommaire, autant les messages alambiqués[2]
155 du cuistre résistaient au déchiffrage. Il lui fallait augmenter sa collection pour comprendre, l'écouter matin après matin. C'était peut-être cela, tout simplement, que désirait l'auteur : qu'on se suspende à ses lèvres, à chaque jour.

       La météo marine avait pris fin, absconse[3], et le Crieur reprenait sa
160 litanie, de sa belle voix portant jusqu'au bout du carrefour. Il venait d'achever sa rubrique *Sept jours dans le monde*, dans laquelle il moulinait à sa manière les nouvelles internationales du jour. Decambrais en attrapa les dernières phrases : *En Chine, personne ne rigole et mine de rien, là-bas, c'est toujours la schlague[4]. En Afrique, ça ne va pas trop fort, aujour-*
165 *d'hui pas plus qu'hier. Ça ne risque pas de s'arranger demain vu que personne ne se bouge le cul pour eux.* Il reprenait à présent à l'annonce 16, concernant la vente d'un flipper électrique millésimé 1965 orné femme seins nus état impeccable. Crayon serré, Decambrais attendait, presque tendu. Et l'annonce vint, bien identifiable dans la mêlée des *Je t'aime, je*
170 *vends, je vous emmerde* et *j'achète*. Decambrais crut voir le pêcheur hésiter une demi-seconde avant de se lancer. À se demander si le Breton lui-même n'avait pas repéré l'intrus.

       — *Dix-neuf*, annonça Joss. *Et puis, quand les serpents, chauves-souris, blaireaux et tous les animaux qui vivent dans la profondeur des galeries sou-*
175 *terraines sortent en masse dans les champs...*

---

1. L'intention.
2. Très compliqués.
3. Difficile à comprendre.
4. La manière brutale de se faire obéir.

Decambrais griffonna rapidement sur sa feuille. Toujours ces histoires de bestioles, ces vieilles histoires de saletés de bestioles. Il relut la totalité du texte, pensif, pendant que le marin achevait sa criée avec la traditionnelle *Page d'Histoire de France pour tous*, qui se résumait systé-
180 matiquement au récit d'un naufrage ancien. Probable que ce Le Guern avait fait naufrage un jour. Et probable que le bateau s'appelait le *Vent de Norois*. Et sûrement qu'alors la tête du Breton avait fait eau, comme le rafiot. Cet homme à l'allure saine et décidée était cinglé, dans le fond, s'accrochant à ses obsessions comme à des bouées dérivantes. Tout
185 comme lui donc, qui n'avait l'allure ni saine ni décidée.

– *Ville de Cambrai*, énonça Joss, *15 septembre 1883. Vapeur français, 1 400 tonneaux. Vient de Dunkerque pour Lorient, chargé de rails de chemin de fer. Il touche sur Basse Gouac'h. Explosion de la chaudière, un passager mort. Équipage 21 hommes, sauvés.*

190 Joss Le Guern n'avait pas besoin de faire un signe pour disperser ses fidèles. Chacun savait qu'avec le récit du naufrage prenait fin la criée. Récit si attendu que certains avaient pris l'habitude de parier sur l'issue du drame. Les comptes se réglaient au café d'en face ou au bureau, selon qu'on avait parié « tous sauvés », « tous perdus » ou mi-figue mi-
195 raisin. Joss n'aimait pas trop ce monnayage sur tragédie mais il savait aussi que c'est ainsi que la vie repousse sur les épaves et que c'est bien comme ça.

Il sauta à bas de son estrade, croisa le regard de Decambrais qui remballait son livre. Comme si Joss ne savait pas qu'il venait écouter la criée.
200 Vieil hypocrite, vieux raseur qui ne voulait pas admettre qu'un pauvre pêcheur breton le distrayait de son ennui. S'il savait seulement, Decambrais, ce qu'il avait trouvé dans sa livraison du matin. *Hervé Decambrais fabrique lui-même ses napperons de dentelle, Hervé*

Decambrais est un pédé. Joss, après une légère tentation, avait classé le
205 message au rebut. Ils étaient deux maintenant, trois peut-être avec
Lizbeth, à savoir que Decambrais exerçait en cachette la profession de
dentellière. En un sens, cette nouvelle lui rendait l'homme moins anti-
pathique. Peut-être parce qu'il avait vu tant d'années son père remailler
les filets le soir, des heures durant.

210 Joss ramassa le rebut, chargea la caisse sur son épaule et Damas l'aida
à la remiser dans l'arrière-boutique. Le café était chaud, les deux tasses
prêtes, comme chaque matin après la criée.

– J'ai rien compris à la 19, dit Damas en s'asseyant sur un tabouret
haut. L'histoire des serpents. Elle n'est même pas finie, la phrase.

215 Damas était un type jeune, costaud, plutôt beau, le cœur sur la main
mais pas très futé. Dans ses yeux, il y avait toujours une sorte de torpeur
qui lui vidait le regard. Trop de tendresse ou trop de bêtise, Joss n'arrivait pas à se décider. Le regard de Damas ne se posait jamais sur un
point précis, même quand il vous parlait. Il flottait, discret, ouaté,
220 comme une brume, imprenable.

– Un taré, commenta Joss. Cherche pas.

– Je cherche pas, dit Damas.

– Dis voir, t'as entendu ma météo ?

– Ouais.

225 – T'as entendu que l'été est terminé ? Tu ne crois pas que tu vas
prendre froid, à force ?

Damas s'habillait d'un short et d'un gilet de toile passé à même son
torse nu.

– Ça va, dit-il en se regardant. Je tiens.

230 – À quoi ça te sert de montrer tes muscles ?

Damas avala son café d'un trait.

– Ici, ce n'est pas un magasin de dentelles, répondit-il. C'est *Roll-*

Rider. Je vends des planches, des boards, des rollers, des surfs et des tout-terrains. C'est de la bonne publicité pour la boutique, ajouta-t-il en
235 posant son pouce sur son torse.

– Pourquoi tu parles de dentelle ? demanda Joss, soudain méfiant.

– Parce que Decambrais, il en vend. Et il est tout vieux, tout maigre.

– Tu sais où il se les procure, ses napperons ?

– Ouais. Chez un grossiste de Rouen. C'est pas un manche,
240 Decambrais. Il m'a fait une consultation gratuite.

– C'est toi qui as été le trouver ?

– Et alors ? « Conseiller en choses de la vie », c'est bien ce qui est écrit sur sa pancarte, non ? Il n'y a pas de honte à discuter des choses, Joss.

– Il y a aussi écrit : « 40 francs la demi-heure. Tout quart d'heure
245 commencé est dû. » C'est cher pour de l'arnaque, Damas. Qu'est-ce qu'il y connaît le vieux, aux choses de la vie ? Il a même jamais navigué.

– C'est pas de l'arnaque, Joss. Tu veux la preuve ? « Ce n'est pas pour ta boutique que tu montres ton corps, Damas, c'est pour toi », il a dit. « Mets un froc et tâche d'avoir confiance, conseil d'ami. Tu seras aussi
250 beau mais t'auras l'air moins con. » Qu'est-ce que tu dis de ça, Joss ?

– Faut admettre que c'est sage, reconnut Joss. Et pourquoi tu ne t'habilles pas ?

– Parce que je fais ce qui me plaît. Seulement, Lizbeth a peur que j'attrape la mort et Marie-Belle aussi. Dans cinq jours, je prends mon
255 élan et je me rhabille.

– Bon, dit Joss. Parce que ça se gâte salement par l'ouest.

– Decambrais ?

– Quoi, Decambrais ?

– Tu ne peux pas le saquer ?

260 – Nuance, Damas. C'est Decambrais qui ne m'encadre pas.

– C'est dommage, dit Damas en débarrassant les tasses. Parce qu'il paraît qu'une de ses chambres s'est libérée. Ça aurait été bien pour toi. À deux pas de ton travail, au chaud, blanchi et nourri tous les soirs.

– Merde, dit Joss.

265   – Comme tu dis. Mais tu ne peux pas la prendre, la piaule. Comme tu ne peux pas le saquer.

– Non, dit Joss. Je ne peux pas la prendre.

– C'est bête.

– Très bête.

270   – Il y a Lizbeth, en plus. Ça ajoute un sacré avantage.

– Un énorme avantage.

– Comme tu dis. Mais tu ne peux pas louer. Comme tu ne peux pas le saquer.

– Nuance, Damas. C'est lui qui ne peut pas m'encadrer.

275   – Ça revient au même, pour la chambre. Tu ne peux pas.

– Je ne peux pas.

– Ça s'arrange mal, des fois. T'es sûr que tu ne peux pas ?

Joss durcit sa mâchoire.

– Sûr, Damas. C'est même plus la peine d'en parler.

280   Joss quitta la boutique pour aller au café d'en face, *Le Viking*. Ce n'est pas que les Normands et les Bretons aient jamais fait bon ménage, heurtant leurs vaisseaux dans des mers mitoyennes, mais Joss savait aussi qu'un rien aurait pu le faire naître du côté des terres du Nord. Le patron, Bertin, un grand homme aux cheveux blond-roux, aux pommettes

285   hautes et aux yeux clairs, servait un calva[1] unique au monde, puisque censé vous donner la jeunesse éternelle en vous fouettant correctement l'intérieur au lieu de vous expédier directement dans la tombe. Soi-

---

1. Calvados : alcool breton fait à base de pommes.

disant que les pommes venaient de son pré et que là-bas, les taureaux mouraient centenaires et encore fringants. Alors les pommes, imagine.

290 – Ça ne va pas, ce matin ? s'inquiéta Bertin en lui servant le calva.

– C'est rien. C'est juste que des fois, ça s'arrange mal, dit Joss. Tu dirais que Decambrais, il ne peut pas m'encadrer ?

– Non, dit Bertin, nanti[1] de sa prudence toute normande. Je dirais qu'il te prend pour une brute.

295 – La différence ?

– Disons que c'est arrangeable, avec du temps.

– Du temps, vous n'avez que ça à la bouche, vous, les Normands. Un mot tous les cinq ans, avec de la chance. Si tout le monde faisait comme vous, elle n'avancerait pas vite, la civilisation.

300 – Elle avancerait peut-être mieux.

– Du temps ! Mais combien de temps, Bertin ? C'est ça la question.

– Pas grand-chose. Une dizaine d'années.

– Alors c'est foutu.

– C'était urgent ? Tu voulais le consulter ?

305 – Des clous. Je voulais sa piaule.

– Tu ferais bien de t'activer, je crois qu'il a une demande. Il renâcle[2] parce que le type est cinglé de Lizbeth.

– Pourquoi veux-tu que je m'active, Bertin ? Le vieux poseur me prend pour une brute.

310 – Faut comprendre, Joss. Il n'a jamais navigué. D'ailleurs, t'en es pas une, de brute ?

– J'ai jamais prétendu le contraire.

– Tu vois. Decambrais, c'est un connaisseur. Dis-moi, Joss, tu l'as comprise, ton annonce 19 ?

---

1. Riche.
2. Témoigne de la répugnance.

315 – Non.

– Je l'ai trouvée spéciale, aussi spéciale que celles des derniers jours.

– Très spéciale. Je ne les aime pas, ces annonces.

– Alors pourquoi tu les lis ?

– C'est payé et bien payé. Et chez les Le Guern on est peut-être des

320 brutes, mais on n'est pas des brigands.

BIEN LIRE

**Répertoriez les types d'annonces que « crie » Joss.
Laquelle surprend ? Pourquoi ?
Pourquoi Lizbeth note-t-elle l'annonce n° 14 ?**

IV

– Je me demande, dit le commissaire Adamsberg, si, à force d'être flic, je ne deviens pas flic.

– Vous l'avez déjà dit, observa Danglard qui organisait le rangement futur de son armoire métallique.

Danglard avait l'intention de démarrer d'une base nette, ainsi qu'il l'avait expliqué. Adamsberg, qui n'avait aucune sorte d'intention, avait étalé ses dossiers sur les chaises avoisinant sa table.

– Vous en pensez quoi ?

– Qu'après vingt-cinq ans de métier, ce serait peut-être une bonne chose.

Adamsberg enfonça ses mains dans ses poches et s'adossa au mur fraîchement repeint, considérant d'un regard vague les nouveaux lieux où il avait pris pied depuis moins d'un mois. Nouveaux locaux, nouvelle affectation, Brigade criminelle de la Préfecture de police de Paris, groupe homicide, antenne du 13e. Fin des cambriolages, des vols à l'arraché, voies de fait, types armés, types désarmés, à cran, pas à cran, et des kilos de papiers y afférents. « Y afférent », il se l'était entendu dire deux fois ces derniers temps. À force d'être flic.

Non que les kilos de papier *y afférents* ne le suivraient pas ici comme ailleurs. Mais, ici comme ailleurs, il trouverait des types qui aimeraient le papier. Il avait découvert très jeune, en quittant les Pyrénées, que ces types existaient et il avait conçu pour eux un grand respect, un peu de tristesse et une formidable gratitude. Lui aimait essentiellement marcher, rêver et faire, et il savait que de nombreux collègues l'avaient considéré avec un peu de respect et beaucoup de tristesse. « Le papier, lui avait un jour expliqué un gars volubile[1], la rédaction, le procès-verbal, est à la naissance de toute Idée. Pas de papier, pas d'idée. Le verbe hisse l'idée comme l'humus[2] hisse le petit pois. Un acte sans papier, et c'est un petit pois de plus qui meurt dans le monde. »

30   Bien, il avait donc dû faire mourir des camions de petits pois depuis qu'il était flic. Mais il avait souvent senti émerger des pensées intrigantes à l'issue de ses déambulations. Pensées qui ressemblaient plus à des paquets d'algues qu'à des petits pois, sans doute, mais le végétal reste le végétal et l'idée reste l'idée, et nul ne vous demande une fois que vous

35 l'avez énoncée si vous l'avez cueillie dans un champ labouré ou ramassée sur un bourbier. Ceci posé, il était indubitable[3] que son adjoint Danglard qui aimait le papier sous toutes ses formes, des plus hautaines aux plus humbles – en liasses, en livres, en rouleaux, en feuillets, de l'incunable[4] à l'essuie-tout –, était un homme à vous fournir du petit pois de qualité.

40 Danglard était un type concentré qui pensait sans marcher, un anxieux au corps mou qui écrivait en buvant et qui, avec le seul secours de son iner-tie, de sa bière, de son crayon mâché et de sa curiosité un peu lasse, pro-duisait des idées en ordre de marche d'un type tout différent des siennes.

Ils s'étaient souvent affrontés sur cette ligne, Danglard tenant pour

45 seule estimable l'idée issue de la pensée réfléchie et pour suspecte toute forme d'intuition informe, Adamsberg ne tenant pour rien et ne cher-chant pas à démêler les unes des autres. Muté à la Brigade criminelle, Adamsberg s'était battu pour emporter avec lui l'esprit tenace et précis du lieutenant Danglard, promu capitaine.

50   En ce nouveau lieu, les réflexions de Danglard comme les errances

---

1. Très bavard.
2. La décomposition partielle de déchets végétaux et animaux.
3. Incontestable.
4. Ouvrage qui date des origines de l'imprimerie (antérieur à 1500).

d'Adamsberg n'allaient plus rebondir d'un bris de vitre à un vol de sac. Elles se concentreraient sur un seul objectif : crimes de sang. Plus même cette petite vitre pour vous distraire du cauchemar de l'humanité assassine. Plus même ce petit sac contenant clefs, répertoire et lettre d'amour
55 pour vous laisser respirer l'air vivifiant du délit mineur et raccompagner la jeune femme à la porte avec un mouchoir propre.

Non. Crimes de sang. Groupe homicide.

Cette définition tranchante de leur nouvelle ligne d'intervention blessait comme un rasoir. Très bien, il l'avait voulu, halant[1] derrière lui quelque
60 trente affaires criminelles dénouées à grand renfort de rêveries, de promenades et de montées d'algues. On l'avait placé là, sur la ligne des tueurs, sur ce chemin d'effroi où il se révélait contre toute attente diaboliquement bon – « diaboliquement » étant un terme choisi par Danglard pour rendre compte de l'impraticabilité des sentiers mentaux d'Adamsberg.
65 Là, tous les deux sur cette ligne, avec vingt-six adjoints.

– Je me demande, reprit Adamsberg en passant lentement la main sur les plâtres humides, s'il peut nous arriver la même chose qu'aux rochers des bords de mer.

– C'est-à-dire ? demanda Danglard avec une pointe d'impatience.
70 Adamsberg avait toujours parlé lentement, prenant tout le temps d'énoncer l'important et le dérisoire, perdant parfois l'objectif en cours de route, et Danglard endurait avec difficulté cette manière de faire.

– Eh bien ces rochers, disons qu'ils ne sont pas d'un bloc. Disons qu'ils sont en calcaire dur et en calcaire mou.
75 – Le calcaire mou n'existe pas en géologie.

– On s'en fout, Danglard. Il y a des bouts mous et des bouts durs,

---

1. Traînant derrière lui.

comme dans toute forme de vie, comme dans moi-même et comme dans vous. Voilà ces rochers. À force que la mer les frappe, les cogne, les bouts mous se mettent à fondre.

80   – « Fondre » n'est pas le mot.

– On s'en fout, Danglard. Ces bouts s'en vont. Les parties dures commencent à faire saillie. Et plus le temps passe et plus la mer cogne et plus la faiblesse s'éparpille à tous vents. À la fin de sa vie d'homme, le rocher n'est plus que crénelage[1], dents, mâchoire de calcaire prête à

85 mordre. À la place du mou, voici des creux, des vides, des absences.

– Alors ? dit Danglard.

– Alors je me demande si les flics, et des paquets d'autres humains exposés aux fracas de la vie, ne subissent pas la même érosion[2]. Disparition des parties tendres, résistance des parties coriaces, insensibi-

90 lisation, endurcissement. Au fond, une véritable déchéance.

– Vous vous demandez si vous prenez le chemin de cette mâchoire de calcaire ?

– Oui. Si je ne deviens pas flic.

Danglard considéra la question un bref instant.

95   – En ce qui concerne votre rocher personnel, je pense que l'érosion ne se comporte pas normalement. Disons que chez vous, le dur est mou et le mou est dur. Forcément, le résultat n'a rien à voir.

– Qu'est-ce que ça change ?

– Tout. Résistance des parties molles, c'est le monde à l'envers.

100 Danglard envisagea son propre cas, en glissant une liasse de feuillets dans un des dossiers suspendus.

– Et qu'est-ce que ça donnerait, reprit-il, si un rocher était entièrement constitué de calcaire mou ? Et qu'il était flic ?

---

1. Entaillé de crans.
2. Usure lente.

– Il finirait par atteindre la taille d'une bille puis par disparaître
105 corps et biens.

– C'est encourageant.

– Mais je ne pense pas qu'il puisse exister des rochers pareils en
liberté dans la nature. Et flics de surcroît.

– Il faut l'espérer, dit Danglard.

110 La jeune femme hésitait devant la porte du commissariat. Enfin, il
n'y avait pas écrit « Commissariat » mais « Préfecture de police –
Brigade criminelle », en lettres laquées sur une plaque brillante suspendue au vantail[1] de la porte. C'était le seul truc propre de l'endroit. Le
bâtiment était vieux et noir et les vitres sales. Quatre ouvriers s'affai-
115 raient aux fenêtres, perçant dans la pierre avec un boucan de tous les
diables pour les munir de barreaux. Maryse conclut que, Commissariat
ou Brigade, c'était toujours des flics, et ceux-là étaient beaucoup plus
près que ceux de l'avenue. Elle fit un pas vers la porte, puis s'arrêta à
nouveau. Paul l'avait prévenue, tous les flics se foutraient de sa gueule.
120 Mais elle n'était pas tranquille, avec les enfants. Qu'est-ce que ça coûtait
d'entrer ? Cinq minutes ? Le temps de le dire et de se sauver ?

– Tous les flics se foutront de ta gueule, ma pauvre Maryse. Si c'est
ce que tu veux, fonce.

Un type sortit par la porte cochère, passa devant elle, puis revint sur
125 ses pas. Elle tortillait la bride de son sac à main.

– Ça ne va pas ? demanda-t-il.

C'était un homme petit et brun habillé à la va comme je te pousse,
pas même coiffé, les manches de sa veste noire remontées sur ses avant-
bras nus. Sûrement quelqu'un qui, comme elle, avait des embarras à
130 raconter. Mais lui, il avait fini.

---

1. Battant.

– Ils sont gentils, là-dedans ? lui demanda Maryse.

Le type brun haussa les épaules.

– Ça dépend des gars.

– Ils vous écoutent ? précisa Maryse.

135   – Ça dépend de ce que vous leur dites.

– Mon neveu pense qu'ils se foutront de moi.

Le type pencha la tête de côté, posa sur elle un regard attentif.

– De quoi s'agit-il ?

– De mon immeuble, l'autre nuit. Je me fais de la bile à cause des

140 enfants. Si un fou est entré l'autre soir, qui me dit qu'il ne va pas revenir ? Ou quoi ?

Maryse se mordait les lèvres, le front un peu rouge.

– Ici, dit l'homme doucement en lui désignant le bâtiment crasseux,
c'est la Brigade criminelle. C'est pour les meurtres, vous voyez. Quand

145 on tue quelqu'un.

– Oh, dit Maryse, alarmée.

– Allez au commissariat de l'avenue. À midi, c'est plus calme, ils
prendront le temps de vous entendre.

– Oh non, dit Maryse en secouant la tête, je dois être au bureau à

150 deux heures, le patron est intraitable sur les retards. Ils ne peuvent pas
les prévenir, ici, leurs collègues de l'avenue ? Je veux dire, ce n'est pas un
peu la même bande, tous ces policiers ?

– Pas exactement, répondit le type. Que s'est-il passé ? Cambriolage ?

– Oh non.

155   – Violences ?

– Oh non.

– Racontez toujours, ce sera plus facile. On pourra vous orienter.

– Bien sûr, dit Maryse en paniquant légèrement.

Le type attendit patiemment, appuyé au capot d'une voiture, que
160 Maryse se concentre.

— C'est une peinture noire, expliqua-t-elle. Ou plutôt treize peintures, sur toutes les portes de l'immeuble. Elles me font peur. Je suis toujours seule avec les enfants, vous comprenez.

— Des tableaux ?

165 — Oh non. Des quatre. Des chiffres 4. Des grands 4 noirs, un peu
façon ancienne. Je me demandais si ce n'était pas une bande ou quoi.
Peut-être que les policiers le savent, peut-être qu'ils peuvent comprendre. Mais peut-être pas. Paul a dit, si tu veux qu'ils se foutent de ta
gueule, fonce.

170 Le type se redressa, lui posa une main sur le bras.

— Venez, lui dit-il. On va noter tout cela et il n'y aura plus rien à
craindre.

— Mais, dit Maryse, ce ne serait pas mieux qu'on trouve un flic ?

L'homme la regarda un instant, un peu surpris.

175 — Je suis flic, répondit-il. Commissaire principal Jean-Baptiste
Adamsberg.

— Oh, dit Maryse, désorientée. Je suis désolée.

— Il n'y a pas de mal. Vous me preniez pour quoi ?

— Je n'ose plus vous le dire.

180 Adamsberg l'entraîna à travers les locaux de la Brigade criminelle.

— Un coup de main, commissaire ? lui demanda un lieutenant au
passage, les yeux cernés, prêt à partir déjeuner.

Adamsberg poussa doucement la jeune femme vers son bureau et
regarda l'homme en s'efforçant de le situer. Il ne connaissait pas encore
185 tous les adjoints qu'on avait affectés à son groupe et il avait un mal fou
à se rappeler leurs noms. Les membres de l'équipe n'avaient pas été longs

à remarquer cette difficulté et ils se présentaient systématiquement à chaque brin de conversation. Soit par ironie, soit pour lui rendre sincèrement service, Adamsberg n'était pas encore fixé là-dessus et il s'en foutait un peu.

— Lieutenant Noël, dit l'homme. Un coup de main ?

— Une jeune femme à bout de nerfs, rien de plus. Une mauvaise blague dans son immeuble, ou simplement quelques tags. Elle n'a besoin que d'un peu de soutien.

— C'est pas l'assistance sociale, ici, dit Noël en fermant son blouson d'un coup sec.

— Et pourquoi non, lieutenant…

— Noël, compléta l'homme.

— Noël, répéta Adamsberg, tâchant de mémoriser son visage.

Tête carrée, peau blanche, cheveux en brosse blonde et oreilles bien visibles égale Noël. Fatigue, morgue[1], brutalité éventuelle égale Noël. Oreilles, brutalité, Noël.

— On en reparlera plus tard, lieutenant Noël, dit Adamsberg. Elle est pressée.

— Si c'est pour soutenir madame, intervint un brigadier tout aussi inconnu d'Adamsberg, je me porte volontaire. J'ai mon outillage, ajouta-t-il en souriant, les mains accrochées à la ceinture de son pantalon.

Adamsberg se retourna lentement.

— Brigadier Favre, annonça l'homme.

— Ici, dit Adamsberg d'une voix tranquille, vous allez faire quelques découvertes qui vont vous étonner, brigadier Favre. Ici, les femmes ne sont pas un rond avec un trou dedans et si cette nouvelle vous épate, ne

---

1. Arrogance.

vous gênez pas pour tâcher d'en savoir plus. En dessous, vous trouvez
des jambes, des pieds, et au-dessus, vous rencontrez un buste, une tête.
Tâchez d'y songer, Favre, si vous avez de quoi.

Adamsberg se dirigea vers son bureau en s'efforçant d'enregistrer le
visage du brigadier. Joues pleines, nez gros, sourcils drus, tête de con
égale Favre. Nez, sourcils, femmes, Favre.

— Racontez-moi ça, dit-il en s'adossant au mur de son bureau, face à
la jeune femme qui s'était posée du bout des fesses sur une chaise. Vous
avez des enfants, vous êtes seule, vous habitez où ?

Adamsberg griffonna les réponses sur un calepin, le nom, l'adresse,
pour rassurer Maryse.

— Ces 4 ont été peints sur les portes, c'est bien cela ? En une seule
nuit ?

— Oh oui. Ils étaient sur toutes les portes hier matin. Des 4 grands
comme ça, ajouta-t-elle en écartant les mains d'une soixantaine de centimètres.

— Pas de signature ? De paraphe[1] ?

— Oh si. Il y a trois lettres en dessous, peintes en plus petit. CTL.
Non. CLT.

Adamsberg nota. CLT.

— Noires aussi ?

— Aussi.

— Rien d'autre ? Rien sur la façade ? La cage d'escalier ?

— Sur les portes seulement. En noir.

— Ce chiffre, il n'est pas un peu déformé ? Comme un sigle ?

— Oh si. Je peux vous le dessiner, je ne suis pas maladroite.

---

1. Signature abrégée, souvent formée des initiales.

240   Adamsberg lui tendit son carnet et Maryse s'appliqua à représenter un grand quatre fermé, en typographie d'imprimerie, au trait plein, à la base pattée comme une croix de Malte, et portant deux barres sur son retour.

— Voilà, dit Maryse.

245   — Vous l'avez fait à l'envers, dit doucement Adamsberg en reprenant le calepin.

— C'est parce qu'il est à l'envers. Il est à l'envers, large au pied, avec ces deux petites barres au bout. Est-ce que vous le connaissez ? Est-ce que c'est une marque de cambrioleurs ? CLT ? Ou quoi ?

250   — Les cambrioleurs marquent les portes aussi discrètement que possible. Qu'est-ce qui vous effraie ?

— L'histoire d'Ali Baba, je crois. L'assassin qui marquait toutes les portes avec une grande croix.

— Dans cette histoire, il n'en marquait qu'une seule. La femme d'Ali 255 Baba marquait les autres pour l'égarer, si je ne me trompe pas.

— C'est vrai, dit Maryse, rassérénée[1].

— C'est un tag, dit Adamsberg en la reconduisant à la porte. Des gosses du coin, probablement.

— Je n'ai jamais vu ce 4 dans le quartier, dit Maryse à voix basse. Et 260 je n'ai jamais vu de tags sur les portes des appartements. Parce que les tags, c'est fait pour être vu par tout le monde, non ?

— Il n'y a pas de règle. Lavez votre porte et n'y pensez plus.

Après le départ de Maryse, Adamsberg arracha les feuilles du calepin et les jeta en boule à la corbeille. Puis il reprit sa station debout, adossé 265 au mur, méditant sur les moyens de nettoyer la tête de types comme ce

---

1. Calmée, rassurée.

Favre. Pas commode, vice de forme très profond, sujet à peine conscient. Il n'y avait plus qu'à espérer que tout le groupe homicide ne soit pas à l'unisson. D'autant qu'on y comptait quatre femmes.

Comme chaque fois qu'il se prenait à méditer, Adamsberg lâchait
270 rapidement la rampe et touchait à un vide proche de la somnolence. Il en émergea en un léger sursaut après dix minutes, chercha dans ses tiroirs la liste de ses vingt-sept adjoints et s'efforça, Danglard excepté, d'en mémoriser les noms, les récitant à voix basse. Puis, dans la marge, il nota Oreilles, Brutalité, Noël et Nez, Sourcils, Femmes, Favre.

275 Il ressortit pour aller boire ce café que sa rencontre avec Maryse lui avait fait manquer. On n'avait pas encore livré la machine à café ni le distributeur à bouffe, les hommes se battaient pour trouver trois chaises et du papier, des électriciens installaient des prises pour les batteries d'ordinateurs et les barreaux commençaient tout juste d'être posés aux
280 fenêtres. Pas de barreaux, et donc pas de crime. Les assassins se retiendraient jusqu'à achèvement des travaux. Autant aller rêver dehors et secourir des jeunes femmes à bout de nerfs sur les trottoirs. Aller penser à Camille aussi, qu'il n'avait pas vue depuis plus de deux mois. S'il ne se trompait pas, elle devait rentrer demain, ou après-demain, il ne se sou-
285 venait plus de la date.

BIEN LIRE

Expliquez la première phrase du chapitre.
Que révèle-t-elle sur le jugement que porte Adamsberg sur sa profession ?

V

Le mardi matin, Joss manipula avec beaucoup de prudence le marc de café, évitant tout geste brutal. Il avait mal dormi, la faute évidemment à cette chambre à louer qui dansait devant ses yeux, inaccessible.

Il s'assit lourdement à sa table devant son bol, son pain et son saucis-
son, examinant avec hostilité les quinze mètres carrés dans lesquels il logeait, les murs fissurés, le matelas posé au sol, les toilettes sur le palier. Bien sûr qu'avec ses neuf mille francs, il aurait pu s'offrir un peu mieux, mais près de la moitié partait chaque mois au Guilvinec, chez sa mère. On ne peut pas se sentir au chaud si on sait que sa mère a froid, c'est comme
ça la vie, aussi simple et compliqué que ça. Joss savait que le lettré ne louait pas cher, parce que c'était chez l'habitant, et parce que c'était en dessous-de-table[1]. Et puis, il fallait reconnaître les choses, Decambrais n'était pas de ces exploiteurs qui vous arrachent la peau des fesses pour quarante mètres cubes dans Paris. Lizbeth logeait même gratuitement en échange
des courses, du dîner et de l'entretien de la salle de bains commune. Decambrais se chargeait du reste, passait l'aspirateur et la toile à laver dans les parties collectives, dressait la table pour le petit déjeuner. Fallait reconnaître qu'à soixante-dix ans, le lettré ne ménageait pas sa peine.

Joss mâcha lentement son pain trempé, écoutant d'une oreille la radio
en sourdine pour ne pas manquer la météo marine qu'il notait chaque matin. Ça avait tous les avantages, chez le lettré. D'une part, c'était à un jet de pierre de la gare Montparnasse, au cas où. Ensuite il y avait de l'espace, des radiateurs, des lits sur pied, des parquets en chêne et des tapis à

---

1. Somme que l'acheteur donne de la main à la main au vendeur, en plus du prix officiel, dans un marché.

franges usés. Les premiers temps de son installation, Lizbeth avait passé
25 plusieurs jours pieds nus sur les tapis chauds, pour le plaisir. Il y avait le
dîner, évidemment. Joss ne savait que griller des bars, ouvrir des huîtres et
gober des bigorneaux. Si bien que soir après soir, il mangeait des
conserves. Enfin, il y avait Lizbeth, dormant dans la chambre voisine.
Non, il n'aurait jamais touché à Lizbeth, jamais posé sur elle ses mains
30 rêches de vingt-cinq ans de plus qu'elle. Et fallait reconnaître ça à
Decambrais aussi, il l'avait toujours respectée. Lizbeth lui avait raconté
une histoire terrible, celle du premier soir où elle s'était allongée sur le
tapis. Eh bien l'aristo, il n'avait pas bougé d'un cil. Chapeau bas. C'est ce
qu'on appelle du cran. Et là où l'aristo avait du cran, Joss en aurait tout
35 pareil, il n'y a pas de raison. Chez les Le Guern, on est peut-être des
brutes, mais on n'est pas des brigands.

C'est bien là que le bât blessait[1]. Decambrais le tenait pour une brute
et jamais il ne lui céderait la piaule, il était inutile de rêver. Ni de Lizbeth
ni du dîner ni des radiateurs.

40 Il y pensait encore en vidant son urne, une heure plus tard. Il repéra
aussitôt la grosse enveloppe ivoire qu'il éventra d'un coup de pouce.
Trente francs. Les tarifs augmentaient tout seuls. Il jeta un œil au texte
sans prendre la peine de le lire jusqu'au bout. Les bavardages incompréhensibles de ce cinglé commençaient à le lasser. Puis il sépara mécani-
45 quement le dicible de l'indicible. Sur le second tas, il posa le message
suivant : *Decambrais est un pédé, il fabrique lui-même sa dentelle*. La
même chose qu'hier, mais dans l'autre sens. Pas très inventif, le gars. On
allait rapidement tourner en rond. Au moment où Joss abandonnait
l'annonce au rebut, sa main hésita, plus longuement que la veille. Loue-

---

1. C'est bien là qu'était le problème.

50 moi la chambre ou je balance toute la sauce à la criée. Du chantage, ni plus ni moins.

À huit heures vingt-huit, Joss était sur sa caisse, fin prêt. Chacun était à son poste, comme autant de danseurs dans une chorégraphie rodée depuis plus de deux mille représentations : Decambrais sur le pas de sa 55 porte, tête baissée vers son livre, Lizbeth dans la petite foule, à main droite, Bertin à main gauche, derrière les rideaux rayés de rouge et blanc du *Viking*, Damas dans son dos, appuyé à la vitrine de *Roll-Rider*, non loin de la locataire de Decambrais, chambre 4, presque cachée derrière un arbre, et enfin les têtes familières des aficionados[1] disposés en cercle, cha- 60 cun retrouvant par une sorte d'atavisme[2] son emplacement de la veille.

Joss avait lancé la criée.

– *Un : Cherche recette de cake sans que les fruits confits tombent au fond. Deux : Ça sert à rien de fermer ta porte pour cacher tes saletés. Dieu qu'est là-haut te juge, toi et ta catin. Trois : Hélène, pourquoi n'es-tu pas* 65 *venue ? Je m'excuse de tout ce que je t'ai fait. Signé Bernard. Quatre : Perdu six boules de pétanque dans le square. Cinq : Vends ZR7750 1999, 8 500 km, rouge, alarme, sautevent, pare-carters, 3 000 francs.*

Une main ignorante se leva dans la foule pour signaler son intérêt pour l'annonce. Joss dut s'interrompre.

70 – Tout à l'heure au *Viking*, dit-il un peu rudement.

Le bras se baissa, honteux, aussi vite qu'il s'était levé.

– *Six*, reprit Joss. *Je ne suis pas dans la viande. Sept : Recherche camion pizza ouverture panoramique, permis VL, four 6 pizzas. Huit : Les jeunes qui font du tambour, la prochaine fois c'est la police. Neuf…*

75 Dans son impatience à surprendre l'annonce du cuistre, Decambrais

---

1. Admirateurs.
2. Habitude liée à l'hérédité.

n'écoutait plus avec autant d'attention les messages du jour. Lizbeth prit en note une vente d'herbes de Provence, on arrivait à la météo marine. Decambrais se prépara, orientant le bout de crayon dans sa paume.

– … *7 à 8 mollissant graduellement 5 à 6 puis revenant secteur Ouest 3* à *5 l'après-midi. Mer forte, pluies ou averses s'atténuant.*

Joss arriva à l'annonce 16 et Decambrais la reconnut au premier mot.

– *Après quoi, je me rendis à* points de suspension *par la rivière, je me fis débarquer à l'autre bout de la ville et, à la nuit tombée, je pus entrer en la maison de la femme de* points de suspension *et là, j'eus sa compagnie, bien qu'avec mille difficultés, néanmoins enfin j'avais ma volonté d'elle. Rassasié de ce côté, je suis parti à pied.*

Un silence interloqué suivit, rapidement dissipé par Joss qui enchaîna sur quelques messages plus intelligibles avant d'aborder sa Page d'Histoire. Decambrais grimaça. Il n'avait pas eu le temps de tout noter, le texte avait été trop long. Il dressa l'oreille pour connaître le destin des *Droits de l'Homme,* vaisseau français de 74 canons, 14 janvier 1797, retour d'une campagne manquée en Irlande avec 1 350 hommes à bord.

– … *Est pris en chasse par deux vaisseaux anglais, l'*Infatigable *et l'*Amazone : *après une nuit de combat, il vient talonner face à la plage de Canté.*

Joss renfourna ses papiers dans sa vareuse.

– Oh, Joss ! cria une voix. Combien de sauvés ?

Joss sauta à bas de sa caisse.

– On ne peut pas espérer tout savoir, dit-il avec un brin de solennité[1].

Avant de rembarquer son estrade chez Damas, il croisa le regard de Decambrais. Il manqua faire trois pas vers lui mais décida de reporter

---

1. Gravité majestueuse.

l'affaire après la criée de midi. Avaler un calva lui donnerait du cœur à l'ouvrage.

À douze heures quarante-cinq, Decambrais nota fébrilement, semée
105 d'abréviations, l'annonce suivante :

Douze : Les magistrats fairont dresser les règlements qu'il faut observer et les fairont afficher au coin des rues et dans les places afin que perfonne ne les ignore. Points de suspension. *Ils fairont tuer les chens, les chats; les pigeons, les lapins, les poulets, et les poules. Ils auront une attention fingu-*
110 *lière à faire tenir les maisons propres et les rues, à faire nettoyer les cloaques*[1] *de la ville et des environs, les foffes*[2] *remplies de fumier, d'eau croupiffante,* points de suspension ; *ou du moins on les faira fécher.*

Joss avait déjà rallié *Le Viking* pour déjeuner quand Decambrais se décida à l'aborder. Il poussa la porte du bar et Bertin lui servit une bière,
115 posée sur un dessous-de-verre en carton rouge orné des deux lions d'or de la Normandie, fabrication spéciale pour l'établissement. Afin d'annoncer le déjeuner, le patron frappa du poing sur une large plaque de cuivre suspendue au-dessus du comptoir. Chaque jour, au repas de midi et du soir, Bertin frappait sur son gong, laissant échapper un gronde-
120 ment d'orage qui faisait décoller en masse tous les pigeons de la place et, dans un rapide chassé-croisé de volatiles et d'hommes, rappliquer tous les affamés au *Viking.* Par ce geste, Bertin rappelait efficacement à tous que l'heure de la bouffe avait sonné en même temps qu'il rendait hommage à ses redoutables origines, que nul n'était censé ignorer. Bertin
125 était un Toutin par sa mère, ce qui établissait, étymologie[3] à l'appui, son

---

1. Lieux très sales.
2. Fosses.
3. Origine du mot.

lien en ascendance directe avec Thor, le dieu scandinave du tonnerre. Si certains estimaient cette interprétation hasardeuse, et Decambrais en était, personne ne s'avisait de débiter l'arbre généalogique de Bertin en rondelles et d'anéantir de ce fait tous les rêves d'un homme qui lavait des verres depuis trente ans sur le pavé de Paris.

Ces quelques excentricités avaient étendu la renommée du *Viking* loin de son aire et l'établissement était constamment bondé.

Decambrais se déplaça, tenant haut sa bière, jusqu'à la table où Joss avait pris place.

— Est-ce qu'on peut vous toucher un mot? demanda-t-il sans s'asseoir.

Joss leva ses petits yeux bleus sans répondre, en mâchant sa viande. Qui avait cassé le morceau? Bertin? Damas? Est-ce que Decambrais allait l'envoyer paître avec sa chambre à louer, pour le simple plaisir de lui signifier que sa présence de brute n'était pas désirée dans l'hôtel aux tapis? Si Decambrais s'avisait de l'insulter, il lui sortait tout le rebut[1]. D'une main, il lui fit signe de se poser.

— L'annonce 12, commença Decambrais.

— Je sais, dit Joss, surpris, elle est spéciale.

Ainsi, le Breton avait vu. Ça allait lui simplifier la tâche.

— Elle a des petites sœurs, dit Decambrais.

— Ouais. Depuis trois semaines.

— Je me demandais si vous les aviez conservées.

Joss torcha sa sauce avec du pain, avala, puis croisa les bras.

— Et même? dit-il.

— J'aimerais les relire. Si vous voulez, ajouta-t-il devant l'expression

---

1. Ce qu'il avait laissé de côté ; ce qu'il ne lui avait pas dit.

butée du Breton, je vous les achète. Toutes celles que vous avez, et celles à venir.

— Alors comme ça, c'est pas vous ?

155 — Moi ?

— Qui les avez fourrées dans l'urne. Je me demandais. Ça aurait pu être dans votre manière, ces vieilles phrases à rien y comprendre. Mais si vous voulez me les acheter, c'est qu'elles ne sont pas de vous. Je suis logique.

160 — Combien ?

— Je les ai pas toutes. Seulement les cinq dernières.

— Combien ?

— Une annonce lue, dit Joss en montrant son assiette, c'est comme une côte d'agneau rongée : ça n'a plus de valeur. Je ne vends pas. Chez
165 les Le Guern, on est peut-être des brutes, mais on n'est pas des brigands.

Joss lui lança un regard entendu.

— Alors ? relança Decambrais.

Joss hésita. Est-ce qu'on pouvait raisonnablement négocier une chambre contre cinq feuilles de papier sans queue ni tête ?

170 — Paraît qu'une de vos chambres s'est libérée, marmonna-t-il.

Le visage de Decambrais se figea.

— J'ai déjà des demandes, répondit-il très bas. Ces gens ont priorité sur vous.

175 — Ça va, dit Joss. Remballez votre boniment. Hervé Decambrais ne veut pas qu'une brute vienne fouler ses tapis. C'est plus vite dit comme ça, non ? C'est qu'il faut avoir fait ses lettres pour entrer là-dedans, ou faut être une Lizbeth, et pour l'un comme pour l'autre, je crois que c'est pas demain la veille que ça m'arrivera.

180 Joss vida son verre de vin et le reposa violemment sur la table. Puis il haussa les épaules et se calma d'un coup. On en avait vu d'autres, chez les Le Guern.

– C'est bon, reprit-il en se servant un autre verre. Gardez-la, votre chambre. Je peux comprendre, après tout. On n'est pas notre genre, tous
185 les deux, et puis c'est marre. Qu'est-ce qu'on peut faire à ça ? Vous pouvez les avoir, ces papiers, si ça vous chiffonne tant que ça. Passez ce soir chez Damas, avant la criée de six heures dix.

Decambrais se présenta à l'heure dite chez *Roll-Rider*. Damas était occupé à régler les rollers d'un jeune client et sa sœur lui fit un signe
190 depuis la caisse.

– M. Decambrais, dit-elle à voix basse, si vous pouviez lui dire de passer un pull. Il va prendre froid, il n'est pas si solide des bronches. Je sais que vous avez de l'influence sur lui, automatiquement.

– Je lui ai déjà parlé, Marie-Belle. C'est long de lui faire comprendre.
195 – Je sais, dit la jeune femme en se mordant la lèvre. Mais si vous pouviez essayer encore.

– Je lui parlerai dès que possible, c'est promis. Le marin est ici ?

– Dans l'arrière-boutique, dit Marie-Belle en lui indiquant une porte.

Decambrais se pencha sous les roues des vélos suspendus, se glissa
200 entre les rangées de planches et pénétra dans l'atelier de réparation, empli de roulettes de tous calibres du sol au plafond, et dont un bout d'établi était occupé par Joss et son urne.

– Je vous ai posé ça en bout de table, dit Joss sans tourner la tête.

Decambrais prit les feuillets et les passa en revue rapidement.
205 – Et voilà celle de ce soir, ajouta Joss. En avant-première. Le cinglé force l'allure, j'en ai trois par jour à présent.

Decambrais déplia la feuille et lut :

    — *Et premièrement pour éviter l'infection procédante de la terre, fault tenir les rues nettes et les maisons en les baliant et ostant fiens et immun-*
210 *dices tant humains que d'aultres animaux, aiant principallement esgard au marché aux poiffons, boucheries, triperies là où se fait ordinairement amas d'excrément sujet à corruption.*

    — Je ne sais pas ce que c'est comme viande, ces poiffons, dit Joss, toujours penché sur ses piles.

215   — Ces poissons, si je puis me permettre.

    — Dites donc, Decambrais, je veux bien être gentil mais mêlez-vous de ce qui vous regarde. Parce que chez les Le Guern, on sait lire. Nicolas Le Guern faisait déjà la criée sous le second Empire. Ce n'est pas vous qui allez m'apprendre la différence entre des poiffons et des poissons,
220 nom de Dieu.

    — Le Guern, ce sont des copies de textes anciens, du XVIIe siècle. Le type les transcrit à la lettre, à l'aide de caractères spéciaux. À l'époque, on formait les S à peu près comme des F. Si bien que dans l'annonce de midi, il n'était pas question de *perfonne* ni de *foffes* ou d'*eau croupiffante.*
225 Encore moins de les faire *fécher.*

    — Quoi, des S ? dit Joss en se redressant et en montant le ton.

    — Des S, Le Guern. Fosse, eau croupissante, sécher, poissons. Des vieux S en forme de F. Regardez vous-même, ils n'ont pas tout à fait la même forme, si on les examine de près.

230 Joss lui arracha le papier des mains et étudia les graphismes.

    — Bon, dit-il d'un ton mauvais, admettons. Et après ?

    — C'est plus aisé pour votre lecture, rien de plus. Je ne cherchais pas à vous offenser.

    — Ben c'est fait. Prenez vos sacrés papiers et barrez-vous. Parce que la
235 lecture, c'est quand même mon boulot. Je ne me mêle pas de vos affaires, moi.

– C'est-à-dire ?

– C'est-à-dire que j'en sais pas mal sur vous, avec toutes ces dénonciations qui traînent, dit Joss en désignant sa pile d'indicible. Comme me le
240 rappelait l'autre soir l'arrière-arrière-grand-père Le Guern, il n'y a pas que du beau dans la tête de l'homme. Heureusement que je trie les lentilles.

Decambrais blêmit et chercha un tabouret pour s'asseoir.

– Bon Dieu, dit Joss, faut pas vous alarmer comme ça.

– Ces dénonciations, Le Guern, vous les avez toujours ?
245 – Ouais, je les mets au rebut. Ça vous intéresse ?

Joss fouilla dans son tas d'invendus et lui tendit les deux messages.

– Après tout, c'est toujours utile de connaître son ennemi, dit-il. Un homme averti en vaut deux.

Joss regarda Decambrais déplier les billets. Ses mains tremblaient et,
250 pour la première fois, il eut un peu de peine pour le vieux lettré.

– Vous frappez pas, surtout, dit-il, c'est fumier et compagnie. Si vous saviez tout ce que je lis. La merde, faut la laisser courir à la rivière.

Decambrais lut les deux billets et les reposa sur ses genoux en souriant faiblement. Il sembla à Joss que le souffle lui revenait. Qu'est-ce
255 qu'il avait craint, l'aristocrate ?

– Il n'y a pas de mal à faire de la dentelle, insista Joss. Mon père, il faisait des filets. C'est pareil en plus gros, pas vrai ?

– C'est vrai, dit Decambrais en lui rendant les messages. Mais il vaut mieux que ça ne s'ébruite pas. Les gens sont étroits.
260 – Très étroits, dit Joss en reprenant son travail.

– C'est ma mère qui m'a enseigné le métier. Pourquoi n'avez-vous pas lu ces annonces, à la criée ?

– Parce que j'aime pas les cons, dit Joss.

– Mais vous ne m'aimez pas non plus, Le Guern.
265 – Non. Mais j'aime pas les cons.

Decambrais se leva et s'éloigna. Au moment de franchir la porte basse, il se retourna.

— La chambre est à vous, Le Guern, dit-il.

VI

En passant le porche de la Brigade, vers treize heures, Adamsberg fut intercepté par un lieutenant inconnu.

— Lieutenant Maurel, commissaire, se présenta l'homme. Il y a une jeune femme qui vous attend dans votre bureau. Elle ne voulait avoir
5 affaire qu'à vous. Une certaine Maryse Petit. Elle est là depuis vingt minutes. Je me suis permis de fermer la porte, parce que Favre voulait lui soutenir le moral.

Adamsberg fronça les sourcils. La femme d'hier, l'histoire des tags. Bon Dieu, il l'avait trop réconfortée. Si elle venait s'épancher[1] chaque
10 jour, les choses allaient beaucoup se compliquer.

— J'ai fait une bourde, commissaire ? demanda Maurel.

— Non, Maurel. C'est de ma faute.

Maurel. Grand, mince, brun, de l'acné, prognathe[2], sensible. Acné, prognathe, sensible, égale Maurel.

15 Adamsberg entra dans son bureau avec une certaine prudence et s'installa à sa table avec un hochement de tête.

— Oh, commissaire, je suis navrée de vous déranger encore, commença Maryse.

— Une minute, dit Adamsberg en tirant une feuille de son tiroir et
20 en s'y plongeant, stylo en main.

Sale ruse de flic ou de chef d'entreprise, usée jusqu'à la garde, pour creuser le fossé, faire comprendre à son vis-à-vis son insignifiance relative. Adamsberg s'en voulait de l'utiliser. On se croit à dix lieues d'un lieutenant Noël qui ferme son blouson d'un coup sec et on se retrouve

1. Confier ses sentiments, ses pensées intimes.
2. Saillie en avant des os maxillaires.

25 à faire pire. Maryse s'était tue aussitôt et avait baissé la tête. Adamsberg
y lut une grande habitude des brimades patronales. Elle était plutôt jolie
et, penchée, son chemisier laissait voir la naissance des seins. On se croit
à cent lieues d'un brigadier Favre et, si ça se trouve, on trempe dans la
même bauge à sangliers[1]. Sur sa liste, Adamsberg nota lentement : Acné,
30 Prognathe, Sensible, Maurel.

– Oui ? dit-il en relevant la tête. Vous avez encore peur ? Vous vous
souvenez, Maryse, c'est le groupe homicide[2], ici. Si vous vous sentez
trop inquiète, un médecin vous serait peut-être plus utile qu'un flic ?

– Oh, peut-être.

35 – C'est bien, dit Adamsberg en se levant. Cessez de vous tracasser, les
tags n'ont jamais mangé personne.

Il ouvrit grand la porte et lui sourit, pour l'encourager à sortir.

– Mais, dit Maryse, je ne vous ai pas dit, pour les autres immeubles.

– Quels autres immeubles ?

40 – Deux immeubles à l'autre bout de Paris, dans le 18e.

– Eh bien ?

– Des 4 noirs. Il y en avait sur toutes les portes, et ça datait de plus
d'une semaine, bien avant mon immeuble, en fait.

Adamsberg resta immobile un instant, puis il referma doucement la
45 porte et désigna la chaise à la jeune femme.

– Les tagueurs, commissaire, demanda timidement Maryse en se rasseyant, ils marquent plutôt dans leur quartier, non ? Je veux dire,
comme sur un territoire bien serré ? Ils ne marquent pas un immeuble
et puis un autre à l'autre bout de la ville, ou quoi ?

50 – Sauf s'ils habitent aux deux bouts de Paris.

---

1. Lieu très sale.
2. Qui s'occupe des meurtres.

– Oh oui. Mais en général, dans les bandes, ils sont du quartier, non ?

Adamsberg resta silencieux, puis il sortit son carnet.

– Comment l'avez-vous su ?

– J'ai conduit mon fils chez le phoniatre[1], il est dyslexique[2]. Pendant la séance, j'attends toujours au café d'en bas. Je feuilletais le journal de quartier, vous savez, les nouvelles d'arrondissement, et puis la politique. Il y avait toute une colonne là-dessus, un immeuble de la rue Poulet et un dans la rue Caulaincourt, qui avaient été couverts de 4 sur toutes les portes.

Maryse marqua un temps.

– Je vous ai apporté le papier, dit-elle en glissant la coupure sur la table. Pour que vous voyiez que je ne racontais pas des blagues. Je veux dire, que je n'essayais pas de faire mon intéressante ou quoi.

Pendant qu'Adamsberg parcourait l'article, la jeune femme se levait pour partir. Adamsberg jeta un coup d'œil à sa corbeille à papier vide.

– Un moment, dit-il. On va reprendre depuis le début. Votre nom, votre adresse, le dessin de ce 4 et toute la suite.

– Mais je vous l'ai déjà dit hier, dit Maryse, un peu gênée.

– Je préfère tout reprendre. Par précaution, vous comprenez.

– Ah bon, dit Maryse en se rasseyant à nouveau, docile.

Après le départ de Maryse, Adamsberg était parti marcher. Une heure sans bouger sur une chaise représentait son temps maximal de station assise. Les dîners au restaurant, les séances de cinéma, les concerts, les longues soirées dans les fauteuils profonds, amorcées avec un sincère

---

1. Médecin spécialiste de la voix.
2. Connaît des difficultés dans l'apprentissage de la lecture et de l'écriture.

plaisir, s'achevaient dans une sorte de souffrance physique. Le désir compulsif[1] de sortir et de marcher, ou tout au moins de se lever, lui faisait lâcher la conversation, la musique, le film. Cette condition handicapante avait ses avantages. Elle lui permettait de comprendre ce que les autres nommaient la fébrilité, l'impatience, voire le sentiment d'urgence, états qui lui échappaient dans toutes les autres circonstances de la vie.

Une fois debout ou une fois en marche, cette impatience refluait[2] comme elle était venue et Adamsberg retrouvait son rythme naturel, lent, calme, constant. Il revint à la Brigade sans avoir particulièrement réfléchi mais avec la sensation que ces 4 n'étaient ni un tag ni une blague d'adolescent, pas même une farce vengeresse. Un vague désagrément dans ces séries de chiffres, un malaise furtif.

En arrivant en vue de la Brigade, il savait aussi qu'il n'était pas souhaitable qu'il en parle à Danglard. Danglard détestait le voir dériver au long de perceptions infondées, source à ses yeux de tous les dérapages policiers. Au mieux, il appelait ça perdre son temps. Adamsberg avait beau lui expliquer que perdre son temps n'était jamais du temps perdu, Danglard restait résolument réfractaire[3] à ce système de pensées illégitimes, sans attache rationnelle. Le problème d'Adamsberg, c'est qu'il n'en avait jamais connu aucun autre et qu'il ne s'agissait pas même d'un système, ni d'une conviction ou même d'une simple velléité[4]. C'était une tendance, et l'unique en sa possession.

Danglard était à son bureau, le regard alourdi par un solide déjeuner, et il testait le réseau d'ordinateurs qu'on venait tout juste de brancher.

---

1. Extrême.
2. Rentrait en lui.
3. Inaccessible.
4. Envie non suivie d'acte.

— Je n'arrive pas à importer le fichier empreintes de la Préfecture, gronda-t-il au passage d'Adamsberg. Qu'est-ce qu'ils foutent, bon sang ? De la rétention[1] ? On est antenne[2] ou on n'est pas antenne ?

— Ça va venir, dit Adamsberg, apaisant, d'autant plus calme qu'il se
105 mêlait le moins possible des ordinateurs.

Cette inaptitude[3], au moins, ne gênait pas le capitaine Danglard qui manipulait avec bonheur les bases de données et les séries croisées. Enregistrer, classer, manipuler les fichiers les plus étendus convenait à l'amplitude[4] de son esprit organisé.

110 — Il y a un mot sur votre bureau, dit-il sans lever les yeux. La fille de la Reine Mathilde. Elle est revenue de voyage.

Danglard n'appelait jamais Camille autrement que « la fille de la Reine Mathilde », depuis qu'il y a longtemps, cette Mathilde lui avait causé un gros choc esthétique et sentimental. Il l'admirait comme une
115 icône et une large part de cette dévotion[5] s'étendait à sa fille Camille. Danglard estimait qu'Adamsberg était loin d'être aussi prévenant et attentif avec Camille qu'il aurait dû l'être. Adamsberg l'entendait très nettement dans certains grondements ou réprobations muettes de son adjoint qui, pourtant, s'efforçait en gentleman de ne pas se mêler des
120 affaires des autres. En cet instant même, Danglard lui reprochait sans mot dire de n'avoir pas pris de nouvelles de Camille depuis plus de deux mois. Et surtout de l'avoir croisé au bras d'une fille un soir, pas plus tard que la semaine dernière. Les deux hommes s'étaient salués sans une parole.

---

1. Fait de garder pour soi des informations.
2. Service dépendant d'un organisme principal.
3. Incapacité.
4. Aux grandes capacités intellectuelles.
5. Vénération religieuse.

125　Adamsberg passa dans le dos de son adjoint et regarda un moment défiler les lignes sur l'écran.

— Dites, Danglard, il y a un type qui s'amuse à peindre en noir des sortes de 4 alambiqués sur les portes des appartements. Dans trois immeubles en fait. Un dans le 13e arrondissement et deux dans le 18e.
130　Je me demande si je ne vais pas y faire un saut.

Danglard suspendit ses doigts au-dessus de son clavier.

— Quand ? demanda-t-il.

— Eh bien maintenant. Le temps de prévenir le photographe.

— Pour quoi faire ?

135　— Eh bien pour les photographier, avant que les gens ne les effacent. Si ce n'est déjà fait.

— Mais pour quoi faire ? répéta Danglard.

— Je n'aime pas ces 4. Pas du tout.

Bien. Le pire était dit. Danglard avait horreur des phrases qui com-
140　mençaient par « Je n'aime pas ceci » ou « Je n'aime pas cela ». Un flic n'a pas à aimer ou ne pas aimer. Il a à bosser, et à réfléchir en bossant. Adamsberg entra dans son bureau et trouva le billet laissé par Camille. S'il était libre, elle pouvait le retrouver ce soir. Si pas libre, pouvait-il prévenir ? Adamsberg hocha la tête. Oui, bien sûr qu'il était libre.

145　Brusquement satisfait, il décrocha son téléphone et demanda le photographe. Danglard avait fait irruption dans la pièce, intrigué et maussade.

— Danglard, quelle tête a le photographe ? demanda Adamsberg. Et comment s'appelle-t-il ?

— On vous a présenté toute l'équipe il y a trois semaines, dit
150　Danglard, et vous avez serré la main à chacun des hommes et des femmes présents. Vous avez même parlé au photographe.

— C'est possible, Danglard, c'est même certain. Mais ça ne répond pas à ma question. Quelle tête a-t-il et quel est son nom ?

— Daniel Barteneau.

155   — Barteneau, Barteneau, ce n'est pas commode, ça. Sa tête ?

— Plutôt maigre, l'air vif, souriant, agité.

— Des trucs distinctifs ?

— Des taches de rousseur très serrées, des cheveux presque roux.

— C'est bon, ça, très bon, dit Adamsberg en tirant sa liste de son
160 tiroir.

Il se pencha sur sa table et nota : Maigre, Roux, Photographe...

— Quel nom avez-vous dit ?

— Barteneau, martela Danglard. Daniel Barteneau.

— Merci, dit Adamsberg en complétant son mémento. Vous avez
165 remarqué qu'il y a une grosse tête de con dans le groupe ? Je dis une,
mais on en a peut-être plusieurs.

— Favre, Jean-Louis.

— C'est cela. Qu'est-ce qu'on va en faire ?

Danglard écarta les bras.

170   — C'est une question qui se pose au niveau mondial, dit-il. On va
l'améliorer ?

— Ça va prendre cinquante ans, mon vieux.

— Qu'est-ce que vous allez foutre, avec ces 4 ?

— Ah, répondit Adamsberg.

175   Il ouvrit son carnet à la page du dessin de Maryse.

— Ça ressemble à ça.

Danglard y jeta un coup d'œil et le lui rendit.

— Il y a eu délit ? Violence ?

— Juste ces traits de pinceau. Qu'est-ce que ça coûte d'aller voir ?
180 Tant qu'il n'y a pas de barreaux ici, toutes les affaires sont dirigées sur le
Quai des Orfèvres.

— Ce n'est pas une raison pour faire n'importe quoi. Il y a du boulot pour tout mettre en route.

— Ce n'est pas n'importe quoi, Danglard, je vous le certifie.

185   — Des tags.

— Depuis quand les tagueurs marquent-ils les portes palières ? À trois endroits de Paris ?

— Des amuseurs ? Des artistes ?

Adamsberg secoua lentement la tête.

190   — Non, Danglard. Ça n'a rien d'artistique. Ça a tout du merdique, en revanche.

Danglard haussa les épaules.

— Je sais, mon vieux, dit Adamsberg en sortant du bureau. Je sais.

Le photographe arrivait dans le hall et faisait son chemin à travers les
195 gravats. Adamsberg lui serra la main. Le nom que lui avait répété Danglard lui échappait tout à fait. Le mieux serait de reporter son mémento sur son carnet, à portée de main immédiate. Il s'en occuperait dès demain parce que ce soir, il y avait Camille, et que Camille passait avant Bretonneau ou quel que soit son nom. Danglard arriva rapide-
200 ment dans son dos.

— Bonjour, Barteneau, dit-il.

— Bonjour, Barteneau, répéta Adamsberg en adressant un signe de gratitude à son adjoint. On file. Avenue d'Italie. Rien que du propre, des photos d'art.

205 Du coin de l'œil, Adamsberg vit Danglard enfiler sa veste et tirer soigneusement sur les pans arrière pour qu'elle se place correctement sur les épaules.

— Je vous accompagne, marmonna-t-il.

VII

Joss descendit en hâte la rue de la Gaîté, trois nœuds et demi. Depuis la veille, il se demandait s'il avait bien entendu le vieux lettré prononcer la phrase : « La chambre est à vous, Le Guern. » Bien sûr qu'il l'avait entendu, mais est-ce que cela voulait bien dire ce que Joss pensait que cela voulait bien dire ? Est-ce que cela voulait *réellement* dire que Decambrais lui louait la chambre ? Avec le tapis, Lizbeth, le dîner ? À lui, la brute du Guilvinec ? Bien sûr, c'est ce que cela voulait dire. Quoi d'autre ? Mais pour l'avoir dit hier, Decambrais ne s'était-il pas réveillé consterné et décidé à la reculade ? N'allait-il pas venir vers lui après la criée pour lui annoncer qu'il était navré mais que la chambre était louée, question de priorité ?

Oui, c'est ce qui allait se passer, et pas plus tard que tout à l'heure. Ce vieux poseur, ce vieux lâche avait été soulagé d'apprendre que Joss ne jetterait pas son affaire de dentelle sur la place publique. Et, dans un élan incontrôlé, il avait donné la chambre. Et à présent, il la reprenait. Voilà ce qu'était Decambrais. Un raseur et un salaud, il l'avait toujours pensé.

Furieux, Joss détacha son urne et la vida sans ménagement sur la table de *Roll-Rider*. Et s'il y avait un nouveau message aux dépens du lettré, il était bien possible qu'il le lise, ce matin. À salaud, salaud et demi. Il parcourut les annonces avec impatience mais ne trouva rien de ce genre. En revanche la grosse enveloppe ivoire était là, avec ses trente francs.

— Celui-là, murmura Joss en dépliant la feuille, ne va pas me lâcher avant longtemps.

En même temps, ce n'était pas une mauvaise affaire. Le gars lui rapportait presque cent balles par jour à lui tout seul à présent. Joss se concentra pour lire.

Videbis animalia generata ex corruptione multiplicari in terra ut vermes,

ranas et muscas; et si sit a causa subterranea videbis reptilia habitantia in cabernis exire ad superficiem terrae et dimittere ova sua et aliquando mori. Et
30 *si est a causa celesti, similiter volatilia.*

— Merde, dit Joss. De l'italien.

La première chose que fit Joss en grimpant sur son estrade à huit heures vingt-huit fut de s'assurer de la présence de Decambrais contre son chambranle. C'était bien la première fois en deux ans qu'il était
35 anxieux de le voir. Oui, il était là, impeccable dans son costume gris, recoiffant d'un geste ses cheveux blancs, ouvrant son livre relié de cuir. Joss lui jeta un regard mauvais et lança de sa forte voix l'annonce n° 1.

Il lui sembla qu'il avait fait la criée plus vite que d'ordinaire, dans sa hâte de savoir comment Decambrais allait renier sa parole. Il en bousilla
40 presque sa Page finale d'Histoire de France pour tous, et il en voulut davantage encore au lettré.

— *Vapeur français*, termina-t-il avec brusquerie, *3 000 tonneaux, heurte les rochers de Penmarch puis dérive jusqu'à la Torche où il coule sur ses ancres. Équipage perdu.*

45 La criée achevée, Joss se força à remporter sa caisse avec indifférence jusqu'à la boutique de Damas, qui levait son rideau de fer. Les deux hommes se serrèrent la main. Damas avait la main toute froide. Forcément avec ce temps, toujours en gilet. Il allait attraper du mal, à faire son malin.

50 — Decambrais t'attend à vingt heures ce soir au *Viking*, dit Damas en disposant les tasses à café.

— Il ne peut pas faire ses messages lui-même ?

— Il a des rendez-vous toute la journée.

— Peut-être, mais je suis pas à la botte. Il ne fait pas la loi, l'aristo.

55 — Pourquoi tu dis « l'aristo » ? demanda Damas, surpris.

— Eh, Damas, réveille-toi. Decambrais, c'est pas aristo, des fois ?

— Je n'en sais rien. Je ne me suis jamais posé la question. En tous les cas, il est toujours fauché.

— Les aristos fauchés, ça existe. C'est même ce qui se fait de mieux en matière d'aristo.

— Ah bon, dit Damas. Je ne savais pas.

Damas servit le café chaud, sans paraître remarquer l'expression contrariée du Breton.

— Ce pull, c'est pour aujourd'hui ou pour demain ? dit Joss avec une certaine hargne. Tu ne crois pas que ta sœur, elle se fait assez de souci, non ?

— Bientôt, Joss, bientôt.

— Le prends pas en mauvaise part, mais pourquoi tu ne te laves pas les cheveux, tant que tu y es ?

Damas leva un visage étonné et rejeta ses cheveux, longs et bruns, ondulés, derrière ses épaules.

— Ma mère disait que les cheveux d'un homme, c'est tout son capital, assura Joss. Ben toi, on ne peut pas dire que tu le fais fructifier[1].

— Ils sont sales ? interrogea le jeune homme, perplexe.

— Un peu, oui. Le prends pas en mauvaise part. C'est pour toi, Damas. Tu as de beaux cheveux, tu dois t'en occuper. Elle ne te le dit jamais, ta sœur ?

— Sûrement. C'est juste que j'oublie.

Damas attrapa le bout de ses cheveux et les examina.

— T'as raison, Joss, je vais le faire tout de suite. Tu peux me garder la boutique ? Marie-Belle ne sera pas là avant dix heures.

Damas partit d'un bond et Joss le vit traverser la place en courant en

---

1. Produire des résultats avantageux.

direction de la pharmacie. Il soupira. Pauvre Damas. Trop gentil, ce type, et pas assez de plomb dans la cervelle. À se faire bouffer la laine sur
85 le dos. Le contraire de l'aristo, tout dans la tête et rien dans le cœur. C'est mal équilibré, l'existence.

Le grondement de tonnerre de Bertin retentit à huit heures un quart du soir. Les jours raccourcissaient drôlement, la place était déjà dans l'ombre et les pigeons couchés. Joss se traîna de mauvaise grâce jusqu'au
90 *Viking.* Il repéra Decambrais à la table du fond, en cravate et costume sombre, chemise blanche élimée au col, devant deux pichets de vin rouge. Il lisait, et il était le seul à le faire de toute l'assemblée. Il avait eu toute la journée pour préparer son discours et Joss s'attendait à ce que ce soit bien ficelé. Mais il en fallait d'autre pour entortiller un Le Guern.
95 Les bouts, les cordages, les filins, ça le connaissait.

Joss s'assit pesamment sans saluer et Decambrais remplit aussitôt les deux verres.

– Merci d'être venu, Le Guern, je préférais ne pas remettre ça à demain.
100 Joss hocha simplement la tête et entama largement son verre.

– Vous les avez ? demanda Decambrais.

– Quoi ?

– Les annonces du jour, les annonces spéciales.

– Je trimballe pas tout sur moi. Elles sont chez Damas.
105 – Vous vous en souvenez ?

Joss se gratta longuement la joue.

– Il y avait encore ce type qui raconte sa vie, ni queue ni tête comme d'habitude, dit-il. Et puis une autre en italien, comme ce matin.

– C'est du latin, Le Guern.
110 Joss garda le silence un instant.

— Eh bien j'aime pas trop ça, moi. Lire des trucs qu'on ne comprend pas, ce n'est pas du travail honnête. Qu'est-ce qu'il cherche, ce gars ? À emmerder le monde ?

— C'est très possible. Dites, ça vous ennuierait beaucoup d'aller les chercher ?

Joss vida son verre et se leva. Les choses ne prenaient pas la tournure attendue. Il était troublé, comme cette nuit en mer où tout s'était déréglé à bord et où on ne parvenait plus à faire le point. On croyait les estocs[1] à tribord et, à l'aube, ils étaient droit devant, plein nord. Il avait frôlé la catastrophe.

Il fit rapidement l'aller et retour, se demandant si Decambrais n'était pas sur bâbord quand il le pensait sur tribord, et posa les trois enveloppes ivoire sur la table. Bertin venait d'apporter les plats chauds, escalope normande pommes de terre, et un troisième pichet. Joss attaqua sans attendre pendant que Decambrais lisait l'annonce de midi à voix basse.

— « *Je suis allé au bureau ce matin, ayant très mal à l'index de la main gauche, à cause d'une foulure que je me suis faite hier en luttant avec la femme que je mentionnais hier. (…) Ma femme est allée aux étuves[2] (…) pour se baigner après être restée si longtemps à la maison dans la poussière. Elle prétend avoir pris la résolution d'être désormais très propre. Combien de temps cela va durer, je le devine sans peine.* » Je connais ce texte, bon sang, dit-il en le repliant dans l'enveloppe, mais je le perçois comme dans un brouillard. Soit j'ai trop lu, soit ma mémoire me lâche.

— Des fois, c'est le sextant[3] qui lâche.

---

1. Pointes des épées.
2. Local de bains dont on élève la température pour provoquer la transpiration.
3. L'instrument à réflexion qui permet de mesurer des hauteurs d'astres à partir d'un navire.

Decambrais remplit à nouveau les verres et passa à l'annonce suivante :

– « *Terrae putrefactae signa sunt animalium ex putredine nascentium
multiplicatio, ut sunt mures, ranae terrestres (…), serpentes ac vermes, (…)*
140 *praesertim si minime in illis locis nasci consuevere.* » Je peux les garder ?
demanda-t-il.

– Si ça vous avance.

– À rien, pour le moment. Mais je trouverai, Le Guern, je trouverai.
Ce type joue au chat et à la souris mais un jour, un mot de plus me met-
145 tra sur la piste, j'en suis convaincu.

– Pour aller où ?

– Pour savoir ce qu'il veut.

Joss haussa les épaules.

– Avec votre tempérament, vous n'auriez jamais pu faire crieur. Parce
150 que si on s'arrête sur tout ce qu'on lit, c'est la fin de tout. On ne peut
plus crier, on s'étrangle. Un crieur, ça doit être au-dessus des choses.
Parce que j'en ai vu des cinglés défiler dans mon urne. Seulement, j'ai
jamais vu quelqu'un qui payait plus que le tarif réglementaire. Ni qui
causait en latin, ou avec des vieux S en forme de F. À quoi ça sert, on se
155 demande.

– À avancer masqué. D'une part ce n'est pas lui qui parle, puisqu'il
cite des textes. Vous voyez l'astuce ? Il ne se mouille pas.

– Je n'ai pas confiance dans les gars qui se mouillent pas.

– D'autre part il choisit des textes anciens qui n'ont de sens que pour
160 lui. Il se planque.

– Remarquez, dit Joss en agitant son couteau, j'ai rien contre l'ancien. Je fais même une page d'histoire de France à la criée, vous avez
remarqué ? Ça remonte à l'école, ça. J'aimais bien l'histoire. J'écoutais
pas, mais j'aimais bien.

165   Joss termina son assiette et Decambrais demanda un quatrième pichet. Joss lui jeta un coup d'œil. Il avait une bonne descente, l'aristo, sans compter tout ce qu'il s'était enfilé en l'attendant. Lui-même suivait le rythme, mais il sentait son contrôle lui échapper furtivement. Il regarda attentivement Decambrais qui n'avait pas l'air tellement stable,
170 tout compte fait. Sûrement qu'il avait bu pour se décider à parler de la chambre. Joss réalisa que lui aussi reculait. Tant qu'on parle de trucs et de machins, on ne parle pas de l'hôtel et c'est toujours ça de gagné.

    – C'est le prof que j'aimais bien, dans le fond, ajouta Joss. Il aurait parlé chinois que ça m'aurait plu quand même. Quand ils m'ont viré de
175 la pension, c'est le seul que j'ai regretté. C'étaient pas des rigolos à Tréguier.

    – Qu'est-ce que vous foutiez à Tréguier ? Je vous croyais du Guilvinec.

    – Je foutais rien, justement. J'étais en pension pour qu'on me refasse
180 le caractère. Ils se sont usé les griffes pour rien. Deux ans plus tard, ils m'ont renvoyé au Guilvinec, rapport à la mauvaise influence que j'avais sur mes camarades.

    – Je connais Tréguier, dit négligemment Decambrais en remplissant son verre.

185   Joss le regarda d'un air sceptique.

    – La rue de la Liberté, vous connaissez ?

    – Oui.

    – Ben c'est là qu'elle était, la pension de garçons.

    – Oui.

190   – Juste après l'église Saint-Roch.

    – Oui.

    – Vous allez dire « oui » à tout ce que je dis ?

    Decambrais haussa les épaules, la paupière lourde, Joss secoua la tête.

— Vous êtes bourré, Decambrais, dit-il. Vous pouvez plus soutenir.

195 — Je suis bourré mais je connais Tréguier. L'un n'empêche pas l'autre.

Decambrais vida son verre et fit signe à Joss de remplir à nouveau.

— Des blagues, dit Joss en s'exécutant. Des blagues pour m'amadouer[1]. Si vous me croyez assez con pour mollir sous prétexte qu'un gars a traversé la Bretagne, vous faites drôlement erreur. Je ne suis pas

200 patriote, moi, je suis marin. Je connais des Bretons qui sont aussi crétins que les autres.

— Moi aussi.

— C'est pour moi que vous dites ça ?

Decambrais secoua la tête mollement et il se fit un assez long silence.

205 — Mais c'est vrai que vous connaissez Tréguier ? reprit Joss avec l'entêtement de ceux qui ont trop bu.

Decambrais acquiesça et vida son verre.

— Eh bien moi, je ne connais pas trop, dit Joss, brusquement triste. Le taulier[2] de la pension, le père Kermarec, s'arrangeait pour me coller

210 tous les dimanches. La ville, je crois bien que je ne l'ai vue qu'à travers les vitres et les récits des copains. C'est ingrat, la mémoire, parce que je me souviens du nom de ce salaud mais pas de celui du prof d'histoire, qu'était le seul à me défendre.

— Ducouëdic.

215 Joss releva lentement la tête.

— Comment ? dit-il.

— Ducouëdic, répéta Decambrais. Le nom de votre prof d'histoire.

Joss plissa les yeux et se pencha par-dessus la table.

— Ducouëdic, confirma-t-il. Yann Ducouëdic. Dites donc,

---

1. Me concilier.
2. Patron (familier).

220 Decambrais, vous m'espionnez ? Qu'est-ce que vous me voulez ? Vous êtes flic ? C'est ça, Decambrais, vous êtes flic ? Les messages, c'est de la blague, la chambre, c'est de la blague ! Tout ce que vous voulez, c'est m'attirer dans votre truc de flic !

– Vous craignez les flics, Le Guern ?

225 – Ça vous regarde ?

– C'est votre affaire. Mais je ne suis pas flic.

– Tu parles. Comment vous le connaissez, mon Ducouëdic ?

– C'était mon père.

Joss se pétrifia, les coudes sur la table, la mâchoire en avant, ivre et
230 indécis.

– Des blagues, marmonna-t-il après une longue minute.

Decambrais écarta le pan gauche de son veston et, à gestes un peu imprécis, repéra sa poche intérieure. Il en sortit son portefeuille et en tira une carte d'identité qu'il tendit au Breton. Joss l'examina longue-
235 ment, longeant du doigt le nom, la photo, le lieu de naissance. Hervé Ducouëdic, né à Tréguier, soixante-dix berges.

Quand il releva la tête, Decambrais avait posé un index sur ses lèvres. Silence. Joss inclina la tête plusieurs fois. Des embrouilles. Ça, il pouvait comprendre, même bourré. Il régnait cependant un tel boucan au
240 *Viking* qu'on pouvait parler doucement sans risque.

– Alors… « Decambrais » ? murmura-t-il.

– De la foutaise.

Alors là, chapeau bas. Chapeau bas l'aristo. Fallait lui reconnaître ça. Joss prit tout son temps pour réfléchir encore.

245 – Et alors, reprit-il, aristo, vous l'êtes ou vous l'êtes pas ?

– Aristo ? dit Decambrais en rempochant sa carte. Dites, Le Guern, si j'étais aristo, je ne m'userais pas les yeux à faire de la dentelle.

– Mais aristo fauché ? insista Joss.

– Même pas. Fauché tout court. Breton tout court.

250 Joss s'adossa à sa chaise, décontenancé, comme lorsqu'une lubie ou un rêve vous abandonne d'un coup sans crier gare.

– Attention, Le Guern, dit Decambrais. Pas un mot, à personne.

– Lizbeth ?

– Même Lizbeth ne le sait pas. Personne ne doit le savoir.

255 – Alors pourquoi vous me l'avez dit ?

– Donnant donnant, expliqua Decambrais en vidant son verre. À honnête homme, honnête homme et demi. Si ça vous fait changer d'avis pour la chambre, dites-le tout net. Je peux comprendre.

Joss se redressa d'un coup.

260 – Vous la prenez toujours ? demanda Decambrais. Parce que j'ai des demandes.

– Je prends, dit Joss précipitamment.

– Alors à demain, dit Decambrais en se levant, et merci pour les messages.

265 Joss le rattrapa par la manche.

– Decambrais, qu'est-ce qu'ils ont ces messages ?

– Souterrains, putrides[1]. Dangereux aussi, j'en suis certain. Dès que j'ai une lueur, je vous le dirai.

– Le phare, dit Joss un peu rêveur, quand on voit le phare.

270 – Exactement.

---

1. Pourris.

BIEN LIRE

Quels faits rapprochent le « vieux lettré » Decambrais et le marin Joss ?
Commentez les trois dernières répliques du chapitre.

VIII

Une bonne partie des 4 avait déjà été effacée sur les portes des appartements des trois immeubles marqués, surtout ceux du 18ᵉ arrondissement qui dataient de dix et huit jours déjà, selon les témoignages de quelques occupants. Mais c'était une peinture acrylique de bonne qualité et il demeurait des traces noirâtres bien visibles sur les pans de bois. En revanche l'immeuble de Maryse présentait encore de nombreux spécimens intacts qu'Adamsberg fit photographier avant destruction. Ils étaient réalisés à la main un par un et non pas en série au pochoir. Mais ils présentaient tous les mêmes particularités : d'une hauteur de soixante-dix centimètres, le trait large de trois bons centimètres, ils étaient tous inversés, pattés à la base et munis de deux barres sur la branche basse.

— Bien fait, non ? dit-il à Danglard qui était resté muet durant toute l'expédition. L'homme est habile. Il fait ça d'un coup, sans reprise. Comme un caractère chinois.

— Indiscutablement, dit Danglard en s'installant dans la voiture, à la droite du commissaire. Le graphisme est élégant, rapide. Il a la main.

Le photographe enfourna son matériel à l'arrière et Adamsberg démarra en douceur.

— C'est urgent, ces clichés ? demanda Barteneau.

— En rien, dit Adamsberg. Donnez-moi ça quand vous le pourrez.

— Dans deux jours, proposa le photographe. Ce soir, j'ai des tirages à faire pour le Quai.

— À propos de Quai, pas la peine de leur parler de ça. Cela reste une petite promenade entre nous.

— S'il a la main, reprit Danglard, il est peut-être bien peintre.

— Ce ne sont pas des œuvres, je ne crois pas.

— Mais l'ensemble peut en faire une. Imaginez que le gars s'attaque

à des centaines d'immeubles, on finira par parler de lui. Phénomène d'envergure, prise d'otage artistique de la collectivité, c'est ce qu'on
30 appelle une « intervention ». Dans six mois on connaîtra le nom de l'auteur.

— Oui, dit Adamsberg. Vous avez peut-être raison.

— C'est sûr, intervint le photographe.

Son nom venait brusquement de revenir à la mémoire d'Adamsberg :
35 Brateneau. Non. Barteneau. Maigre, Roux, Photographe, égale Barteneau. Très bien. Pour le prénom, rien à faire, à l'impossible nul n'est tenu.

— Il y a eu un gars chez moi, à Nanteuil, continua Barteneau, qui en l'espace d'une semaine a peint une centaine de poubelles publiques en
40 rouge avec des points noirs. On aurait dit qu'un vol de coccinelles géantes s'était abattu sur la ville, chacune accrochée à un poteau comme sur une brindille gigantesque. Eh bien, un mois plus tard, le type décrochait un boulot dans la plus grosse radio locale. Aujourd'hui, il fait la pluie et le beau temps sur la culture communale.

45 Adamsberg roula silencieusement, se faufilant sans s'énerver à travers les embouteillages de six heures. On arrivait lentement à proximité de la Brigade.

— Il y a un détail qui cloche, dit-il en s'arrêtant à un feu rouge.

— J'ai vu, coupa Danglard.

50 — Quoi ? demanda Barteneau.

— Le type n'a pas peint toutes les portes des appartements, répondit Adamsberg. Il les a peintes toutes, *sauf une*. Et cela dans les trois immeubles. L'emplacement de la porte épargnée n'est pas toujours le même. Au sixième gauche dans l'immeuble de Maryse, au troisième
55 droite rue Poulet, au quatrième gauche rue Caulaincourt. Ça ne colle pas très bien avec une « intervention ».

Danglard se mordilla les lèvres, d'un côté et de l'autre.

– C'est la touche de déséquilibre qui fait que l'œuvre est œuvre et non pas décor, proposa-t-il. Que l'artiste propose une réflexion et non 60 un papier peint. C'est la part manquante, le trou de la serrure, l'inachevé, l'introduction du hasard.

– Hasard falsifié, rectifia Adamsberg.

– L'artiste doit fabriquer lui-même le hasard.

– Ce n'est pas un artiste, dit Adamsberg à voix basse.

65 Il se gara devant la Brigade, serra le frein à main.

– Très bien, admit Danglard. C'est quoi ?

Adamsberg se concentra, les bras reposant sur le volant, le regard fixé loin devant.

– Si vous pouviez éviter de me répondre « Je ne sais pas », suggéra 70 Danglard.

Adamsberg sourit.

– Dans ces conditions, mieux vaut que je me taise, dit-il.

Adamsberg rentra chez lui d'un pas soutenu, pour être certain de ne pas manquer l'arrivée de Camille. Il prit une douche et s'affala dans un 75 fauteuil pour y rêver une courte demi-heure car Camille était généralement ponctuelle. La seule pensée qui lui vint fut qu'il se sentait nu sous ses habits, comme très souvent quand il ne l'avait pas vue depuis longtemps. Nu sous ses habits, condition naturelle de chacun. Cette sorte de constat logique ne perturbait pas Adamsberg. Le fait demeurait : quand 80 il attendait Camille, il était nu sous ses habits, alors qu'il ne l'était pas au travail. La différence était tout à fait nette, qu'elle fût logique ou non.

BIEN LIRE

Dans quel état d'esprit est le commissaire Adamsberg à la fin de ce chapitre ?

Comment comprenez-vous l'image : « quand il attendait Camille, il était nu sous ses habits, alors qu'il ne l'était pas au travail » ?

IX

Entre les trois criées du jeudi, Joss, à l'aide de la petite fourgonnette prêtée par Damas, déménagea ses affaires en quelques allers et retours, dans une sorte d'impatience anxieuse. Damas lui prêta main-forte pour le dernier voyage où l'on fit descendre par les six étages étroits le gros du
5 mobilier. Cela se réduisait à peu de choses : une malle cabine toilée de noir et cloutée de cuivre, un trumeau[1] dont la partie peinte figurait un trois-mâts à quai, un lourd fauteuil aux sculptures artisanales que l'arrière-arrière-grand-père avait réalisé de ses grosses mains lors de ses brefs séjours en famille.
10 Il avait passé la nuit à échafauder de nouvelles craintes. Decambrais – c'est-à-dire Hervé Ducouëdic – en avait trop dit hier, chargé qu'il était de quelque six pichets de vin rouge. Joss avait redouté qu'il ne s'éveille dans la panique et que son premier réflexe soit de l'expédier à l'autre bout du monde. Mais rien de la sorte ne s'était produit et
15 Decambrais avait assumé dignement la situation, livre en main contre son chambranle dès huit heures trente. S'il avait des regrets, et il en avait probablement, voire s'il tremblait d'avoir déposé son secret entre les mains rugueuses d'un inconnu, doublé d'une brute, il n'en avait rien laissé paraître. Et s'il avait la tête lourde, et il l'avait certainement, autant
20 que Joss, il n'en avait rien montré non plus, le visage tout aussi concentré lorsque étaient passées les deux annonces du jour, celles qu'ils nommaient désormais « les spéciales ».

Joss les lui avait remises toutes les deux ce soir en achevant son emménagement. Une fois seul dans sa nouvelle chambre, son premier geste
25 avait été d'ôter chaussures et chaussettes et de se camper pieds nus sur le

---

1. Panneau de peinture occupant le dessus d'une cheminée.

tapis, jambes écartées, bras pendants, yeux fermés. Ce fut le moment que choisit Nicolas Le Guern, né à Locmaria en 1832, pour s'asseoir sur le vaste lit aux montants de bois et lui dire salut. Salut, dit Joss.

— Bien joué, fiston, dit le vieux en s'accoudant sur l'édredon.

30 — N'est-ce pas ? dit Joss en ouvrant à demi les yeux.

— T'es mieux ici que là-bas. Je t'avais dit qu'en faisant crieur, on pouvait monter haut.

— Ça fait sept ans que tu me le dis. C'est pour ça que t'es venu ?

— Ces annonces, dit lentement l'aïeul en se grattant une joue mal
35 rasée, ces « spéciales » comme tu les appelles, celles que tu files à l'aristo, eh bien je serais toi, je donnerais du mou. C'est du mauvais.

— C'est payé, l'ancêtre, et bien payé, dit Joss en se rechaussant.

Le vieux haussa les épaules.

— Je serais toi, je donnerais du mou.

40 — Ça veut dire ?

— Ça veut dire ce que ça veut dire, Joss.

Ignorant de la visite de Nicolas Le Guern au premier étage de sa propre maison, Decambrais travaillait dans son étroit bureau au rez-de-chaussée. Cette fois, il lui semblait qu'une des « spéciales » du jour avait
45 livré un déclic, très fragile mais peut-être décisif.

Le texte de la criée du matin présentait la suite anecdotique de ce que Joss nommait « l'histoire du type sans queue ni tête ». Précisément, pensait Decambrais, il s'agissait bien d'extraits d'un livre que l'on avait piochés en son milieu, négligeant son ouverture. Pourquoi ? Decambrais
50 relisait régulièrement ces passages dans l'espoir que ces phrases familières et insaisissables annoncent enfin le nom de leur créateur.

À l'église avec ma femme, qui n'y était pas allée depuis un mois ou deux.

(…) Je me demande si c'est grâce à la patte de lièvre destinée à me préser-
ver contre les vents, mais je n'ai jamais eu la colique depuis que je la porte.

55 Decambrais reposa la feuille avec un soupir et reprit l'autre, celle au déclic :

Et de eis quae significant illud, est ut videas mures et animalia quae
habitant sub terra fugere ad superficiem terrae et pati sedar, id est, commo-
veri hinc inde sicut animalia ebria.

60 Il en avait noté une traduction rapide en dessous, avec un point d'interrogation en son milieu : *Et parmi ces choses qui en sont le signe, il y a que*
tu vois des rats et de ces animaux qui habitent sous la terre fuir vers la surface
et souffrir (?), c'est-à-dire qu'ils vont hors de ce lieu comme des animaux ivres.

Il butait depuis une heure sur ce « sedar », qui n'était pas un mot
65 latin. Il était convaincu qu'il ne s'agissait pas d'une erreur de transcription, le cuistre étant si méticuleux qu'il indiquait par des points de suspension toutes les coupures qu'il se permettait d'effectuer dans les textes originaux. Si le cuistre avait tapé « sedar », c'est que ce « sedar » existait assurément, en plein cœur d'un texte en parfait bas latin. En escaladant
70 son vieil escabeau de bois pour atteindre un dictionnaire, Decambrais s'arrêta net.

Arabe. Un terme d'origine arabe.

Presque fébrile, il revint à sa table, les deux mains appliquées sur le texte, comme pour s'assurer qu'il ne s'envolerait pas. Arabe, latin, un
75 mélange. Decambrais rechercha rapidement les autres annonces évoquant cette fuite des animaux vers la surface de la terre, y compris le premier texte latin que Joss avait lu la veille et qui commençait presque à l'identique : *Tu verras.*

Tu verras les animaux nés de la corruption se multiplier sous la terre, tels
80 *les vers, crapauds et mouches, et si la cause en est souterraine, tu verras les*
reptiles habitant les profondeurs sortir à la surface de la terre et abandon-
ner leurs œufs et quelquefois mourir. Et si la cause en est dans l'air, de même
en ira-t-il des oiseaux.

Des écrits qui se recopiaient les uns les autres, parfois mot pour mot.
85 Différents auteurs ressassant une seule idée, jusqu'au XVIIe siècle encore,
une idée qui se transmettait de génération en génération. À la manière
des moines reproduisant les décrets de l'*Auctoritas* à travers les âges.
Donc une corporation. Élitiste, cultivée. Mais pas des moines, non.
Cela n'avait rien de religieux.

90 Le front appuyé sur sa main, Decambrais réfléchissait encore lorsque
l'appel de Lizbeth résonna dans toute la maisonnée pour appeler à table,
comme une chanson.

En descendant à la salle à manger, Joss découvrit les convives de l'hôtel Decambrais déjà tous installés, rompus aux usages, déroulant leurs ser-
95 viettes de table hors de leurs ronds en bois, chacun des ronds étant marqué d'un signe distinctif. Il avait hésité à rejoindre la tablée dès ce soir –
le dîner demi-pension n'étant pas obligatoire, si tant est qu'on avait signalé
son absence la veille –, saisi d'un embarras inaccoutumé. Joss s'était habi-
tué à vivre seul, bouffer seul, dormir seul et parler seul, sauf quand il allait
100 parfois dîner chez Bertin. Durant les treize années de sa vie parisienne, il
avait eu trois amies, pour des temps assez courts, mais jamais il n'avait osé
les emmener dans sa chambre pour leur proposer l'accueil du matelas posé
à même le sol. Les maisons des femmes, même rudimentaires, avaient
toujours été plus accueillantes que sa retraite délabrée.

105 Joss fit un effort pour secouer cette balourdise qui semblait revenir
des temps anciens de son adolescence, agressive et empruntée. Lizbeth

lui sourit en lui tendant son rond de serviette personnel. Quand Lizbeth souriait si largement, il ressentait l'envie, dans un brusque élan, de se jeter contre elle, comme un naufragé qui rencontre un rocher dans la
110 nuit. Un splendide rocher, rond, lisse et sombre, auquel on vouera une gratitude éternelle. Ça l'étonnait. Il ne connaissait cette violence sentimentale qu'avec Lizbeth, et quand elle souriait. Un murmure confus des convives souhaita la bienvenue à Joss, qui prit place à la droite de Decambrais. Lizbeth présidait à l'autre bout de la table, s'activant au ser-
115 vice. Il y avait là les deux autres pensionnaires de l'hôtel, chambre 1, Castillon, un forgeron retraité qui avait passé la première moitié de sa vie à exercer la profession de prestidigitateur, courant tous les cabarets d'Europe, et, chambre 4, Évelyne Curie, une petite femme de moins de trente ans, effacée, le visage doux et démodé, penché vers son assiette.
120 Lizbeth avait affranchi Joss dès son arrivée à l'hôtel.

– Attention marinier, avait-elle sermonné en l'attirant discrètement dans la salle de bains, pas de bévue. Avec le Castillon, tu peux y aller franchement, c'est un costaud qui se croit très fort pour la rigolade, ça ne présume pas de l'intérieur mais tu ne risques pas de faire de la casse.
125 T'inquiète pas si tu vois s'envoler ta montre au cours du dîner, c'est plus fort que lui, il te la rend toujours au dessert. C'est compote toute la semaine ou fruits frais selon la saison, gâteau de semoule le dimanche. Ici, c'est pas de la cuisine en plastique, tu peux manger les yeux fermés. Mais gare à la petite. Elle est là depuis dix-huit mois, en sécurité. Elle
130 s'est barrée du domicile conjugal après s'être fait cogner dessus pendant huit ans. Huit ans, tu te figures ça ? Paraît qu'elle l'aimait. Enfin, elle a fini par retrouver sa raison et elle a rappliqué ici un beau soir. Mais attention, marinier. Son homme la cherche dans toute la ville pour lui faire la peau et la ramener au bercail. C'est pas compatible évidemment,

135 mais ces types-là, c'est comme ça que ça marche, il n'y a pas trente-six
commandes. Il est prêt à la buter pour pas qu'elle soit à d'autres, tu as
vécu, tu connais la musique. Alors, le nom d'Évelyne Curie, tu ne sais
pas, tu n'as jamais entendu. Ici, on l'appelle Éva, ça n'engage à rien.
Reçu, marinier ? Tu la traites avec ménagement. Elle ne parle pas beau-
140 coup, elle sursaute souvent, elle rougit, comme si elle avait toujours
peur. Petit à petit elle se remet, mais faut le temps. Quant à moi, tu me
connais assez, je suis bonne fille mais les blagues de cul, je peux plus les
encaisser. C'est tout. Descends à table, ça va être l'heure, et mieux vaut
que tu le saches d'entrée, c'est deux bouteilles et pas plus, parce que
145 Decambrais a tendance, donc je freine. Ceux qui veulent une rallonge
vont au *Viking*. Et petit déjeuner de sept à huit, ça arrange tout le
monde sauf le forgeron qui se lève tard, chacun sa manière. Je t'ai tout
dit, reste pas dans mes jambes, je te prépare ton rond. J'en ai un avec un
poussin et un avec un bateau. Qu'est-ce que tu préfères ?
150 — Quel rond ? avait demandé Joss.
— Pour rouler ta serviette. Lessive toutes les semaines, au fait, le blanc
le vendredi, la couleur le mardi. Si tu ne veux pas que ton linge tourne
avec celui du forgeron, t'as la laverie à deux cents mètres. Si tu veux le
repassage, faudra payer Marie-Belle en sus, qui vient pour les vitres.
155 Alors pour le rond, tu décides quoi ?
— Le poussin, avait répondu Joss fermement.
— Les hommes, avait soupiré Lizbeth en sortant, faut toujours que ça
fasse les malins.

Soupe, sauté de veau, fromages et poires cuites. Castillon parlait un
160 peu tout seul, Joss attendait prudemment de prendre ses marques,
comme on aborde une mer nouvelle. La petite Éva mangeait sans bruit

et ne leva qu'une seule fois le visage pour demander du pain à Lizbeth. Lizbeth lui sourit et Joss eut l'impression curieuse qu'Éva avait eu envie de se jeter dans ses bras. À moins que ce ne fût encore lui.

165 Decambrais n'avait pratiquement pas parlé du dîner. Lizbeth avait glissé à Joss, qui aidait à débarrasser : « Quand il est comme ça, c'est qu'il travaille en mangeant. » Et en effet, Decambrais s'était levé de table sitôt les poires avalées et s'était excusé auprès de tous avant de retourner à son bureau.

170 La lumière se fit au matin, au premier instant de conscience. Le nom se propulsa sur ses lèvres avant même qu'il eût ouvert les yeux, comme si ce mot avait attendu toute la nuit le réveil du dormeur, brûlant de se présenter. Decambrais s'entendit l'énoncer à voix basse : *Avicenne*[1].

Il se leva en le répétant plusieurs fois, de peur qu'il ne s'évanouisse 175 dans la dissipation des brumes du sommeil. Pour plus de sûreté, il le nota sur une feuille. *Avicenne.* Puis il écrivit à côté : *Liber canonis*[2]. Le Canon de la médecine.

Avicenne. Le grand Avicenne, médecin et philosophe persan, tout début du XIe siècle, mille fois recopié d'Orient en Occident. Rédaction 180 latine semée de locutions arabes. Maintenant, il tenait la piste.

Souriant, Decambrais attendit de croiser le Breton dans l'escalier. Il l'attrapa au passage.

– Bien dormi, Le Guern ?

Joss vit clairement que quelque chose s'était produit. Le visage blanc 185 et mince de Decambrais, ordinairement un peu cadavérique, s'était ranimé comme sous l'effet d'un coup de soleil. Au lieu de ce sourire un peu cynique, un peu poseur qu'il affectait de manière générale,

---

1. Médecin, philosophe et mystique arabo-musulman.
2. Texte d'Avicenne.

Decambrais jubilait, tout simplement.

– Je le tiens, Le Guern, je le tiens.

190   – Quoi ?

– Notre cuistre ! Je le tiens, nom de Dieu. Gardez-moi les « spéciales » du jour, je file en bibliothèque.

– En bas, dans votre bureau ?

– Non, Le Guern. Je n'ai pas tous les livres.

195   – Ah bon, dit Joss, surpris.

Decambrais, manteau sur le dos et cartable calé entre ses pieds, nota la « spéciale » du matin :

Après les dérèglements des saisons en leurs qualitez, comme quand l'hiver est chaud, au lieu d'être froid ; l'été frais, au lieu d'être chaud, et ainsi du prin-
200 *temps, et l'automne, car cette grande inégalité monstre une mauvaise consti-tution, et des astres, et de l'air (…).*

Il glissa la feuille dans sa serviette puis attendit quelques minutes pour entendre le naufrage du jour. À neuf heures moins cinq, il s'engouffra dans le métro.

BIEN LIRE

Quelle est la véritable identité de Decambrais ?
Comment sont appelées les mystérieuses annonces ? Pourquoi ?

X

Ce jeudi, Adamsberg arriva à la Brigade après Danglard, un fait assez rare pour que son adjoint lui jette un long regard. Le commissaire avait les traits froissés d'un type qui n'a dormi que quelques heures, entre cinq et huit. Il ressortit aussitôt prendre un café au bar de la rue.

5   Camille, déduisit Danglard. Camille était revenue hier soir. Danglard alluma mollement son ordinateur. Lui avait dormi seul, comme d'habitude. Moche comme il était, le visage sans structure et le corps s'écoulant vers le bas comme un cierge qui fond, c'était le bout du monde s'il touchait une femme une fois tous les deux ans. Comme
10 toujours, Danglard s'arracha de cette morosité qui le conduisait directement au pack de bières en passant en revue, comme un court diaporama de lumière, les visages de ses cinq enfants. Le cinquième n'étant d'ailleurs pas de lui, avec ses yeux bleu pâle, mais sa femme lui avait laissé le tout en partant pour un prix d'ami. Cela faisait longtemps de
15 ça maintenant, huit ans et trente-sept jours, et l'image de Marie, de dos, longeant posément le couloir en tailleur vert, ouvrant la porte et la claquant derrière elle, s'était cramponnée à son crâne pendant deux longues années et six mille cinq cents bières. Le diaporama des enfants, deux jumeaux, deux jumelles et le petit aux yeux bleus, était alors
20 devenu son idée fixe, son havre[1], son sauvetage. Il avait passé des milliers d'heures à mouliner des carottes plus fin que fin, à laver plus blanc que blanc, à préparer des cartables irréprochables, à repasser au petit fer, à curer des lavabos jusqu'à la désinfection intégrale. Puis cet absolutisme[2] s'était lentement apaisé pour revenir à un état, sinon normal,

---

1. Refuge sûr et apaisant.
2. Engagement total, sans limites.

25 au moins acceptable, et à une consommation de bière chutant à mille quatre cents par an, il est vrai doublée de vin blanc les jours difficiles. Était resté son lien de lumière avec les cinq enfants et ça, se disait-il certains matins noirs, personne ne pourrait le lui retirer. Et personne d'ailleurs n'en avait l'intention.

30 Il avait attendu, essayé aussi, qu'une femme reste chez lui et opère la démarche inverse de celle de Marie, c'est-à-dire ouvre la porte, de face, et longe posément le couloir en tailleur jaune, vers lui, mais peine perdue. Les séjours des femmes avaient tous été courts et les rapports volatils. Il ne prétendait pas à une femme comme Camille, non, dont le pro-
35 fil tendu était si net et si tendre qu'on se demandait s'il fallait dans l'urgence le peindre ou bien l'embrasser. Non, il ne demandait pas la lune. Une femme, juste une femme, même si elle avait coulé vers le bas tout comme lui, qu'est-ce que ça peut faire.

Danglard vit Adamsberg repasser dans l'autre sens, puis s'enfermer
40 dans son bureau en repoussant la porte sans bruit. Encore que lui non plus n'était pas beau et il l'avait, la lune. C'est-à-dire que si, il était beau, bien qu'aucun de ses traits pris isolément n'ait pu logiquement contribuer à ce résultat. Aucune régularité, aucune harmonie et rien d'imposant. L'effet de désordre était total mais ce désordre générait un sédui-
45 sant chaos, somptueux parfois lorsqu'il s'animait. Danglard avait toujours trouvé ce coup de dés injuste. Son propre visage était un assemblage tout aussi hasardeux que celui d'Adamsberg mais le bilan était d'un intérêt maigre. Alors qu'Adamsberg, sans atout de départ, avait sorti un brelan[1] de dix.

50 Parce qu'il s'était beaucoup entraîné à lire et méditer dès l'âge de deux

---

1. Au poker, réunion de trois cartes de même valeur.

ans et demi, Danglard n'était pas jaloux. Aussi parce qu'il avait le diaporama. Aussi parce que, en dépit d'un agacement presque chronique,
il aimait bien ce type et même la gueule de ce type, son grand nez et son
sourire insolite. Quand il lui avait proposé de le suivre ici, à la Brigade,
55 il n'avait pas balancé une seconde. La nonchalance d'Adamsberg, sans
doute parce qu'elle compensait la suractivité anxieuse et parfois rigide de
son propre esprit, lui était devenue quasi nécessaire tout comme un
délassant pack de bières.

Danglard considéra la porte fermée. Adamsberg allait s'occuper des
60 4, d'une façon ou d'une autre, et tentait de ne pas indisposer son
adjoint. Il lâcha son clavier et s'adossa à sa chaise, un peu soucieux. Il se
demandait depuis la veille au soir s'il n'avait pas fait fausse route. Parce
que ce 4 à rebours, il l'avait déjà vu quelque part. Il s'en était souvenu
dans son lit, en s'endormant, seul. C'était il y a longtemps, quand il était
65 jeune homme peut-être, avant d'être flic, et hors de Paris. Comme
Danglard n'avait que très peu voyagé dans sa vie, il pourrait tenter d'en
retrouver sa trace en mémoire, si tant est qu'il en restait autre chose
qu'une impression aux trois quarts effacée.

Adamsberg avait fermé sa porte pour pouvoir téléphoner à quelque
70 quarante commissariats de Paris sans sentir peser sur lui l'énervement
légitime de son adjoint. Danglard avait opté pour un artiste interventionniste et tel n'était pas son avis. De là à enquêter dans tous les arrondissements de Paris, il y avait un pas, un pas inutile et illogique
qu'Adamsberg préférait franchir seul. Ce matin encore, il n'y était pas
75 déterminé. Au petit déjeuner, il avait à nouveau feuilleté son carnet et
regardé ce 4, comme on lance un quitte ou double, en s'excusant
auprès de Camille. Il lui avait même demandé ce qu'elle en pensait.
C'est joli, avait-elle dit, mais, au réveil, Camille ne voyait rien et ne fai-

sait pas la différence entre le calendrier des postes et une image pieuse. La preuve en est qu'elle n'aurait pas dû dire « C'est joli » mais « C'est atroce ». Il avait répondu doucement : « Non, Camille, ce n'est pas très joli. » C'est à cet instant, sur cette phrase, sur cette dénégation, qu'il s'était décidé.

Un peu ralenti par sa courte nuit, le corps enveloppé d'une bénéfique lassitude, il composa le premier numéro de sa liste.

Vers cinq heures, il avait achevé sa tournée et n'avait été marcher qu'une seule fois, à l'heure du déjeuner. Camille l'avait appelé sur son portable alors qu'il avalait un sandwich sur un banc public.

Non pas pour lui commenter la nuit à voix basse, non, ce n'était pas la manière de Camille. Camille distillait les mots avec beaucoup de discrétion, laissant à son corps le soin de s'exprimer, comprenne qui voudra, et comprenne quoi, on ne le savait jamais avec exactitude.

Sur son carnet, il écrivit Femme, Intelligence, Désir, égale Camille. Il s'interrompit et relut cette ligne. Des mots énormes et des mots plats. Mais posés sur Camille, ils se soulevaient, comme emplis d'évidence. Il pouvait presque les voir faire des bulles à la surface du papier. Bien. Égale Camille. Très ardu pour lui de rédiger le mot *Amour*. Le stylo formait le « A » puis s'immobilisait sur le « m », trop inquiet pour poursuivre. Cette réticence l'avait longtemps intrigué jusqu'à ce qu'il puisse, à force de la fréquenter, atteindre à son centre, croyait-il. Il aimait l'amour. Il n'aimait pas les trucs qu'entraînait l'amour. Car l'amour *entraînait des trucs*, tant il est utopique de vivre exclusivement au lit, ne serait-ce que deux jours. Toute une spirale de trucs, amorcée par quelques idées en l'air et assouvie[1] par un baraquement en dur d'où

---

1. Satisfaite.

105 l'amour était censé ne plus jamais s'enfuir. Parti violent comme un feu d'herbe entre deux portes et sous le ciel, il achevait sa course entre quatre murs au sol d'une cheminée. Et pour un type comme Adamsberg, la spirale des trucs s'annonçait comme un piège accablant. Il en fuyait les ombres annonciatrices, les repérant bien à l'avance avec
110 ce génie de l'anticipation propre aux proies aguerries décelant le pas de leurs prédateurs. Dans cette échappée, il soupçonnait parfois Camille de le mener d'une tête. Camille et son absentéisme cyclique, sa sentimentalité prudente, ses bottes toujours calées sur la ligne de départ. Mais Camille jouait sa partie souterrainement, avec moins d'âpreté[1] et
115 plus de bienveillance. Aussi était-il difficile de repérer chez elle ce maître instinct qui la poussait vers l'air libre, pour qui ne prenait pas le temps de réfléchir un peu longuement. Et force était à Adamsberg de reconnaître qu'il négligeait de réfléchir à Camille. Il commençait parfois et puis il oubliait de poursuivre, appelé par d'autres pensées, pro-
120 pulsé d'une idée à une autre jusqu'à ce que se forme cette mosaïque d'images qui préludait chez lui à l'apparition du vide.

Le carnet toujours ouvert sur ses genoux, il termina de noter sa phrase, posant un point après le « A », dans le fracas des perceuses qui attaquaient la pierre des fenêtres. Camille qui ne l'avait donc pas appelé
125 pour se féliciter l'un l'autre mais plus sobrement pour lui parler de ce 4 qu'il lui avait montré ce matin. Adamsberg se leva et, enjambant quelques gravats au passage, arriva jusqu'au bureau de Danglard.

– Il est retrouvé, ce fichier ? demanda-t-il pour s'intéresser.

Danglard hocha la tête et désigna du doigt l'écran où défilaient à
130 grande vitesse des empreintes de pouces agrandies comme autant d'images galactiques.

---

1. De dureté.

Adamsberg contourna la table et se plaça face à Danglard.

– Si vous deviez citer un chiffre, combien diriez-vous qu'il existe d'immeubles marqués de 4 dans Paris ?

135   – Trois, dit Danglard.

Adamsberg leva les doigts des mains.

– Trois plus neuf, total douze. En tenant compte que peu de gens auraient l'idée d'aller signaler ce genre de truc aux flics, sauf les inquiets, les désœuvrés et les obsessionnels, ce qui fait malgré tout du monde, on

140   peut tabler sur au moins une trentaine d'immeubles déjà décorés par l'interventionniste.

– Toujours les mêmes 4 ? Même forme, même couleur ?

– Les mêmes.

– Toujours une porte vierge ?

145   – À vérifier par nos soins.

– Vous avez l'intention de le faire ?

– Je crois.

Danglard posa les mains sur ses cuisses.

– J'ai déjà vu ce 4, dit-il.

150   – Camille aussi.

Danglard haussa un sourcil.

– Sur la page d'un livre ouvert sur une table, dit Adamsberg. Chez l'ami d'une amie.

– Un livre sur quoi ?

155   – Camille ne sait pas. Elle suppose que c'est un livre d'histoire parce que le type en question est femme de ménage en journée et médiéviste[1] le soir.

– Ce n'est pas le contraire normalement ?

---

1. Historien spécialiste du Moyen Âge.

— Normalement par rapport à quoi ?

160 Danglard attrapa la bouteille de bière qui traînait sur le bureau et avala une gorgée.

— Et vous, où l'avez-vous vu ? demanda Adamsberg.

— Je ne sais plus. C'était ailleurs et il y a longtemps.

— Si ce 4 existe déjà ici ou là, il ne s'agit plus d'une création.

165 — Non, reconnut Danglard.

— Une intervention suppose une création, non ?

— En principe.

— Qu'est-ce qu'on fait de votre interventionniste ?

Danglard fit la moue.

170 — On l'éloigne, dit-il.

— On le remplace par quoi ?

— Par un type dont on n'a rien à faire.

Adamsberg fit quelques pas sans précaution au milieu des gravats, blanchissant ses vieilles chaussures.

175 — Il me semblait qu'on avait été mutés[1], observa Danglard. Mutés à la Brigade criminelle, groupe homicide.

— Je me souviens, dit Adamsberg.

— Dans ces neuf immeubles, il y a eu crime ?

— Non.

180 — Violences ? Menaces ? Intimidations ?

— Non, vous savez bien que non.

— Alors, pourquoi on en parle ?

— Parce qu'il y a présomption[2] de violence, Danglard.

— Dans les 4 ?

---

1. Changés de poste.
2. Jugement fondé sur des indices.

185 – Oui. C'est une offensive silencieuse. Et grave.

Adamsberg regarda sa montre.

– J'ai le temps d'emmener…

Il sortit son carnet et le referma rapidement.

– D'emmener Barteneau visiter quelques-uns de ces immeubles.

190 Pendant qu'Adamsberg allait chercher sa veste laissée en boule sur une chaise, Danglard enfila la sienne en en ajustant correctement les pans. À défaut de beauté naturelle, Danglard misait tout sur l'atout secondaire de l'élégance.

BIEN LIRE

Comment vous apparaît le « papa » Danglard ?
Quel mot refuse d'écrire le commissaire à propos de Camille ? Pourquoi ?

XI

Decambrais rentra assez tard et eut juste le temps de récupérer, avant le dîner, la spéciale du soir que Joss lui avait mise de côté.

(…) quand apparaissent des champignons vénéneux, quand les champs et les bois se couvrent de toiles d'araignées, que le bétail tombe malade ou
5 *même meurt au pré, de même que les bêtes sauvages dans les bois, quand le pain a tendance à moisir rapidement ; quand on peut voir sur la neige des mouches, vers ou moustiques récemment éclos (…)*

Il la replia pendant que Lizbeth parcourait la maison pour appeler les locataires à table. Decambrais, le visage moins radieux qu'au matin, posa
10 rapidement la main sur l'épaule de Joss.

– Il faut qu'on parle, dit-il. Ce soir, au *Viking*. Je préférerais qu'on ne nous entende pas.

– Bonne pêche ? demanda Joss.

– Bonne mais mortelle. La pièce est trop grosse pour nous.

15 Joss eut un air de doute.

– Si, Le Guern. Parole de Breton.

Au dîner, Joss arracha un sourire au visage penché d'Éva grâce au récit, partiellement inventé, d'une anecdote familiale, et il en conçut quelque fierté. Il aida Lizbeth à débarrasser la table, en partie par habi-
20 tude, en partie pour profiter de sa proximité. Il se préparait à passer au *Viking* quand il la vit descendre de sa chambre en tenue de soirée, robe noire brillante épousant sa très large silhouette. Elle passa en hâte en lui adressant un sourire et Joss en eut un choc au ventre.

Au *Viking*, surchauffé et enfumé, Decambrais s'était installé à la der-
25 nière table du fond et l'attendait, préoccupé, devant deux calvas.

– Lizbeth est partie en grande tenue sitôt la vaisselle faite, annonça Joss en s'asseyant.

– Oui, dit Decambrais sans manifester de surprise.

– Elle est invitée ?

30 – Tous les soirs sauf le mardi et le dimanche, Lizbeth sort en tenue de soirée.

– Elle rencontre quelqu'un ? demanda Joss, inquiet.

Decambrais secoua la tête.

– Elle chante.

35 Joss fronça les sourcils.

– Elle chante, répéta Decambrais, elle se produit. Dans un cabaret. Lizbeth a une voix à couper le souffle.

– Depuis quand, bon sang ?

– Depuis qu'elle est arrivée ici et que je lui ai enseigné le solfège. Elle
40 fait salle comble tous les soirs au *Saint-Ambroise.* Un jour, Le Guern, vous verrez son nom en tête d'affiche. Lizbeth Glaston. Ou que vous soyez alors, ne l'oubliez pas.

– Ça m'étonnerait que je l'oublie, Decambrais. Ce cabaret, on peut y aller ? On peut l'entendre ?

45 – Damas y est tous les soirs.

– Damas ? Damas Viguier ?

– Qui d'autre ? Il ne vous l'a pas dit ?

– On boit le café ensemble tous les matins et il ne m'en a jamais touché mot.

50 – C'est justice, il est amoureux. Ce n'est pas un truc qui se partage.

– Merde, Damas. Mais il a trente ans, Damas.

– Lizbeth aussi. Ce n'est pas parce que Lizbeth est grosse qu'elle n'a pas trente ans.

Joss laissa sa pensée s'égarer sur l'éventuelle association Damas-
55 Lizbeth.

– Ça peut marcher ? demanda-t-il. Puisque vous vous y connaissez
en choses de la vie ?

Decambrais eut une moue sceptique.

– La physiologie virile n'impressionne plus Lizbeth depuis longtemps.
60 – Damas est gentil.

– Ça ne suffit pas.

– Qu'est-ce que Lizbeth attend des hommes ?

– Pas grand-chose.

Decambrais but une gorgée de calva.
65 – On n'est pas là pour parler d'amour, Le Guern.

– Je sais. La grosse pièce que vous avez ferrée.

Le visage de Decambrais s'assombrit.

– C'est si grave que ça ? dit Joss.

– J'en ai peur.
70 Decambrais parcourut du regard les tables voisines et parut rassuré
par le bruit qui régnait au *Viking*, pire qu'une tribu de barbares sur le
pont d'un drakkar[1].

– J'ai identifié un des auteurs, dit-il. Il s'agit d'un médecin persan du
XIe siècle, Avicenne.
75 – Bon, dit Joss, qui s'intéressait beaucoup moins aux affaires
d'Avicenne qu'à celles de Lizbeth.

– J'ai localisé le passage, dans son *Liber canonis*.

– Bon, répéta Joss. Dites, Decambrais, vous avez été prof, comme
votre père ?
80 – Comment le savez-vous ?

---

1. Bateau léger des Vikings pour leurs expéditions.

— Comme ça, dit Joss en faisant claquer ses doigts. Moi aussi, je connais des choses de la vie.

— Ça vous emmerde peut-être, ce que je vous raconte, Le Guern, mais vous seriez bien inspiré d'écouter.

85 — Bon, répéta Joss, qui se sentit brusquement ramené au temps des cours du vieux Ducouëdic, à la pension.

— Les autres auteurs n'ont guère fait que recopier Avicenne. Il s'agit toujours du même thème. On tourne autour sans en dire le nom, sans y toucher, comme les vautours se rapprochent en cercle autour d'une 90 charogne.

— Autour de quoi ? demanda Joss, perdant un peu pied.

— Autour du thème, Le Guern, je viens de vous le dire. De l'objet unique de toutes les spéciales. De ce qu'elles annoncent.

— Qu'est-ce qu'elles annoncent ?

95 À cet instant, Bertin déposa deux calvas sur la table et Decambrais attendit que le grand Normand se fût éloigné pour poursuivre.

— La peste, dit-il en baissant la voix.

— Quelle peste ?

— LA peste.

100 — La grande maladie du vieux temps ?

— Elle-même. En personne.

Joss laissa passer un silence. Est-ce que le lettré pouvait dire n'importe quoi ? Est-ce qu'il pouvait s'amuser à se foutre de lui ? Joss était incapable de vérifier toutes ces histoires de canonis et Decambrais pouvait le 105 balader à son aise. En marin prudent, il examina le visage du vieil érudit[1], qui n'était décidément pas à la rigolade.

— Vous n'essayez pas de me rouler dans la farine, Decambrais ?

---

1. Savant.

— Pour quoi faire ?

— Pour jouer au jeu du type qui sait tout et du type qui ne sait rien.
Au jeu du malin et du crétin, du culte[1] et de l'inculte, du gnare et de
l'ignare[2]. Parce qu'à ce jeu-là, je peux vous embarquer en haute mer moi
aussi, et sans gilet de sauvetage.

— Le Guern, vous êtes un violent.

— Oui, reconnut Joss.

— J'imagine que vous avez déjà cassé la gueule à pas mal de monde
sur cette terre.

— Et sur cette mer.

— Je n'ai jamais joué au jeu du malin et du crétin. Qu'est-ce que ça
rapporte ?

— Du pouvoir.

Decambrais sourit, et haussa les épaules.

— On peut poursuivre ? dit-il.

— Si vous voulez. Mais qu'est-ce que ça peut me foutre, au juste ?
Pendant trois mois, j'ai bien lu un type qui recopiait la Bible. C'était
payé, j'ai lu. En quoi ça me regarde ?

— Ces annonces vous appartiennent, moralement. Si je vais trouver
les flics demain, j'aime autant que vous soyez prévenu. Et je préfère aussi
que vous m'accompagniez.

Joss vida son calva d'un coup.

— Les flics ? Vous perdez la boule, Decambrais ! Où voyez-vous les
flics là-dedans ? Ce n'est pas l'alerte générale, tout de même.

— Qu'est-ce que vous en savez ?

Joss retint les mots qui lui venaient aux lèvres, à cause de la chambre.
Il fallait conserver la chambre.

---

1. Qui sait, cultivé (mot inventé).
2. De celui qui connaît (*gnare* : mot inventé) et de l'ignorant.

135 — Écoutez-moi bien, Decambrais, reprit-il en se dominant, on a là un gars qui, selon vous, s'amuse à recopier des vieux papiers sur la peste. Un dingue, quoi, un obsédé. Si on devait causer aux flics chaque fois qu'un cinglé ouvre la bouche, mais on n'aurait plus le temps de boire.

— Première chose, dit Decambrais en vidant la moitié de son calva, 140 il ne se contente pas de recopier, il vous les fait crier. Il s'exprime sur la place publique, anonymement. Deuxième chose, il s'approche. Il en est aux débuts des textes. Il n'a pas encore abordé les passages qui contiennent le mot « peste », ou « mal », ou « mortalité ». Il traîne dans les préludes[1] mais il avance. Vous comprenez, Le Guern ? *Il avance*. C'est cela 145 qui est grave. *Il avance*. Vers quoi ?

— Ben vers la fin du texte. C'est logique, quoi. On n'a jamais vu un gars commencer un bouquin par la fin.

— Plusieurs bouquins. Et vous savez ce qu'il y a à la fin ?

— Mais je ne les ai pas lus, moi, ces foutus bouquins !

150 — Des dizaines de millions de morts. Voilà ce qu'il y a à la fin.

— Parce que vous vous figurez que ce dingue va tuer la moitié de la France ?

— Je n'ai pas dit ça. Je dis qu'il progresse vers un développement mortel, je dis qu'il rampe. Ce n'est pas comme s'il nous lisait *Les Mille et Une* 155 *Nuits*.

— Il progresse, c'est vous qui le dites. Je trouve plutôt qu'il fait du surplace. Ça fait un mois qu'il nous bassine avec ses histoires de bestioles, et vas-y sous une forme et vas-y sous une autre. Si vous appelez ça progresser.

160 — J'en suis certain. Vous vous rappelez ces autres annonces, celles qui racontent la vie de l'homme sans queue ni tête ?

---

1. Les débuts.

– Justement. Ça n'a rien à voir. C'est un gars, il mange, il baise, il dort, c'est tout ce qu'il a à dire.

– Ce gars, c'est Samuel Pepys.

165 – Ben je le connais pas.

– Je vous le présente : c'est un Anglais, un bourgeois gentilhomme qui vécut au XVIIᵉ siècle à Londres. Il travaillait d'ailleurs, soit dit en passant, à l'Office de la Marine.

– Un gros cul de la capitainerie ?

170 – Pas exactement mais peu importe. Ce qui compte, c'est que Pepys rédigea un journal intime durant neuf années, de 1660 à 1669. L'année que notre cinglé a déposée dans votre urne, c'est celle de la grande peste à Londres, 1665, soixante-dix mille cadavres. Vous comprenez ? Jour après jour, les spéciales s'approchent de la date de son explosion. On en 175 est tout près à présent. C'est ce que j'appelle *avancer.*

Pour la première fois, Joss se sentit troublé. Ça se tenait, ce que racontait le lettré. De là à prévenir les flics.

– Ils vont se marrer, les flics, quand on va leur dire qu'un cinglé s'amuse à nous lire un journal vieux de trois siècles. C'est nous qu'ils 180 vont enfermer, c'est sûr.

– On ne va pas leur dire ça. On va les prévenir simplement qu'un cinglé s'amuse à annoncer la mort sur la place publique. Ensuite, ils se démerdent. J'aurai la conscience au net.

– Ils vont se marrer quand même.

185 – Évidemment. C'est pour ça qu'on n'ira pas voir n'importe quel flic. J'en connais un qui ne se marre pas de la même manière que les autres et pas pour les mêmes choses. C'est celui-là qu'on ira voir.

– Que *vous* irez voir si ça vous chante. Parce que mon témoignage,

ça m'étonnerait qu'ils l'accueillent comme pain bénit. C'est que moi,
190 Decambrais, je n'ai pas l'ardoise[1] vierge.

– Moi non plus.

Joss regarda Decambrais sans rien dire. Alors là, chapeau. Chapeau
l'aristo. Non seulement le vieux lettré était breton des Côtes-du-Nord,
mine de rien, et en plus il avait un casier[2], mine de rien. D'où le faux
195 nom, certainement.

– Combien de mois? demanda sobrement Joss, sans s'inquiéter du
motif, en vrai gentleman de la mer.

– Six, dit Decambrais.

– Neuf, répondit Joss.

200 – Purgés[3]?

– Purgés.

– Idem.

Égalité. Après cet échange, les deux hommes respectèrent un silence
un peu grave.

205 – Très bien, dit Decambrais. Vous m'accompagnez?

Joss grimaça, mal convaincu.

– Ce ne sont que des mots. *Des mots.* Ça n'a jamais tué personne. Ça
se saurait.

– Mais ça se sait, Le Guern. Les mots ont toujours tué, au contraire.

210 – Depuis quand?

– Depuis que quelqu'un crie «À mort!» et que la foule le pend.
Depuis toujours.

---

1. Le casier judiciaire.
2. Bulletin mentionnant ses antécédents judiciaires.
3. Effectués.

– Très bien, dit Joss, vaincu. Et si on me retire mon boulot ?

– Allons, Le Guern, vous avez la trouille des flics ?

215   Fouetté, Joss se redressa.

– Non mais dites donc, Decambrais, chez les Le Guern, on est peut-être des brutes mais les flics ne nous ont jamais fait peur.

– Eh bien voilà.

BIEN LIRE

Quelle autre profession exerce Lizbeth ?
Quel fait rend complices Joss et Decambrais ?

XII

— Quel flic on va voir ? demanda Joss en remontant le boulevard Arago, vers dix heures du matin.

— Un homme que j'ai croisé deux fois à l'occasion de cette, de mon…

— Ardoise, compléta Joss.

5 — C'est cela.

— Deux fois, ça ne donne pas le temps de faire le tour d'un homme.

— Ça permet de survoler et l'image aérienne était bonne. Au début, je l'avais pris pour un prévenu[1], ce qui est assez bon signe. Il nous accordera bien cinq minutes. Au pire il consignera notre visite sur la main
10 courante[2] et il l'oubliera. Au mieux ça l'intéressera assez pour qu'il s'informe de quelques détails.

— Y afférents.

— Y afférents.

— Pourquoi ça l'intéresserait ?

15 — Il aime les histoires vaseuses ou sans intérêt. C'est du moins ce qu'un supérieur était en train de lui reprocher quand je l'ai croisé la première fois.

— On va voir un grouillot[3] du bas de l'échelle ?

— Ça vous gênerait, capitaine ?

20 — Je vous l'ai dit, Decambrais. Je me fous de cette histoire.

— Ce n'est pas un grouillot. Il est commissaire principal maintenant, il dirige un groupe à la Criminelle. Un groupe homicide.

— Homicide ? Eh bien il va être content avec nos vieux papiers.

— Qu'est-ce qu'on en sait ?

---

1. Une personne poursuivie pour une infraction.
2. Le cahier où des données, informations et plaintes sont inscrites par la police.
3. Employé qui fait les courses, porte les messages.

25   — Et en quel honneur un vaseux serait-il devenu principal ?

— Il a du génie dans le vaseux, à ce que j'ai su. Je dis vaseux, on peut
dire aussi ineffable[1].

— On ne va pas chipoter sur les mots.

— J'aime bien chipoter.

30   — J'avais remarqué.

Decambrais s'arrêta face à une haute porte cochère.

— On y est, dit-il.

Joss parcourut la façade du regard.

— Il aurait besoin d'un sérieux radoub[2], leur rafiot.

35   Decambrais s'adossa à la façade, bras croisés.

— Et alors ? dit Joss. On baisse les bras ?

— On a rendez-vous dans six minutes. L'heure, c'est l'heure. Ça doit
être un type occupé.

Joss s'adossa à la façade à ses côtés et attendit.

40   Un homme traversa devant eux, le regard plongé vers le sol, les mains
enfoncées dans les poches, et passa sans se presser sous le porche, sans
regarder les deux hommes appuyés au mur.

— Je pense que c'est lui, murmura Decambrais.

— Le petit brun ? Vous rigolez. Un vieux maillot gris, une veste toute
45 froissée, il a même pas les cheveux coupés. Vendeur de fleurs sur les
quais de Narbonne, je ne dis pas, mais commissaire, pardon.

— Je vous dis que c'est lui, insista Decambrais. Je reconnais son pas.
Il tangue[3].

Decambrais consulta sa montre jusqu'à écoulement des six minutes
50 et entraîna Joss dans la bâtisse en travaux.

---

1. Qui ne peut être exprimé.
2. Réparation, entretien.
3. Titube.

— Je me souviens de vous, Ducouëdic, dit Adamsberg en faisant entrer les deux visiteurs dans son bureau. C'est-à-dire non, j'ai revu votre dossier après votre appel et ensuite, je me suis souvenu de vous. On avait un peu parlé tous les deux, ça n'allait pas fort à l'époque. Je crois que je vous avais conseillé de quitter le métier.

— C'est ce que j'ai fait, dit Decambrais en élevant la voix, à cause du fracas des perceurs de pierres, qu'Adamsberg ne paraissait pas remarquer.

— Vous avez trouvé quelque chose en sortant de prison ?

— Je me suis établi conseiller, dit Decambrais en faisant l'impasse sur les chambres sous-louées, comme sur la dentelle.

— Fiscal ?

— En choses de la vie.

— Ah oui, dit Adamsberg, songeur. Pourquoi pas. Vous avez de la clientèle ?

— Je ne me plains pas.

— Qu'est-ce que les gens vous racontent ?

Joss commençait à se demander si Decambrais ne s'était pas gouré d'adresse et s'il arrivait que ce flic fasse son boulot, de temps en temps. Il n'y avait pas d'ordinateur sur sa table mais des tas de papiers éparpillés, autant sur les chaises et sur le sol, couverts de notes ou de dessins. Le commissaire était resté debout, appuyé contre le mur blanc, les bras serrés sur sa taille, et il regardait Decambrais par en dessous, la tête penchée. Joss trouva que ses yeux avaient la couleur et la consistance de ces algues brunes et glissantes qui s'enroulent aux hélices, les fucus[1], aussi doux mais aussi vagues, aussi luisants mais sans éclat, sans précision. Les vésicules[2] rondes de ces algues se nommaient des flotteurs et Joss estima

1. Algues brunes, abondantes sur les cotes rocheuses.
2. Flotteurs.

que cela convenait tout à fait aux yeux de ce commissaire. Ces flotteurs étaient enfoncés sous des sourcils fournis et embrouillés qui leur fai-
80 saient comme deux abris rocheux. Le nez busqué et des traits anguleux mettaient un peu de fermeté dans tout cela.

– Mais les gens viennent surtout pour des histoires d'amour, conti-nuait Decambrais, soit qu'ils en aient trop ou bien pas assez ou bien plus du tout, ou pas comme ils veulent ou qu'ils n'arrivent plus à mettre la
85 main dessus, à cause de toutes ces sortes de…

– Trucs, interrompit Adamsberg.

– Trucs, confirma Decambrais.

– Voyez-vous, Ducouëdic, dit Adamsberg en décollant du mur et en longeant la pièce à pas mesurés, c'est une brigade spécialisée ici, en
90 homicides. Aussi, si votre ancienne histoire a connu des suites, si on vous inquiète d'une manière ou d'une autre, je ne…

– Non, coupa Decambrais. Il ne s'agit pas de moi. Mais il ne s'agit pas de crime non plus. Pas encore tout au moins.

– Des menaces ?

95 – Peut-être. Des annonces anonymes, des annonces de mort.

Joss posa ses coudes sur ses cuisses, amusé. Il n'allait pas s'en sortir aussi facilement, avec ses anxiétés fumeuses[1], le lettré.

– Qui visent directement une personne ? demanda Adamsberg.

– Non. Des annonces de destruction générale, de catastrophe.

100 – Bon, dit Adamsberg en continuant à aller et venir. Un prédica-teur[2] du troisième millénaire ? Qui annonce quoi ? L'apocalypse ?

– La peste.

– Tiens, dit Adamsberg en marquant une pause. Ça change un peu. Et comment vous l'annonce-t-il ? Par courrier ? Par téléphone ?

---

1. Obscures.
2. Quelqu'un qui prêche.

105   — Par monsieur, dit Decambrais en désignant Joss d'un geste un peu cérémonieux. Monsieur Le Guern est crieur de profession, par son arrière-arrière-grand-père. Il déclame les nouvelles du quartier au carrefour Edgar-Quinet-Delambre. Il vous l'expliquera mieux lui-même.

    Adamsberg se tourna vers Joss, le visage un peu las.

110   — Pour faire court, dit Joss, les gens qui ont quelque chose à dire me laissent des messages et moi je les lis. C'est pas sorcier. Faut une bonne voix et de la régularité.

    — Donc ? dit Adamsberg.

    — Chaque jour, et à présent deux ou trois fois par jour, reprit 115 Decambrais, M. Le Guern trouve ces petits textes annonciateurs de peste. Chaque annonce nous rapproche de son explosion.

    — Bien, dit Adamsberg en tirant à lui la main courante, indiquant assez par son mouvement bâclé que la discussion touchait à son terme. Depuis quand ?

120   — Depuis le 17 août, précisa Joss.

    Adamsberg suspendit son geste et leva rapidement les yeux vers le Breton.

    — Vous en êtes sûr ? demanda-t-il.

    Et Joss vit qu'il s'était trompé. Pas sur la date de la première « spé-125 ciale », non, mais sur les yeux du commissaire. Dans l'eau de ce regard d'algue venait de s'allumer une lumière claire, comme un minuscule incendie crevant la bogue[1] du flotteur. Donc ça s'allumait et ça s'éteignait, comme un phare.

    — Le 17 août au matin, répéta Joss. Juste après la période de cale 130 sèche.

    Adamsberg abandonna la main courante et reprit sa déambulation. Le 17 août, premier immeuble marqué de 4 dans Paris, rue de Chaillot.

---

1. Coque.

Du moins premier immeuble signalé. Second immeuble deux jours plus tard, à Montmartre.

135 — Et le message suivant ? demanda Adamsberg.

— Deux jours après, le 19, répondit Joss, et puis le 22. Ensuite, les annonces se sont resserrées. Presque tous les jours à partir du 24 et plusieurs fois par jour depuis peu.

— On peut les voir ?

140 Decambrais lui tendit les derniers feuillets conservés et Adamsberg les parcourut rapidement.

— Je ne saisis pas, dit-il, ce qui vous fait penser à la peste.

— J'ai identifié ces extraits, expliqua Decambrais. Ce sont des citations tirées d'anciens traités de peste, comme il en a existé des centaines
145 à travers les siècles. Le messager en est aux signes précurseurs. Il ne va pas tarder à entrer dans le vif du sujet. On en est tout proches. Dans ce dernier passage, celui de ce matin, dit Decambrais en désignant un des feuillets, le texte s'interrompt juste avant le mot « peste ».

Adamsberg examina l'annonce du jour :

150 *(...) que beaucoup se déplacent comme des ombres sur un mur, qu'on voit des vapeurs sombres s'élever du sol comme un brouillard, (...) quand on remarque chez les hommes un grand manque de confiance, la jalousie, la haine et le libertinage*[1] *(...)*

— À la vérité, dit Decambrais, je crois qu'on y sera demain. C'est-à-
155 dire cette nuit, pour notre homme. À cause du *Journal* de l'Anglais.

— Les bouts de vie dans le désordre ?

— Ils sont dans l'ordre. Ils datent de 1665, l'année de la grande peste à Londres. Et dans les prochains jours, Samuel Pepys verra son premier cadavre. Demain, je pense. Demain.

---

1. Manière de vivre dissolue.

160   Adamsberg repoussa les papiers sur sa table et soupira.

    — Et nous, on verra quoi, à votre avis ?

    — Aucune idée.

    — Rien sans doute, dit Adamsberg. C'est juste que c'est désagréable, n'est-ce pas ?

165   — Précisément.

    — Mais fantasmatique[1].

    — Je sais. La dernière peste en France s'est éteinte à Marseille en 1722. C'est déjà une affaire de légende.

    Adamsberg se passa les doigts dans les cheveux, pour les recoiffer peut-
170 être, pensa Joss, puis rassembla les feuillets et les rendit à Decambrais.

    — Merci, dit-il.

    — Je peux continuer à les lire ? demanda Joss.

    — Surtout, ne vous interrompez pas. Et passez me raconter la suite.

    — Et s'il n'y a pas de suite ? dit Joss.

175   — C'est rare que quelqu'un lance quelque chose d'aussi organisé et incongru sans que cela débouche sur une manifestation concrète, même minime. Ça m'intéresserait de savoir ce que ce type inventera pour poursuivre.

    Adamsberg raccompagna les deux hommes jusqu'à la sortie et revint
180 à son bureau d'un pas lent. Cette histoire était plus que désagréable. Elle était détestable. Quant à son rapport avec les 4, il était nul, hormis cette coïncidence de date. Il était enclin pourtant à suivre la même pente de raisonnement que Ducouëdic. Demain, cet Anglais, ce Pepys, allait rencontrer son premier mort de peste dans Londres, à l'aube de la catas-
185 trophe. Sans s'asseoir, Adamsberg ouvrit rapidement son carnet et retrouva le numéro du médiéviste que Camille lui avait donné, ce type

---

1. Qui suggère des désirs plus ou moins conscients.

chez qui elle avait vu le 4 à l'envers. Il consulta la pendule nouvellement suspendue, qui marquait onze heures cinq. Si le type était femme de ménage, il avait peu de chances de le trouver chez lui. Une voix
190 d'homme lui répondit, assez jeune et empressée.

— Marc Vandoosler ? demanda-t-il.

— Il n'est pas là. Il est dans la tranchée de réserve[1], en mission de récurage-repassage. Je peux lui laisser un message à son cantonnement[2], si vous le voulez.

195   — Merci, dit Adamsberg un peu surpris.

Il entendit qu'on reposait le téléphone, qu'on cherchait avec bruit du papier et de quoi écrire.

— J'y suis, reprit la voix. À qui ai-je l'honneur ?

— Commissaire principal Jean-Baptiste Adamsberg, Brigade crimi-
200 nelle.

— Merde, dit la voix, soudain grave, Marc a des ennuis ?

— Aucun. Camille Forestier m'a donné son numéro.

— Ah. Camille, dit simplement la voix, mais en chargeant ce « Camille » d'une intonation telle qu'Adamsberg, qui n'était pas un
205 homme jaloux, connut pourtant une brève secousse, une surprise plutôt. Il existait autour de Camille des mondes très vastes et très peuplés dont il ignorait tout, par indifférence. Quand par hasard il en découvrait un fragment, il en était toujours étonné, comme s'il heurtait un continent inconnu. Qui disait que Camille ne régnait pas sur de mul-
210 tiples territoires ?

— C'est à propos d'un dessin, reprit Adamsberg, un graphe, plutôt énigmatique. Camille dit en avoir vu une reproduction chez Marc Vandoosler, dans un de ses livres.

---

1. Dans son coin (en référence aux tranchées de la Première Guerre mondiale).
2. Là où l'on installe provisoirement une troupe (terme militaire).

– Très possible, dit la voix. Mais sûrement pas tout jeune.

215 – Pardon ?

– Marc ne s'intéresse qu'au Moyen Âge, dit la voix avec un insensible mépris. C'est à peine s'il touche du bout des doigts au XVIe siècle. Je suppose que ce n'est pas votre rayon d'action, dans la Criminelle ?

– On ne sait jamais.

220 – Bien, dit la voix. Définition de l'objectif ?

– Si votre ami connaît la signification de ce dessin, cela pourrait nous rendre service. Vous avez un fax ?

– Oui, au même numéro.

– Parfait. Je vais vous adresser le croquis et si Vandoosler possède des
225 informations, qu'il soit aimable de me les adresser en retour.

– Très bien, dit la voix. Section à disposition. Exécution de la consigne.

– Monsieur... dit Adamsberg au moment où l'autre allait raccrocher.

230 – Devernois, Lucien Devernois.

– C'est pressé. À vrai dire, c'est urgent.

– Comptez sur ma diligence[1], commissaire.

Et Devernois raccrocha. Perplexe, Adamsberg reposa le combiné. Tout ce qu'on pouvait dire, c'est que ce Devernois, un rien hautain, ne
235 s'embarrassait pas avec les flics. Un militaire peut-être.

Jusqu'à midi et demi, Adamsberg resta immobile contre son mur, à observer son fax inanimé. Puis, agacé, il sortit marcher et trouver quelque chose à manger. N'importe quoi, au hasard des rues qu'il découvrait peu à peu autour de la Brigade. Un sandwich, des tomates,

---

1. Mon empressement.

240 du pain, des fruits, un gâteau. Selon l'humeur, selon les boutiques, en dépit du bon sens. Il traîna délibérément dans les rues, une tomate dans une main et un petit pain aux noix dans l'autre. Il fut tenté de passer la journée dehors et de ne revenir que le lendemain. Mais Vandoosler pouvait avoir déjeuné chez lui. Auquel cas il avait une chance d'obtenir une

245 réponse et d'en finir avec cette architecture de fantasmes bancals. À quinze heures, il entra dans son bureau, jeta sa veste sur une chaise et se retourna vers son appareil. Une feuille l'attendait, tombée au sol.

Monsieur,

Le 4 à rebours que vous m'adressez est une reproduction exacte du chiffre
250 *dont on frappait autrefois les portes ou les linteaux des fenêtres en temps de peste, dans certaines régions. On croit son origine antique mais il fut absorbé par la culture chrétienne qui y reconnaissait un signe de croix, tracé sans lever la main. C'est un chiffre marchand, un chiffre d'imprimeur aussi, mais il est surtout fameux pour sa valeur de talisman[1] contre la peste. On*
255 *se protégeait du fléau en le traçant sur la porte de sa demeure.*

En espérant que ces informations pourront répondre à votre question, croyez, monsieur le Commissaire, à l'expression de mes salutations distinguées,

Marc Vandoosler

260 Adamsberg s'appuya à sa table, la tête penchée vers le sol, le fax pendant à la main. Le 4 à rebours, un talisman contre la peste. Une trentaine d'immeubles déjà marqués dans la ville, des messages à la pelle dans la boîte de ce crieur. Demain, l'Anglais de 1665 allait rencontrer le

---

1. Porte-bonheur.

premier cadavre. Sourcils froncés, Adamsberg rejoignit le bureau de
265 Danglard en écrasant les plâtras sur son passage.

— Danglard, votre interventionniste est en train de jouer au con.

Adamsberg posa le fax sur sa table et Danglard le lut d'un air cir-
conspect. Puis il le relut.

— Oui, dit-il. Je me souviens maintenant, de mon 4. Dans la ferron-
270 nerie du balcon du tribunal de commerce de Nancy. Un double quatre,
dont un inversé.

— Qu'est-ce qu'on fait de votre artiste, Danglard ?

— Je l'ai déjà dit. On l'éloigne.

— Mais encore ?

275 — On le remplace. Par un illuminé qui craint la peste comme la peste
et qui protège les maisons de ses concitoyens.

— Il ne la craint pas. Il la prédit, il la prépare. Pas à pas. Il met en
place un dispositif. Il peut mettre à feu demain, ou cette nuit.

Danglard avait une très longue pratique du visage d'Adamsberg qui
280 pouvait passer de l'état quasi terne, éteint comme un feu noyé, à l'état
ardent. La lumière parvenait alors à se propager sous la peau brune par
un procédé technique resté mystérieux. À ces moments intenses,
Danglard savait que toutes les dénégations[1] et les scepticismes, les
démonstrations de logique les plus serrées s'évaporeraient comme
285 vapeur sur les braises. Aussi préférait-il les économiser pour des périodes
plus tièdes. Simultanément, Danglard touchait en ces instants à ses
propres paradoxes : les convictions irrationnelles d'Adamsberg ébran-
laient ses ancrages et ce renoncement temporaire au bon sens lui apportait une étrange détente. Il ne pouvait alors s'empêcher d'écouter,

---

1. Fait de nier.

²⁹⁰ presque passivement, emporté par un nuage d'idées dont il n'était pas responsable. La manière de parler d'Adamsberg, qui usait sa patience en d'autres moments, aidait alors au voyage par son rythme lent, ses sonorités basses et douces, ses formules répétitives et ses circonvolutions[1]. Enfin, l'expérience lui avait démontré trop souvent que, parti d'une ins-
²⁹⁵ piration désordonnée, Adamsberg avait visé au plein cœur de la vérité.

Ce qui fait que Danglard enfila sa veste sans broncher quand Adamsberg l'entraîna dans les rues pour lui raconter le récit du vieux Ducouëdic.

Avant six heures, les deux hommes étaient parvenus place Edgar-
³⁰⁰ Quinet, prêts pour la dernière criée du soir. Adamsberg avait d'abord arpenté le carrefour, prenant ses marques, respirant le lieu, localisant la maison de Ducouëdic, l'urne bleue arrimée[2] au platane, la boutique de sport, où il avait vu Le Guern s'engouffrer avec sa caisse, et le café restaurant *Le Viking*, que Danglard avait repéré aussitôt et où il avait choisi
³⁰⁵ d'entrer pour ne plus ressortir. Adamsberg vint frapper au carreau pour lui signaler l'arrivée de Le Guern. Écouter la criée ne lui apporterait rien, il le savait. Mais Adamsberg voulait se figurer au plus juste le point d'où sortaient les annonces.

La voix du Breton le surprit, puissante, mélodieuse, portant comme
³¹⁰ sans effort d'un bout à l'autre de la place. Cette voix, songea-t-il, était sans doute pour beaucoup dans le rassemblement compact qui s'était formé autour de lui.

— *Un*, commença Joss, à qui la présence d'Adamsberg n'avait pas échappé. *Vends matériel d'apiculteur*[3] *avec deux essaims*[4]. *Deux : La chlo-*

---

1. Détours.
2. Fixée solidement (terme maritime).
3. Éleveur d'abeilles.
4. Groupes d'abeilles comportant une reine et plusieurs dizaines de milliers d'ouvrières.

315 *rophylle se fabrique toute seule et les arbres ne s'en vantent pas. C'est juste*
un exemple pour les fiers-à-bras.

Adamsberg fut étonné. Il n'avait pas compris cette seconde annonce
mais le public, sérieux, ne semblait pas déconcerté et attendait la suite.
La force de l'habitude, certainement. Comme pour toute chose, l'en-
320 traînement était sûrement nécessaire à une bonne écoute.

– *Trois*, continua Joss, imperturbable. *Âme sœur bienvenue, si possible*
attirante et sinon tant pis. Quatre : Hélène, je t'attends toujours. Je ne lève-
rai plus la main sur toi, Bernard, désespéré. Cinq : L'enfant de salaud qui
a démoli ma sonnette se prépare une mauvaise surprise. Six : 750 FZX 92,
325 *39 000 km, pneus et freins neufs, entièrement révisée. Sept : Qu'est-ce qu'on*
est, mais qu'est-ce qu'on est au juste ? Huit : Propose petits travaux de cou-
ture soignés. Neuf : Si un jour on doit s'installer sur la planète Mars, vous
irez sans moi. Dix : Vends cinq cagettes de haricots verts français. Onze :
Cloner l'être humain ? Je trouve qu'on est assez de crétins sur la terre.
330 *Douze...*

Adamsberg commençait à se laisser bercer par la litanie du Crieur,
observant le petit groupe, ceux qui notaient quelque chose sur un bout
de papier, ceux qui regardaient le Crieur sans bouger, la sacoche pendant
au bout du bras, semblant se reposer de leur journée de bureau. Le
335 Guern enchaîna sur la météo du lendemain après un rapide coup d'œil
au ciel et sur une météo marine, vent d'ouest s'intensifiant 3 à 5 en soirée, qui sembla contenter tout le monde. Puis l'enroulement des
annonces reprit, pratique et métaphysique, et Adamsberg se réveilla en
voyant Ducouëdic se redresser vers l'annonce 16.

340 – *Dix-sept*, enchaîna le Crieur. *Ce fléau est donc présent et existant*
quelque part, et cette existence est un effet de la création, puisqu'il ne se fait
rien de nouveau, et qu'il n'est rien d'existant qui n'ait été créé.

Le Crieur jeta un rapide coup d'œil dans sa direction, lui signifiant

par là qu'on venait de passer la « spéciale », et enchaîna sur la 18 : *Il est*
345 *risqué de faire grimper du lierre sur les murs mitoyens.* Adamsberg écouta
jusqu'au bout, y compris le récit inattendu du périple du *Louise Jenny*,
vapeur français de 546 tonneaux, chargé de vin, de liqueurs, de fruits
secs et de conserves, se retournant sur Basse aux Herbes et venant
s'échouer sur Pen Bras, équipage perdu sauf chien du bord. Cette der-
350 nière annonce fut suivie de murmures de satisfaction ou de dépit et d'un
mouvement partiel en direction du *Viking*. Le Crieur sautait déjà à terre
et soulevait son estrade d'un bras, l'édition du soir était terminée.
Adamsberg, assez décontenancé, se retourna vers Danglard pour
recueillir son avis mais Danglard, selon toute probabilité, était allé finir
355 son verre interrompu. Adamsberg le trouva accoudé au bar du *Viking*,
la mine sereine.

– Exceptionnel calva, commenta Danglard en désignant son petit
verre du doigt. Un des meilleurs que j'aie rencontrés.

Une main se posa sur l'épaule d'Adamsberg. Ducouëdic lui fit signe
360 de le suivre à la table du fond.

– Puisque vous voilà dans les parages, dit-il, mieux vaut que vous
sachiez qu'ici, personne ne connaît mon véritable nom, sauf le Crieur.
Vous me comprenez ? Ici, je suis Decambrais.

– Une seconde, dit Adamsberg en inscrivant le nom sur son carnet.
365 Peste, Ducouëdic, Cheveux blancs, égale Decambrais.

– Je vous ai vu noter quelque chose pendant la criée, dit Adamsberg
en rempochant son carnet.

– Annonce 10. Je me porte acquéreur des haricots verts. On trouve
de bons produits ici, et pour pas cher. Quant à la « spéciale »…
370 – La « spéciale » ?

– L'annonce du cinglé. Pour la première fois, le nom même de la
peste a surgi, encore masqué : le « fléau ». C'est une de ses appellations,

elle en a beaucoup d'autres. La mortalité, l'infection, la contagion, la maladie des bosses, le mal… On s'efforçait d'éviter son nom véritable
375 tant on en avait peur. Le type poursuit son approche. Il vient presque de la désigner, il touche au but.

Une jeune femme blonde, menue, les cheveux rassemblés en boucles sur sa nuque, s'approcha de Decambrais et le toucha timidement au bras.

380 – Marie-Belle ? dit-il.

La jeune femme se haussa sur la pointe des pieds et l'embrassa sur la joue.

– Merci, dit-elle en souriant. Je savais que vous y arriveriez.

– Ce n'était rien, Marie-Belle, dit Decambrais en souriant à son tour.
385 La jeune femme s'enfuit avec un petit signe et partit au bras d'un grand type brun, aux cheveux longs jusqu'aux épaules.

– Très jolie, dit Adamsberg. Qu'est-ce que vous lui avez fait ?

– J'ai fait enfiler un pull à son frère et, croyez-moi, ça n'a pas été simple. Prochaine étape pour novembre, le blouson. J'y travaille.

390 Adamsberg renonça à comprendre, sentant qu'on abordait là les méandres[1] d'une vie de quartier qui ne l'intéressait en rien.

– Autre chose, dit Decambrais. Vous êtes repéré. Il y avait déjà des gens sur la place qui savaient que vous étiez flic. Comment ont-ils fait, ajouta-t-il en le parcourant de bas en haut d'un bref coup d'œil, je ne
395 me l'explique pas.

– Le Crieur ?

– Peut-être.

– Ce n'est pas grave. C'est peut-être même bien.

---

1. Sinuosités.

– C'est votre adjoint, là-bas ? demanda Decambrais en désignant
400 Danglard du menton.

– Le capitaine Danglard.

– Bertin, le grand Normand qui tient le bar, est en train de lui expliquer les vertus de jouvence[1] de son calva spécial maison. Au rythme où votre capitaine lui obéit, il aura rajeuni de quinze ans d'ici un quart
405 d'heure. Je vous signale juste le fait pour vous mettre en garde. D'expérience, c'est un calva hors du commun, mais qui vous rend inopérant pendant toute la matinée du lendemain, au bas mot.

– Danglard est souvent inopérant pendant toute la matinée.

– Ah, très bien. Qu'il sache tout de même qu'il s'agit d'un alcool
410 bien particulier. Non seulement on est inopérant mais on est presque simplet, hébété, un peu comme un escargot dans sa bave. Une mutation étonnante.

– C'est douloureux ?

– Non, c'est comme des vacances.

415 Decambrais salua et sortit, préférant ne pas serrer la main d'un flic devant tous. Adamsberg continua à observer Danglard rétrograder dans le temps et, vers huit heures, il l'assit à table de force pour lui faire avaler du solide.

– Pour quoi faire ? s'informa Danglard, digne et vitreux.

420 – Pour avoir quelque chose à vomir cette nuit. Autrement, ça fait mal au ventre.

– Très bonne idée, dit Danglard. Mangeons.

---

1. Qui font rajeunir, redonnent de la vitalité.

BIEN LIRE

D'où sont extraites les « spéciales » ?
Expliquez pourquoi les chiffres 4 sont des talismans.

XIII

Adamsberg prit un taxi pour reconduire Danglard à sa porte à la sortie du *Viking*, puis il se fit déposer sous les fenêtres de Camille. Du trottoir, on voyait la verrière éclairée de l'atelier qu'elle occupait sous les toits. Appuyé au capot d'une voiture, il s'attarda quelques minutes à
5 fixer cette lumière, les paupières fatiguées. Cette journée absurde et laborieuse se diluerait dans le corps de Camille et il ne resterait bientôt plus de ce fantasme de peste que des lambeaux, puis des voiles et des transparences.

Il grimpa les sept étages et entra sans faire de bruit. Quand Camille
10 composait, elle laissait la porte entrouverte pour ne pas devoir s'interrompre au milieu d'une mesure. Assise à son synthétiseur, casque sur les oreilles et mains sur le clavier, Camille lui sourit et, par un signe de tête, lui fit comprendre qu'elle n'avait pas terminé. Adamsberg resta debout, écoutant les notes qui filtraient au travers des écouteurs, et attendit. La
15 jeune femme travailla encore une dizaine de minutes puis ôta son casque et éteignit le clavier.

– Film d'aventures ? demanda Adamsberg.

– Science-fiction, répondit Camille en se levant. Un feuilleton. J'ai six épisodes en commande.

20 Camille s'approcha d'Adamsberg, posa un bras sur son épaule.

– Un type qui est apparu sur la terre sans crier gare, expliqua-t-elle, nanti de pouvoirs paranormaux, avec l'intention de bousiller tout le monde, on ne sait même pas pourquoi. Cette question ne semble préoccuper personne. Vouloir bousiller n'exige pas plus d'explication que
25 vouloir boire. Il veut bousiller, c'est tout, c'est un point acquis dès le départ. Signe distinctif du type, il ne transpire pas.

– Moi aussi, dit Adamsberg. Science-fiction. Je n'en suis qu'au début du premier épisode et je ne comprends rien. Un type est apparu sur la terre avec l'intention de bousiller tout le monde. Signe paranormal : il 30 parle en latin.

Au milieu de la nuit, Adamsberg ouvrit les yeux, sur un faible mouvement de Camille. Elle s'était endormie la tête posée sur son ventre et il maintenait la jeune femme des deux bras et des deux jambes. Ça l'intriguait, vaguement. Il se dégagea doucement pour lui laisser de l'espace.

BIEN LIRE

Commentez la réponse d'Adamsberg l. 27-30.
Que laissent supposer ces phrases sur la manière dont il envisage l'affaire des chiffres et des lettres ?

XIV

L'homme pénétra à la nuit tombée dans la courte allée qui conduisait à la maison délabrée. Il connaissait par cœur les reliefs des pavés déchaussés et le poli de la vieille porte en bois contre laquelle il cogna cinq fois.

5 – C'est toi ?

– C'est moi, Mané. Ouvre.

Une vieille femme, grosse et grande, le guida à la lampe électrique jusqu'au salon-cuisine. Il n'y avait pas d'électricité dans la petite entrée. Il avait maintes fois proposé à la vieille Mané de faire restaurer sa mai-
10 son et d'en améliorer le confort mais elle repoussait ses projets avec un entêtement constant.

– Plus tard, Arnaud, disait-elle. Quand ce sera ton argent. Je me fous bien de ton fameux confort.

Puis elle lui montrait ses pieds, chaussés de lourds mocassins noirs.

15 – Tu sais à quel âge on m'a payé ma première paire ? À quatre ans. Jusqu'à quatre ans, j'ai marché pieds nus.

– Je sais, Mané, disait l'homme. Mais la toiture fuit et ça pourrit le plancher du grenier. Je ne veux pas que tu passes à travers, un jour.

– Inquiète-toi plutôt de tes oignons.

20 L'homme s'assit sur le canapé à fleurs et Mané apporta du vin cuit et une assiette de galettes.

– Avant, dit Mané en déposant l'assiette devant lui, je pouvais te faire des petites galettes à la peau de lait. Mais on ne peut plus trouver du lait qui fasse de la peau. C'est fini, fini. Tu peux le laisser dix jours à
25 l'air libre, il moisira sur pied sans faire un gramme de peau. C'est plus du lait, c'est de la flotte. Je suis obligée de remplacer par de la crème. Je suis obligée, Arnaud.

– Je sais, Mané, dit Arnaud en remplissant les verres, que la vieille femme choisissait plutôt grands.

30 – Ça change beaucoup le goût ?

– Non, ils sont aussi bons, je t'assure. Tu n'as pas à t'en faire avec ces petits gâteaux.

– T'as raison, trêve de conneries. Où t'en es ?

– C'est prêt.

35 Un dur sourire élargit le visage de Mané.

– Combien de portes ?

– Deux cent cinquante-trois. Je les fais de plus en plus vite. Ils sont très beaux, tu sais, très fins.

Le sourire de la vieille femme s'agrandit encore, plus doux.

40 – T'as tous les dons, mon Arnaud, et ces dons, tu vas les reprendre, je te le jure bien sur l'Évangile.

Arnaud sourit aussi et posa sa tête contre la grosse poitrine affaissée de la vieille dame. Elle sentait le parfum et l'huile d'olive.

– Tous, mon petit Arnaud, répéta-t-elle en lui caressant les cheveux.
45 Ils vont crever jusqu'au dernier, tout seuls comme des grands.

– Tous, dit Arnaud en lui serrant la main très fort.

La vieille femme sursauta.

– Tu as ta bague, Arnaud ? Ta bague ?

– Ne t'inquiète pas, dit-il en se redressant, je l'ai juste changée de
50 main.

– Montre voir.

Arnaud lui confia sa main droite, ornée d'un anneau au majeur. Elle effleura du pouce le petit diamant qui brillait dans sa paume. Puis elle l'ôta et lui passa à la main gauche.

55 – Laisse-la à gauche, ordonna-t-elle, et ne l'enlève jamais.

– Bon. Ne t'en fais pas.

– À gauche, Arnaud. Sur l'annulaire.

– Oui.

– On a attendu, on a attendu des années. Et ce soir, on y est. Je
60 remercie le Seigneur qui m'a fait vivre pour voir cette nuit. Et s'Il l'a fait,
Arnaud, c'est qu'Il le voulait. Il voulait que je soye là pour que tu puisses
accomplir.

– C'est vrai, Mané.

– Buvons, Arnaud, à ton salut.

65 La vieille femme leva son verre et l'entrechoqua contre celui
d'Arnaud. Ils avalèrent plusieurs gorgées en silence, les mains toujours
entrecroisées.

– Trêve de conneries, dit Mané. Tout est bien prêt ? Tu as le code,
l'étage ? Ils sont combien là-dedans ?

70 – Il vit tout seul.

– Viens, je vais te donner le matériel, faut pas trop que tu traînes. Je
les ai affamées depuis quarante-huit heures, elles se jetteront sur lui
comme la vérole sur le bas clergé. Mets tes gants.

Arnaud la suivit jusqu'à l'échelle de meunier qui grimpait au grenier.

75 – Te casse pas la gueule, Mané.

– T'occupe. Je fais la manœuvre deux fois par jour.

Mané se hissa sans peine jusqu'au grenier, qui résonnait de couinements suraigus.

– Du calme, les petits, ordonna-t-elle. Éclaire-moi, Arnaud, celle de
80 gauche.

Arnaud braqua sa lampe sur une vaste cage où grouillaient une vingtaine de rats.

– Regarde celui-là qu'agonise[1] dans le coin. J'en aurai des neuves pas
plus tard que demain.

---

1. Qui est sur le point de mourir.

85   — Tu es sûre qu'elles sont infectées ?

— Chargées jusqu'à la garde. Tu mettrais pas en doute ma compétence, des foyes ? À l'instant du grand soir ?

— Bien sûr que non. Mais je préférerais que tu m'en mettes dix plutôt que cinq. On serait plus sûrs.

90   — Je t'en mettrai quinze si tu veux. Comme ça, tu pourras dormir sur tes deux oreilles.

La vieille femme se pencha pour ramasser un petit sac de toile qui reposait sur le sol, à côté de la cage.

— Mort de peste avant-hier, dit-elle en secouant le sac sous le nez
95 d'Arnaud. On va lui ratisser ses puces et en voiture Simone. Éclaire-moi.

Arnaud regarda Mané s'activer dans la cuisine sur le cadavre du rat.

— Fais attention à toi. Si elles te piquent ?

— Je crains rien, je te dis, gronda Mané. Et je suis couverte d'huile de la tête aux pieds. T'es rassuré ?

100   Dix minutes plus tard, elle jetait la bestiole à la poubelle et tendait une grosse enveloppe à Arnaud.

— Vingt-deux puces, dit-elle, tu vois que t'as de la marge.

Il glissa avec précaution l'enveloppe dans la poche intérieure de sa veste.

105   — J'y vais, Mané.

— Ouvre-la d'un coup, rapidement, et glisse-la sous la porte. Et ouvre-la sans crainte. Tu es le maître.

La vieille femme le serra dans ses bras brièvement.

— Trêve de conneries, dit-elle. À toi de jouer, le Seigneur t'ait en sa
110 garde et méfie-toi des flics.

BIEN LIRE Construisez le champ lexical de la décrépitude et du vieillissement. Quel niveau de langue utilise Mané ? Donnez des exemples.

XV

Adamsberg rallia la Brigade vers neuf heures du matin. Le samedi était un jour creux, en effectif réduit, et le bruit des perceuses s'était tu. Danglard n'était pas là, certainement en train de payer le prix fort de sa cure de rajeunissement effectuée au *Viking*. Lui ne gardait de la veille
5 que cette sensation particulière aux nuits passées avec Camille, une langueur[1] dans les muscles des cuisses et du dos qui l'accompagnerait jusque vers deux heures, comme un écho feutré abrité dans son corps. Et puis ça partirait.

Il passa la matinée à faire un nouveau tour téléphonique des com-
10 missariats d'arrondissement. Rien à signaler, pas un décès suspect dans les immeubles marqués de 4. En revanche, on enregistrait trois plaintes supplémentaires pour déprédation[2], dans le 1er, le 16e et le 17e arrondissement. Toujours des 4, toujours cette signature en trois lettres, CLT. Il termina son circuit en appelant Breuil, au Quai des Orfèvres[3].

15 Breuil était un type aimable et complexe, un esthète[4] ironiste et un cuisinier talentueux, qualités qui ne le portaient pas à juger hâtivement son prochain. Au Quai, où la nomination d'Adamsberg à la tête d'un des groupes homicide avait fait des vagues notables, eu égard à sa nonchalance, sa tenue vestimentaire et ses succès professionnels énigma-
20 tiques, Breuil était un des rares à prendre Adamsberg tel qu'il était, sans jamais être tenté de le normaliser. Une tolérance d'autant plus précieuse qu'il occupait une place influente à la Préfecture.

– Dans le cas où un ennui adviendrait dans un de ces immeubles,

---

1. Souffrance.
2. Dommage causé aux biens d'autrui.
3. À la drection générale de la police judiciaire.
4. Amateur d'art.

résuma Adamsberg, sois gentil de me faire basculer la nouvelle. Je suis
25 dessus depuis plusieurs jours.

    – C'est-à-dire de te passer la main ?

    – C'est cela.

    – Compte sur moi, dit Breuil. Je serais toi, je ne me bilerais[1] pas trop
cependant. Les gars qui s'activent en différé[2] comme ton peintre du
30 dimanche sont généralement des impuissants.

    – Je me bile tout de même. Et je le surveille.

    – Ils ont terminé d'installer les barreaux chez toi ?

    – Encore deux fenêtres.

    – Viens dîner un soir. Une mousse d'asperge au cerfeuil, tu seras sur-
35 pris. Même toi.

Adamsberg raccrocha en souriant et partit déjeuner les mains dans les
poches. Il marcha près de trois heures sous un ciel de septembre assez
gris et regagna la Brigade en milieu d'après-midi.

Un agent inconnu se dressa à son approche.

40 – Brigadier Lamarre, annonça l'homme d'emblée, en tordant un des
boutons de sa veste, le regard porté sur le mur d'en face. Un appel pour
vous à treize heures quarante et une. Un dénommé Decambrais Hervé
souhaiterait être joint au numéro ci-indiqué, acheva-t-il en lui tendant
une note.

45 Adamsberg examina Lamarre, cherchant à croiser son regard. Le bouton malmené tomba au sol mais l'homme demeura droit, les bras
retombant au long de son corps. Quelque chose dans sa haute taille, ses
poils blonds, son regard bleu lui évoquait le tenancier du *Viking*.

    – Vous êtes normand, Lamarre ? lui demanda Adamsberg.

---

1. Ne m'inquiéterais (familier).
2. Après coup.

50 — Affirmatif, commissaire. Né à Granville.

— Vous venez de la gendarmerie ?

— Affirmatif, commissaire. J'ai passé les concours pour être affecté à la capitale.

— Vous pouvez ramasser votre bouton, brigadier, suggéra
55 Adamsberg, et vous pouvez vous rasseoir.

Lamarre s'exécuta.

— Et vous pouvez essayer de me regarder. Dans les yeux.

Une certaine panique crispa le visage du brigadier dont le regard resta obstinément dirigé vers le mur.

60 — C'est pour le travail, expliqua Adamsberg. Faites un effort.

L'homme tourna lentement le visage.

— C'est bon, l'arrêta Adamsberg. Ne bougez plus. Restez sur les yeux. Ici, brigadier, vous êtes chez les flics. Le groupe homicide demande plus de discrétion, de naturel et d'humanité qu'aucun autre. Vous aurez à infil-
65 trer, à planquer[1], à questionner, à serrer[2] sans être vu, à donner confiance, à essuyer des larmes aussi. Tel que vous êtes, on vous repère à cent lieues, aussi raide qu'un taureau dans son pré. Il va falloir vous laisser aller et ça ne va pas se faire en un jour. Premier exercice : regardez les autres.

— Bien, commissaire.

70 — Dans les yeux, pas sur le front.

— Oui, commissaire.

Adamsberg ouvrit son carnet et nota sur-le-champ : Viking, Bouton, Droit sur le mur, égale Lamarre.

Decambrais décrocha à la première sonnerie.

---

1. Se cacher pour surveiller (familier).
2. Arrêter, appréhender (argotique).

75　— J'ai préféré vous prévenir, commissaire, que notre homme vient de passer le cap.

— C'est-à-dire ?

— Le mieux est que je vous lise les spéciales de ce matin et de midi. Vous y êtes ?

80　— J'y suis.

— La première est la suite du *Journal* de cet Anglais.

— Sepys.

— Pepys, commissaire. *Aujourd'hui, bien malgré moi, j'ai vu deux ou trois maisons avec une croix rouge sur la porte et l'inscription « Dieu ait*
85　*pitié de nous ». Triste spectacle, le premier de cette sorte que je voie, autant qu'il m'en souvienne.*

— Ça ne s'arrange pas.

— C'est le moins qu'on puisse dire. Cette croix rouge marquait les portes des maisons infectées afin que les passants s'en écartent. Pepys
90　vient donc de croiser ses premiers pesteux. En réalité, la maladie a couvé depuis bien longtemps dans les faubourgs de la ville mais Pepys, à l'abri dans la cité des riches, n'en était pas encore informé.

— Et le second message ? coupa Adamsberg.

— Plus grave encore. Je vous le lis.

95　— Lentement, demanda Adamsberg.

— *Le* 17 août, *de faux bruits précèdent le mal, beaucoup tremblent, un bon nombre espère cependant, sur les motifs du fameux médecin qu'est Rainssant. Peines inutiles : le* 14 septembre, *la peste est entrée dans la ville. Elle a d'abord frappé le* quartier Rousseau *où des corps morts coup sur coup*
100　*manifestent sa présence.* Je vous signale, puisque vous n'avez pas le papier sous les yeux, que le texte est émaillé de points de suspension. Le type est un maniaque, il ne supporte pas de couper la phrase originale sans l'indiquer. En outre, « 17 août », « 14 septembre » et « quartier

Rousseau » sont tapés dans un caractère différent. Il a certainement
105 modifié les dates et le lieu véritables du texte et il souligne ses déforma-
tions en changeant de frappe. À mon avis.

– Et nous sommes le 14 septembre, n'est-ce pas ? demanda
Adamsberg qui n'était jamais très sûr de la date, à un ou deux crans près.

– Exactement. Ce qui fait que, tout bonnement, ce cinglé nous
110 annonce que la peste est entrée aujourd'hui dans Paris, et qu'elle a tué.

– Rue Jean-Jacques-Rousseau.

– Vous pensez que c'est l'endroit visé ?

– J'ai un immeuble marqué de 4 dans cette rue.

– Quels 4 ?

115 Adamsberg jugea Decambrais assez mouillé dans l'affaire pour être
informé de l'autre volet d'activités de son annonceur. Il nota au passage
que, si cultivé fût-il, Decambrais semblait tout ignorer de la signification des 4, tout comme l'érudit Danglard. Le talisman n'était donc pas
si connu et le type qui l'utilisait devait être sacrément calé.

120 – En tous les cas, conclut Adamsberg, vous pouvez poursuivre l'affaire sans moi, à titre documentaire pour vos *choses de la vie*. Ce sera une
belle pièce dans votre collection, pour vous comme pour les annales du
Crieur. Mais en ce qui concerne le risque criminel, je crois qu'on peut
l'oublier. Le type a pris une autre tangente[1], purement symbolique,
125 comme dirait mon adjoint. Car il ne s'est rien passé cette nuit rue Jean-
Jacques-Rousseau, pas plus que dans les autres immeubles touchés. En
revanche, notre homme continue à peindre. Ça lui durera ce que ça lui
durera.

– Allons tant mieux, dit Decambrais après un silence. Laissez-moi

---

1. S'est esquivé (familier).

130 vous dire que j'ai été heureux de faire plus ample connaissance et ne
m'en veuillez pas de vous avoir fait perdre du temps.

– Au contraire. J'apprécie le temps perdu à sa vraie valeur.

Adamsberg raccrocha et décida que sa journée de samedi était achevée. La main courante ne contenait rien qui ne puisse attendre lundi.
135 Avant de quitter son bureau, il consulta son carnet pour être en mesure
de saluer le gendarme de Granville par son nom.

Dans la rue, le soleil pointait de nouveau au travers des nuages allé-
gés et la ville reprenait une allure estivale un peu languissante. Il ôta sa
veste, la balança sur son épaule et partit lentement vers le fleuve. Il lui
140 semblait que les Parisiens oubliaient qu'ils avaient un fleuve. Aussi cras-
seuse fût-elle, la Seine constituait pour lui un de ses lieux refuges, avec
son mouvement lourd, son odeur de linge mouillé et ses cris d'oiseaux.

En s'y dirigeant tranquillement par les petites rues, il se dit que c'était
tout aussi bien que Danglard ait cuvé son calva[1] chez lui. Il préférait
145 avoir enterré l'affaire des 4 sans témoin. Danglard avait eu raison.
Artiste interventionniste ou maniaque symboliste, le cinglé des 4 tournait en roue libre dans un univers qui ne les concernait pas. Adamsberg
perdait la mise, il s'en foutait et c'était tant mieux. Il ne plaçait nul
orgueil dans ces affrontements avec son adjoint mais il appréciait que
150 l'abandon se soit déroulé dans la solitude. Lundi, il lui dirait qu'il s'était
trompé et que les 4 allaient rejoindre dans l'anecdote les rangs des coccinelles géantes de Nanteuil. De qui tenait-il cette histoire? Du photographe, le type aux taches de rousseur. Et comment s'appelait-il? Il ne
s'en souvenait plus.

_____

1. S'assoupir après avoir
trop bu (familier).

BIEN LIRE

**Quelles nouvelles macabres donne
Decambrais au commissaire Adamsberg ?
Comment réagit ce dernier ?
Croyez-vous que le commissaire et son
adjoint aient raison ?**

XVI

Le lundi, Adamsberg annonça à Danglard la fin de l'affaire des 4. En homme stylé, Danglard ne se permit aucun commentaire et se contenta d'acquiescer.

Le mardi, à quatorze heures quinze, un appel du commissariat du
5 1er arrondissement l'informa de la découverte d'un cadavre rue Jean-Jacques-Rousseau, au n° 117.

Adamsberg reposa l'écouteur avec une lenteur extrême, comme on le fait en pleine nuit lorsqu'on ne veut réveiller personne. Mais c'était plein jour. Et il ne cherchait pas à préserver le sommeil des autres mais à s'en-
10 dormir lui-même, à se propulser sans un bruit dans l'oubli. Il connaissait ces instants où sa propre nature l'inquiétait au point qu'il priait pour trouver un jour un refuge d'hébétude[1] et d'impuissance dans lequel il se roulerait en boule pour ne plus le quitter. Ces moments où il avait eu raison contre toute raison n'étaient pas ses meilleurs. Ils l'accablaient brièvement,
15 comme s'il sentait soudain peser sur lui le poids d'un don pernicieux[2] offert à sa naissance par une fée Carabosse devenue gâteuse et qui aurait, au-dessus de son berceau, prononcé ces paroles : « Puisque vous ne m'avez pas conviée à ce baptême – ce qui n'avait rien de surprenant, vu que ses parents, pauvres comme Job[3], avaient fêté seuls sa naissance au fond des
20 Pyrénées en l'enroulant dans une bonne couverture – puisque vous ne m'avez pas conviée à ce baptême, je fais don à cet enfant de pressentir le merdier là où les autres ne l'ont pas encore vu. » Ou quelque chose comme ça, en mieux dit, car la fée Carabosse n'était pas la dernière des illettrées ni un grossier personnage, en aucun cas.

---

1. Dans un état de stupidité.
2. Dangereux.
3. Personnage du livre biblique rédigé au Ve s. av. J.-C. et qui porte son nom. Au départ riche et puissant, il tombe dans une affreuse misère.

25   Ces moments de malaise duraient peu. D'une part parce que Adamsberg n'avait aucune intention de se rouler en boule, attendu qu'il avait besoin de marcher la moitié du jour et d'être debout l'autre moitié, d'autre part parce qu'il croyait ne posséder aucune sorte de don. Ce qu'il avait pressenti quand avaient débuté ces 4 n'avait, finalement, rien

30 que de logique, même si cette logique n'avait pas la belle lisibilité de celle de Danglard, même s'il était incapable d'en présenter les impalpables rouages[1]. Ce qui lui paraissait évident, c'est que ces 4 avaient été conçus dès l'origine comme une menace, aussi distinctement que si leur auteur avait écrit sur les portes : « Je suis là. Regardez-moi et prenez

35 garde à vous. » Évident que cette menace s'était épaissie pour prendre l'aspect d'un danger véritable lorsque Decambrais et Le Guern étaient venus lui apprendre qu'un annonceur de peste sévissait depuis le même jour. Évident que l'homme se complaisait dans une tragédie qu'il orchestrait lui-même. Évident qu'il n'allait pas s'arrêter en route, évident

40 que cette mort annoncée avec tant de précision mélodramatique risquait d'apporter un cadavre. Logique, si logique que Decambrais l'avait redouté autant que lui.

   La monstrueuse mise en scène de l'auteur, sa grandiloquence[2], sa complexité même, ne troublaient pas Adamsberg. Dans son étrangeté,

45 elle avait presque quelque chose de classique, d'exemplaire pour un type rare d'assassin tourmenté par un orgueil monumental et bafoué[3], et qui se haussait sur un piédestal[4] à la mesure de son humiliation et de son ambition. Plus obscur et même incompréhensible était ce recours à l'ancienne figure de la peste.

---

1. Éléments fonctionnant ensemble.
2. Son expression pompeuse.
3. Moqué, tourné en ridicule.
4. Prestige.

50 Le commissaire du 1er arrondissement avait été formel : d'après les premiers renseignements communiqués par les officiers qui avaient découvert le corps, le cadavre était noir.

– On file, Danglard, dit Adamsberg en passant devant le bureau de son adjoint. Rassemblez l'équipe d'urgence, on a un corps. Le légiste[1] et
55 les techniciens sont en route.

En ces moments, Adamsberg pouvait être relativement rapide et Danglard se hâta de rassembler les hommes et de suivre, sans avoir reçu un mot d'explication.

Le commissaire laissa les deux lieutenants et le brigadier s'installer à
60 l'arrière de la voiture pendant qu'il maintenait Danglard par le tissu de sa manche.

– Une seconde, Danglard. Pas la peine d'inquiéter ces types prématurément.

– Justin, Voisenet et Kernorkian, dit Danglard.
65 – Le fruit est tombé. Le corps est rue Jean-Jacques-Rousseau. L'immeuble était fraîchement marqué aux portes de dix 4 à rebours.

– Merde, dit Danglard.

– C'est un homme d'une trentaine d'années, un Blanc.

– Pourquoi dites-vous « Blanc » ?
70 – Parce que son corps est noir. Sa peau est noire, noircie. Sa langue aussi.

Danglard plissa le front.

– La peste, dit-il. « La *Mort noire.* »

– Voilà. Mais je ne crois pas que cet homme soit mort de peste.
75 – Qu'est-ce qui vous rend si certain ?

---

1. Médecin qui travaille pour la justice et analyse sur les cadavres les causes du décès.

Adamsberg eut un mouvement d'épaules.

– Je ne sais pas. Trop démesuré. Il n'y a plus de peste en France depuis des lustres.

– On peut toujours l'inoculer[1].

80   – Encore faudrait-il pouvoir se la procurer.

– C'est très possible. Les instituts de recherche sont bourrés de yersinioses, à Paris même et on sait où. Dans ces recoins secrets, le combat continue. Un type habile et averti pourrait aller se servir.

– Quoi, les yersinioses ?

85   – C'est leur nom de famille. Nom, prénom : *Yersinia pestis.* Qualité : bacille[2] pesteux. Profession : historial killer. Nombre de victimes : plusieurs dizaines de millions. Mobile : châtiment.

– Châtiment, murmura Adamsberg. Vous êtes sûr de cela ?

– Pendant mille ans, personne ne mit en doute que la peste avait été 90 envoyée sur terre par Dieu en personne, en punition de nos péchés.

– Je vais vous dire un truc, je n'aimerais pas croiser Dieu dans la rue en pleine nuit. C'est vrai ce que vous dites, Danglard ?

– Vrai. Elle est par excellence *le fléau de Dieu.* Imaginez un gars qui se trimballe avec ça dans sa poche, ça peut être explosif.

95   – Et si ce n'est pas ça, Danglard, si on veut seulement nous faire croire qu'un gars trimballe le fléau de Dieu dans sa poche, c'est catastrophique. Pour peu que ça s'ébruite, ça va partir comme un feu de prairie. Un risque de psychose[3] collective en vue, vaste comme une montagne.

100   De la voiture, Adamsberg appela la Brigade.

– Brigade criminelle, lieutenant Noël, annonça une voix sèche.

---

1. Introduire volontairement le microbe.
2. Bactérie en forme de bâtonnet droit.
3. Panique collective.

— Noël, prenez un type avec vous, quelqu'un de discret, ou plutôt non, prenez cette femme, celle qui est brune, un peu retenue...

— Le lieutenant Hélène Froissy, commissaire ?

105 — C'est cela, et filez au carrefour Edgar-Quinet-Delambre. Vérifiez, de loin, qu'un certain Decambrais est à son domicile, au coin de la rue de la Gaîté, et restez sur place jusqu'à la criée du soir.

— La criée ?

— Vous comprendrez quand vous le verrez. Un type monté sur une 110 caisse, vers les six heures et quelques. Restez là-bas jusqu'à ce qu'on vous relève et ouvrez les yeux sur tout ce que vous pourrez. Le public autour du Crieur, surtout. Je vous recontacte.

Les cinq hommes grimpèrent jusqu'au cinquième étage où les attendait le commissaire du 1er arrondissement. Les portes avaient été net- 115 toyées à tous les paliers, mais on voyait sans peine les larges traces noires laissées par la peinture récente.

— Commissaire Devillard, souffla Danglard à Adamsberg juste avant qu'ils n'atteignent le dernier palier.

— Merci, dit Adamsberg.

120 — Il paraît que vous prenez l'affaire, Adamsberg ? dit Devillard en lui serrant la main. Je viens d'avoir le Quai.

— Oui, dit Adamsberg. Je la suivais déjà qu'elle n'était pas encore née.

— Parfait, dit Devillard qui avait l'air éreinté. J'ai un casse de vidéos sur les bras, du sérieux, et une trentaine de bagnoles éventrées dans mon 125 secteur. J'ai plus que ma part pour la semaine. Alors, vous savez qui est le gars ?

— Je ne sais rien, Devillard.

En même temps, Adamsberg repoussait la porte de l'appartement pour l'examiner côté face. Elle était propre, sans une seule marque de 130 peinture.

– René Laurion, célibataire, dit Devillard en consultant ses premières notes, trente-deux ans, garagiste. Réglo, rien au fichier. C'est la
femme de ménage qui a trouvé le corps, elle vient une fois par semaine,
le mardi matin.

135   – Pas de chance, dit Adamsberg.

– Non. Elle a eu une crise nerveuse, sa fille est venue la chercher.

Devillard lui déposa son paquet de notes en main et Adamsberg le
remercia d'un signe. Il s'approcha du corps et le groupe des techniciens
s'écarta pour le laisser voir. L'homme était nu, renversé sur le dos, les
140 bras en croix, et sa peau était d'un noir de suie en une dizaine de larges
plaques, sur les cuisses, le torse, un bras, le visage. Sa langue était tirée
hors de sa bouche, noire également. Adamsberg s'agenouilla.

– Du chiqué, hein ? demanda-t-il au médecin légiste.

– Ne vous foutez pas de moi, commissaire, répondit sèchement le
145 médecin. Je n'ai pas encore examiné le corps mais ce type est mort et
bien mort depuis des heures. Étranglé, d'après ce qu'on voit sur le cou,
sous la couche noire.

– Oui, dit doucement Adamsberg, ce n'est pas ce que je voulais dire.

Il ramassa un peu de la poudre noire qui s'était répandue sur le sol,
150 la frotta entre ses doigts et s'essuya sur son pantalon.

– Du charbon, murmura-t-il. Ce type a été passé au charbon.

– Ça en a tout l'air, dit l'un des techniciens.

Adamsberg jeta un regard autour de lui.

– Où sont ses habits ? demanda-t-il.

155   – Proprement pliés, dans la chambre, répondit Devillard. Les chaussures sont rangées sous la chaise.

– Pas de casse ? Pas d'effraction ?

– Non. Ou bien Laurion a ouvert à l'assassin, ou bien le type a cro-

cheté la serrure en douceur. Je crois qu'on s'oriente vers la deuxième
160 solution. Si c'est cela, ça va nous faciliter les choses.

— Un spécialiste, hein ?

— Exactement. Ouvrir les serrures en artiste ne s'apprend pas à
l'école. Le type a sans doute fait de la taule, un séjour plutôt long qui
laisse le temps de s'instruire. Auquel cas, il est fiché. S'il a laissé la
165 moindre empreinte, vous le tenez en moins de deux. C'est le mieux que
je vous souhaite, Adamsberg.

Trois techniciens s'activaient en silence, l'un sur le mort, l'autre sur la
serrure, le troisième sur tous les éléments de mobilier. Adamsberg fit lentement le tour de la pièce, puis visita la salle de bains, la cuisine, la
170 chambre, petite et rangée. Il avait passé des gants et ouvrait mécaniquement la porte de l'armoire, la table de nuit, les tiroirs de la commode, du
bureau, du buffet. Sur la table de la cuisine, seul secteur où régnait un certain désordre, il s'arrêta sur une grosse enveloppe ivoire posée de travers
sur une pile de lettres et de journaux. Elle avait été décachetée d'un coup
175 net. Il la regarda longtemps, sans y toucher, attendant que l'image
remonte sur son ordre de sa mémoire. Elle n'était pas loin, c'était l'affaire
d'une minute ou deux. Autant la mémoire d'Adamsberg était inapte à
enregistrer correctement les noms propres de même que les titres, les
marques, l'orthographe, la syntaxe et tout ce qui se rattachait à l'écrit,
180 autant elle se surpassait en matière d'images. Adamsberg était un visuel
surdoué captant l'intégralité du spectacle de la vie, depuis les lumières des
nuages jusqu'au bouton manquant sur le bas de la manche de Devillard.
L'image se reconstitua, très nette. Decambrais à la Brigade, assis face à lui,
sortant la liasse des « spéciales » d'une épaisse enveloppe ivoire, d'un for-
185 mat supérieur à la moyenne, doublée de papier de soie gris pâle. C'était la
même enveloppe qu'il avait sous les yeux, sur la pile de journaux. Il fit un

signe au photographe qui en prit quelques clichés pendant qu'Adamsberg feuilletait son carnet à la recherche de son nom.

— Merci, Barteneau, dit-il.

190   Il saisit l'enveloppe et l'ouvrit. Elle était vide. Il passa en revue le tas de courrier en attente et vérifia chacune des autres enveloppes, toutes décachetées au doigt et toutes encore pourvues de leur contenu. Dans la poubelle, parmi les déchets datant d'au moins trois jours, deux enveloppes déchirées et plusieurs feuilles froissées, mais aucune dont le format ait pu
195 correspondre à l'enveloppe ivoire. Il se releva et passa ses gants sous l'eau, pensif. Pourquoi l'homme avait-il conservé l'enveloppe vide ? Et pourquoi ne l'avait-il pas ouverte avec le doigt, vite fait, comme toutes les autres ?

Il revint dans la pièce principale où les techniciens avaient terminé leur travail.

200   — Je peux y aller, commissaire ? demanda le légiste, hésitant entre Devillard et Adamsberg.

— Allez-y, répondit Devillard.

Adamsberg glissa l'enveloppe dans un sachet plastique et la confia à l'un des lieutenants.

205   — Ça doit partir avec le reste au labo, dit-il. Mention spéciale, urgent.

Il quitta l'immeuble une heure plus tard avec le corps, laissant deux officiers sur place pour les interrogatoires des résidents.

BIEN LIRE

**Que découvre-t-on rue Jean-Jacques Rousseau ? Qui avait raison ?
Les cadavres sont-ils morts de la peste ?
Quel objet attire l'attention du commissaire ?**

XVII

À cinq heures du soir, vingt-trois agents de la Brigade étaient rassemblés autour d'Adamsberg, installés sur des chaises alignées parmi les plâtras[1]. Seuls manquaient Noël et Froissy, en surveillance sur la place Edgar-Quinet, et les deux officiers en service rue Jean-Jacques-Rousseau.

Adamsberg, debout, punaisait un grand plan de Paris sur le mur fraîchement repeint. En silence, consultant la liste qu'il tenait à la main, il y pointa avec de grosses épingles à tête rouge les quatorze immeubles répertoriés déjà marqués de 4, et en vert le quinzième où le meurtre avait eu lieu.

– Le 17 août, dit Adamsberg, un type est apparu sur la terre avec l'intention d'y bousiller du monde. Appelons-le CLT. CLT ne se jette pas bride abattue à la gorge du premier venu. Il passe auparavant par une phase préparatoire qui lui prend presque un mois, sans doute elle-même longuement mise au point à l'avance. Il se lance simultanément sur deux fronts. Front 1 : il sélectionne des immeubles dans Paris, dans lesquels il vient peindre, la nuit, des chiffres noirs sur les portes palières.

Adamsberg alluma un projecteur et l'image du grand 4 à rebours s'afficha sur le mur blanc.

– C'est un 4 bien spécifique, inversé en miroir latéral, à la base élargie et sabré de deux barres sur le retour. Toutes ces particularités se retrouvent dans chacun des dessins. En bas à droite, il ajoute ces trois lettres majuscules : CLT. Au contraire des 4, ces lettres sont simples, sans fioritures. Il représente ce motif sur toutes les portes de l'immeuble, *sauf*

---

1. Débris de matériaux.

25 *une.* Le choix de cette porte épargnée est aléatoire[1]. Les critères de sélection des immeubles semblent également hasardeux. Ils sont situés dans onze arrondissements différents, dans de grandes avenues ou des rues discrètes. Les numéros des immeubles varient, pairs ou impairs, les immeubles eux-mêmes sont de tous styles et de toutes époques, cossus[2]

30 ou minables. On pourrait croire que CLT a introduit à dessein[3] une diversité maximale dans son échantillon. Comme s'il voulait indiquer par là qu'il peut toucher tout le monde, que nul ne lui échappe.

    – Et les occupants ? demanda un lieutenant.

    – Plus tard, dit Adamsberg. La signification de ce 4 à rebours a été

35 décodée de manière certaine : il s'agit d'un chiffre utilisé autrefois comme talisman pour se protéger des atteintes de la peste.

    – Quelle peste ? demanda une voix.

    Adamsberg reconnut avec facilité les sourcils du brigadier.

    – La peste, Favre, il n'y en a pas trente-six. Danglard s'il vous plaît,

40 un rappel en trois phrases.

    – La peste a débarqué en Occident en 1347, dit Danglard. En cinq ans, elle a dévasté l'Europe de Naples à Moscou et fait trente millions de morts. Cet épisode effroyable de l'histoire des hommes est appelé la *Mort noire.* Cette désignation est importante à connaître pour l'enquête.

45 Venue de...

    – Trois phrases, Danglard, coupa Adamsberg.

    – Elle réapparaît ensuite périodiquement, presque tous les dix ans, ravageant des régions entières, et ne lâche finalement prise qu'au XVIIIe siècle. Je n'ai pas évoqué le haut Moyen Âge ni les temps contem-

50 porains ni l'Orient.

---

1. Hasardeux.
2. Luxueux.
3. Délibérément.

— C'est parfait, n'évoquez rien de plus. Cela suffit pour comprendre de quoi nous parlons. De la peste historique, celle qui vous tue un homme en cinq à dix jours.

Un murmure général suivit cette annonce. Adamsberg, les mains dans les poches, la tête penchée vers le sol, attendit que la réaction s'apaise.

— Est-ce que l'homme de la rue Jean-Jacques-Rousseau est mort de peste ? demanda une voix mal assurée.

— J'y viens. Front 2 : le 17 août également, CLT lance sa première annonce sur la place publique. Il jette son dévolu sur le carrefour Edgar-Quinet-Delambre où un type a réinventé la profession de crieur public, avec un certain succès.

Un bras se leva à droite.

— En quoi ça consiste ?

— Le type laisse une urne suspendue à un arbre jour et nuit et les gens y déposent des messages à lire en échange, je suppose, d'une petite rémunération. Trois fois par jour, le Crieur vide la boîte et il crie.

— C'est complètement con, dit une voix.

— Peut-être mais ça marche, dit Adamsberg. Ce n'est pas plus con de vendre des mots que de vendre des fleurs.

— Ou d'être flic, dit une voix à gauche.

Adamsberg repéra l'officier qui venait de parler, un petit aux cheveux gris, aux trois quarts chauve, tout en sourire.

— Ou d'être flic, confirma Adamsberg. Les messages de CLT sont incompréhensibles pour le grand public et le public tout court. Il s'agit de courts extraits tirés de livres anciens, rédigés en français ou même en latin, déposés dans l'urne dans de grosses enveloppes ivoire. Ces textes sont tirés à l'imprimante. Sur place, un type versé dans les vieux bouquins s'en est assez inquiété pour tâcher d'y voir clair.

80 — Son nom ? Sa profession ? demanda un lieutenant, bloc-notes ouvert sur ses genoux.

Adamsberg hésita une seconde.

— Decambrais, dit-il. Retraité et conseiller en choses de la vie.

— Ils sont tous cinglés sur cette place ? demanda un autre.

85 — C'est possible, dit Adamsberg. Mais c'est un effet d'optique. Tant qu'on regarde de loin, tout semble toujours proprement en ordre. Dès qu'on s'approche de près et qu'on prend le temps d'observer les détails, on s'aperçoit que tout le monde est plus ou moins cinglé, sur cette place, sur une autre, ailleurs et dans cette brigade.

90 — Je ne suis pas d'accord, protesta Favre, le ton haut. Faut être vraiment malade pour aller crier des conneries sur une place. Qu'il aille tirer un coup, ce gars, ça lui nettoiera les méninges. Rue de la Gaîté, tu payes trois cents balles et ça s'ouvre tout seul.

Il y eut des rires. Adamsberg balaya le groupe d'un regard calme, faisant s'éteindre les rires à mesure de son passage, et s'arrêta sur le brigadier.

— Je disais, Favre, qu'il y avait des cinglés dans cette brigade.

— Dites donc, commissaire, commença Favre en se levant d'un coup, le rouge aux joues.

— Bouclez-la, lui dit brusquement Adamsberg.

100 Saisi, Favre se rassit d'un coup, comme choqué par l'impact. Adamsberg attendit plusieurs secondes en silence, les bras croisés.

— Je vous avais demandé une première fois de réfléchir, Favre, dit-il plus posément. Je vous le demande une seconde fois. Vous avez forcément un cerveau, cherchez-le. En cas d'échec, vous irez faire vos glissades loin de ma vue et hors de cette brigade.

Adamsberg se désintéressa aussitôt de Favre, considéra le grand plan de Paris, et reprit :

– Ce Decambrais est parvenu à identifier le sens des messages déposés par CLT. Tous sont tirés d'anciens traités de peste ou d'un journal qui la relate. Durant un mois, CLT s'en est tenu à la description des signes annonciateurs du mal. Puis il a forcé l'allure et déclaré l'entrée de la peste en ville, samedi dernier, dans le « quartier Rousseau ». Trois jours plus tard, c'est-à-dire aujourd'hui, on découvre ce premier corps, dans un immeuble marqué de 4. La victime est un jeune garagiste, célibataire, rangé, absent au fichier. Le corps est nu et la peau du cadavre est couverte de plaques noires.

– La *Mort noire*, dit une voix, celle qui s'était inquiétée tout à l'heure de la cause du décès.

Adamsberg repéra un jeune homme timide aux traits encore ronds, aux yeux verts, très grands. Une femme se leva à ses côtés, le visage massif, mécontent.

– Commissaire, dit-elle, la peste est une maladie terriblement contagieuse. Rien ne nous prouve que cet homme n'est pas décédé de peste. Mais vous avez emmené sur place quatre agents sans même attendre le rapport du légiste.

Adamsberg appuya son menton sur son poing, pensif. Cette réunion d'information exceptionnelle prenait des allures de prise de contact initiatique avec passes d'armes[1] et provocations expérimentales.

– La peste, dit Adamsberg, n'est pas contagieuse par contact. C'est une maladie des rongeurs, en particulier des rats, transmise à l'homme par la piqûre de leurs puces infectées.

Adamsberg sortait sa science toute neuve du dictionnaire qu'il avait consulté dans la journée même.

---

1. Vifs échanges verbaux.

– Quand j'ai emmené ces quatre hommes, continua-t-il, il était déjà
135 certain que la victime n'était pas morte de peste.

– Pourquoi ? demanda la femme.

Danglard se porta au secours du commissaire.

– L'annonce de l'arrivée de la peste a été lancée samedi par le Crieur,
dit-il. Laurion est mort dans la nuit du lundi au mardi, trois jours plus
140 tard. Il faut savoir qu'après l'inoculation du bacille, le délai minimum
avant le décès par peste est de cinq jours, sauf cas rarissimes. Il était donc
exclu qu'on se trouve face à un véritable cas de peste.

– Pourquoi pas ? Il aurait pu l'inoculer avant.

– Non. CLT est un maniaque. Et les maniaques ne peuvent pas tri-
145 cher. S'il annonce samedi, il inocule samedi.

– Peut-être, dit la femme en se rasseyant, à moitié calmée.

– Le garagiste a été étranglé, reprit Adamsberg. Son corps a été ensuite
noirci au charbon de bois, certainement pour évoquer les symptômes et
le nom de la maladie. CLT n'est donc pas en possession du bacille. Ce
150 n'est pas un laborantin[1] illuminé qui se promène avec une seringue dans
sa sacoche. L'homme procède symboliquement. Mais il est évident qu'il y
croit et qu'il y croit très fort. La porte de l'appartement de la victime ne
portait aucun 4. Je vous rappelle que ces 4 ne sont pas des menaces mais
des *protections*. Seul celui dont la porte reste vierge se trouve donc exposé.
155 CLT sélectionne sa victime à l'avance et sauvegarde les autres occupants
de l'immeuble par ces dessins. Ce souci d'épargner les autres démontre
que CLT est persuadé de répandre une véritable peste contagieuse. Il ne
frappe donc pas en aveugle : il en tue un et il se préoccupe de préserver les
autres, ceux qui, à ses yeux, ne méritent pas le fléau.

160 – Il croit donner la peste alors qu'il étrangle ? demanda l'homme à

---

1. Préparateur en laboratoire.

droite. S'il est capable de se leurrer[1] lui-même à ce point, on a affaire à un vrai schizophrène[2], non ?

– Pas forcément, dit Adamsberg. CLT manipule un univers imaginaire qui lui semble tenir debout. Ce n'est pas si rare : des quantités de gens croient qu'on peut lire l'avenir dans des cartes à jouer ou du marc de café. Là-bas, ailleurs, dans la rue d'en face ou dans cette brigade. Où est la différence ? Des tas d'autres gens suspendent une Vierge au-dessus de leur lit, convaincus que cette statuette faite de main d'homme et acquise pour soixante-neuf francs va *réellement* les protéger. Ils parlent à la statuette, ils lui racontent des histoires. Où est la différence ? La limite, lieutenant, entre l'idée du réel et le réel n'est qu'affaire de point de vue, de personne, de culture.

– Mais, coupa l'officier aux cheveux gris, y a-t-il d'autres personnes visées ? Toutes celles dont les portes sont restées intouchées sont-elles exposées au même sort que Laurion ?

– C'est à craindre. Ce soir, des renforts se placeront en protection devant les quatorze portes vierges des immeubles marqués. Mais tous les immeubles touchés ne nous sont pas connus, seulement ceux pour lesquels on a enregistré des plaintes. Il en existe sans doute une vingtaine d'autres dans Paris, plus peut-être.

– Pourquoi ne lance-t-on pas un appel ? demanda la femme. Afin de prévenir les gens ?

– C'est la question. Un appel risque de déclencher une panique générale.

– Il s'agit juste de parler des 4, suggéra l'homme aux cheveux gris. Pas utile de refiler d'autres renseignements.

---

1. Se faire des illusions.
2. Malade mental qui perd le contact avec la réalité.

– Ça fuira d'une manière ou d'une autre, dit Adamsberg. Et si ça ne fuit pas, CLT se chargera d'ouvrir les vannes[1] de la peur. C'est ce qu'il fait depuis le début. S'il a choisi le Crieur, c'est qu'il ne pouvait pas s'of-
190 frir mieux. Ses messages alambiqués auraient été jetés au panier sitôt parvenus aux journaux. Il a donc fait des débuts modestes. Si l'on parle de lui ce soir aux médias, on lui ouvre une voie royale. Mais ce n'est, de toute façon, qu'une question de jours. Il l'ouvrira lui-même. S'il poursuit, s'il tue encore, s'il répand sa mort noire, on ne coupera pas à la psy-
195 chose générale.

– Qu'est-ce que vous décidez, commissaire? demanda Favre, d'une voix basse.

– De sauver des vies. On va passer un communiqué demandant aux occupants des immeubles chiffrés de se faire connaître auprès des com-
200 missariats.

Un bourdonnement général signifia l'accord unanime des membres de la Brigade. Adamsberg se sentait fatigué parce que très flic, ce soir. Il aurait bien voulu pouvoir simplement dire « On travaille et chacun se démerde ». Au lieu de ça, il lui fallait exposer les faits, sérier[2] les ques-
205 tions, définir l'enquête, orienter les tâches. Dans un certain ordre et avec une certaine autorité. Il se revit fugitivement, courant enfant dans les sentiers de montagne, tout nu sous le soleil, et il se demanda ce qu'il foutait là, à faire la leçon à vingt-trois adultes qui le suivaient des yeux comme un pendule.

210 Si, il se souvenait ce qu'il foutait là. Il y avait un type qui étranglait les autres et lui, il le cherchait. C'était son boulot d'empêcher des gars de bousiller le monde.

---

1. De laisser libre cours à.
2. Classer par série, par nature, par importance.

– Premiers objectifs, résuma Adamsberg en se redressant : un, protection des victimes potentielles[1]. Deux, profilage de ces victimes et recherche de tous types de liens entre elles, famille, tranche d'âge, sexe, catégorie socioprofessionnelle et toute la routine. Trois, surveillance de la place Edgar-Quinet. Quatre, et ça va sans dire, recherche du tueur.

Adamsberg fit deux allers-retours assez lents à travers la salle avant de reprendre.

– Que sait-on de lui ? C'est peut-être une femme, on ne peut pas écarter cette possibilité. Je penche pour un homme. Cette parade littéraire, cet étalage évoquent un orgueil masculin, une envie de paraître, le besoin d'une démonstration de force. Si la strangulation[2] est confirmée, on tablera presque sans erreur sur un homme. Un homme très cultivé, voire extrêmement cultivé, un homme de lettres. Assez aisé puisqu'il possède un ordinateur et une imprimante. Des goûts de luxe, peut-être. Les enveloppes qu'il utilise sont hors norme et chères. Il est doué pour le dessin, il est propre, il est méticuleux. Obsessionnel à coup sûr. Donc craintif, et superstitieux. Enfin, c'est peut-être un ancien taulard. Si le labo confirme que la serrure a été forcée, il faudra piocher de ce côté. Passer en revue les taulards dont les initiales seraient CLT, si tant est qu'il s'agisse de sa signature. En bref, on ne sait rien.

– Et la peste ? Pourquoi la peste ?

– Quand on comprendra ça, on l'aura.

Le groupe se dispersa dans un raclement de chaises.

– Distribuez les rôles, Danglard, je vais marcher vingt minutes.

– Je prépare le communiqué ?

– S'il vous plaît. Vous ferez cela mieux que moi.

---

1. Possibles.
2. L'étranglement.

L'annonce passa sur toutes les chaînes au journal télévisé de vingt
240 heures. Sobrement rédigée par Adrien Danglard, elle demandait à tous
les habitants d'immeubles ou de maisons marqués d'un chiffre 4 aux
portes de se faire connaître dans les meilleurs délais auprès du commissariat le plus proche. Motif allégué : recherche d'une bande organisée.

Les téléphones sonnèrent sans interruption à la Brigade à partir de
245 vingt heures trente. Un tiers de l'équipe était resté sur place, Danglard
et Kernorkian étaient allés chercher du ravitaillement et du vin qu'on
avait déposés sur l'établi des électriciens. À neuf heures et demie, on
enregistrait quatorze autres immeubles touchés, soit vingt-neuf au total,
qu'Adamsberg localisait par de nouveaux points rouges sur le plan de la
250 ville. Une liste en avait été dressée, numérotée par ordre d'apparition
chronologique des 4. Les occupants des vingt-huit appartements aux
portes laissées vierges étaient à présent répertoriés et à première vue dis-
parates : des familles nombreuses, des célibataires, des femmes, des
hommes, des jeunes, des moyens, des vieux, toutes tranches d'âge, tous
255 sexes, toutes professions et catégories sociales mêlés. À onze heures passées, Danglard vint informer Adamsberg que deux flics étaient en poste
sur chacun des paliers menacés, dans tous les immeubles touchés.

Adamsberg libéra les agents restés en heures supplémentaires, mit en
place l'équipe de nuit et prit une voiture de service pour faire un détour
260 par la place Edgar-Quinet. Deux officiers étaient venus relever[1] le tan-
dem[2] précédent, l'homme chauve et la femme massive, celle qui l'avait
presque agressé en milieu de séance. Il les aperçut sur un banc, négligés,
paraissant discuter, mais surveillant l'urne à quinze mètres de là. Il vint les
saluer discrètement.

---

1. Remplacer.
2. Les deux personnes travaillant ensemble.

— Concentrez-vous sur le format de l'enveloppe, dit-il. Avec de la chance et ce lampadaire, elle sera peut-être visible.

— On n'interpelle personne ? demanda la femme.

— Contentez-vous d'observer. Si un type vous paraît correspondre, suivez-le en douceur. Deux photographes sont placés dans l'axe, dans la cage d'escalier de cet immeuble. Ils clicheront[1] tous ceux qui s'approcheront de l'urne.

— À quelle heure est-on relevés ? demanda la femme en bâillant.

— À trois heures du matin.

Adamsberg entra au *Viking* et repéra Decambrais installé à sa table du fond, entouré du Crieur et de cinq autres personnes. Son arrivée fit chuter les conversations, à la manière d'un orchestre qui se désaccorde. Il comprit que tout le monde à cette table savait qu'il était flic. Decambrais opta pour une ouverture directe.

— Le commissaire Jean-Baptiste Adamsberg, dit-il. Commissaire, je vous présente Lizbeth Glaston, chanteuse, Damas Viguier, du *Roll-Rider*, sa sœur, Marie-Belle, Castillon, retraité forgeron, et Éva, notre madone. Vous connaissez déjà Joss Le Guern. Vous nous accompagnez pour un calva ?

Adamsberg déclina[2].

— Je peux vous dire un mot, Decambrais ?

Lizbeth attrapa sans façon le commissaire par la manche, en le secouant un peu. Adamsberg reconnut cette décontraction bien particulière, complice, comme s'ils avaient usé leurs culottes sur les mêmes bancs de commissariats, l'aisance blasée des prostituées avec les flics, aguerries par les innombrables rafles de contrôle.

---

1. Prendront des clichés, photographieront (mot inventé).
2. Refusa avec politesse.

– Racontez-moi, commissaire, dit-elle en examinant sa tenue, vous planquez ce soir ? C'est votre déguisement de nuit ?

– Non, c'est ma tenue de tous les jours.

– Vous ne vous foulez pas. C'est décontracté, la police.

295 – L'habit ne fait pas le moine, Lizbeth, dit Decambrais.

– Des fois si, dit Lizbeth. Cet homme-là, c'est un décontracté, un gars qui ne fait pas d'épate[1]. Pas vrai, commissaire ?

– Épater qui ?

– Les femmes, proposa Damas en souriant. Faut pouvoir épater les 300 femmes, tout de même.

– Tu n'es pas bien malin, Damas, dit Lizbeth en se tournant vers lui, et le jeune homme rougit jusqu'au front. Les femmes, elles n'en ont rien à balancer d'être épatées.

– Ah bon, dit Damas en fronçant les sourcils. De quoi ont-elles à 305 balancer, Lizbeth ?

– De rien, dit Lizbeth en abattant sa grosse main noire sur la table. Elles n'ont plus à balancer de rien. Pas vrai, Éva ? Ni de l'amour ni de la tendresse et à peine d'une cagette de haricots verts. Alors, tu vois. Calcule un peu.

310 Éva ne répondit rien et Damas s'assombrit, tournant son verre entre les mains.

– Tu n'es pas juste, dit Marie-Belle d'une voix qui tremblait. L'amour, personne ne s'en balance, automatiquement. Qu'est-ce qu'on a d'autre ?

315 – Les haricots verts, je viens de te le dire.

– Tu dis n'importe quoi, Lizbeth, dit Marie-Belle en croisant les

---

1. Attitudes pour impressionner son entourage.

bras, au bord des larmes. Ce n'est pas parce que t'as de l'expérience qu'il faut que tu décourages les autres.

— Expérimente, mon agneau, dit Lizbeth. Je ne t'empêche pas.

320 Soudain, Lizbeth éclata de rire, posa un baiser sur le front de Damas et frotta la tête de Marie-Belle.

— Souris, mon agneau, dit-elle. Et ne crois pas tout ce que dit la grosse Lizbeth. Elle est aigrie, la grosse Lizbeth. Elle emmerde tout le monde, la grosse Lizbeth, avec son expérience de régiment. T'as raison

325 de te défendre. C'est bien. Mais n'expérimente pas trop, si tu veux un avis professionnel.

Adamsberg tira Decambrais à l'écart.

— Pardonnez-moi, dit Decambrais, mais il faut que je suive les conversations. Le lendemain, c'est moi qui conseille, comprenez-vous.

330 Je dois me tenir au courant.

— Il est amoureux, non ? demanda Adamsberg du ton vaguement intéressé du type qui joue à la loterie et qui mise peu.

— Damas ?

— Oui. De la chanteuse ?

335 — Touché. Qu'est-ce que vous me vouliez, commissaire ?

— C'est arrivé, Decambrais, dit Adamsberg en baissant la voix. Un corps tout noir, rue Jean-Jacques-Rousseau. On l'a découvert ce matin.

— Noir ?

340 — Étranglé, nu, et passé au charbon.

Decambrais serra la mâchoire.

— Je le savais, dit-il.

— Oui.

— C'était une porte non marquée ?

345   – Oui.

– Vous avez fait garder les autres ?

– Les vingt-huit autres.

– Pardon. Je me doute que vous savez faire votre boulot.

– Il me faut ces « spéciales », Decambrais, toutes celles qui sont en votre
350 possession, avec leurs enveloppes, si vous les avez encore.

– Suivez-moi.

Les deux hommes traversèrent la place et Decambrais conduisit
Adamsberg jusqu'à son bureau surchargé. Il dégagea une pile de livres
pour le faire asseoir.

355   – Voilà, dit Decambrais en lui tendant une liasse de feuilles et d'enveloppes. Pour les empreintes, vous vous doutez bien que c'est râpé. Le
Guern les a manipulées tant et plus et moi ensuite. Pas la peine que je
vous donne les miennes, vous avez mes dix doigts au fichier central.

– Il me faudra celles de Le Guern.

360   – Au fichier aussi. Le Guern a fait de la taule il y a quatorze ans, une
grosse bagarre au Guilvinec, pour ce que j'en sais. Vous voyez, nous
sommes des hommes arrangeants, on vous mâche le travail. Il n'y a pas
besoin de demander que nous sommes déjà dans votre ordinateur.

– Dites, Decambrais, tout le monde a fait de la taule sur cette pla-
365 cette.

– Il y a des lieux comme ça, où souffle l'esprit. Je vous lis la spéciale
de dimanche. Il n'y en a eu qu'une : *Ce soir, en rentrant pour souper, j'ap-
prends que la peste vient de faire son apparition dans la Cité.* Points de suspension. *Au bureau pour terminer mes lettres, préoccupé de mettre mes
370 affaires et ma fortune en ordre, au cas où il plairait à Dieu de m'appeler à
Lui. Que sa volonté soit faite !*

– La suite du *Journal* de l'Anglais, proposa Adamsberg.

– Exactement.

– Sepys.

375 – Pepys.

– Et hier ?

– Hier, rien.

– Tiens, dit Adamsberg. Il ralentit.

– Je ne crois pas. Voici celle de ce matin : *Ce fléau est toujours prêt et*
380 *aux ordres de Dieu qui l'envoye et le fait partir quand il luy plaît.* Ce texte
indiquerait plutôt qu'il ne désarme pas. Notez ce « toujours prêt » et ce
« quand il luy plaît ». Il claironne. Il nargue.

– Il fait de la surpuissance, dit Adamsberg.

– Donc de l'infantilisme.

385 – Rien à en tirer, dit Adamsberg en secouant la tête. Il n'est pas idiot.
Avec tous les flics sur les dents, il ne va plus nous fournir d'indication
de lieu. Il lui faut les coudées franches[1]. Il a nommé le « quartier
Rousseau » pour être certain que le lien serait établi entre le premier
crime et sa peste annoncée. Il est probable que désormais, il se fasse plus
390 évasif. Tenez-moi au courant, Decambrais, annonce par annonce.

Adamsberg le quitta, le paquet de messages sous le bras.

---

1. Qu'il puisse agir
en toute liberté.

BIEN LIRE

**Que pensez-vous des jugements de Lizbeth sur
l'amour ? Pourquoi est-elle « aigrie » ?**

**Expliquez la formation des mots « surpuissance »
et « infantilisme ».**

**Que signifie chacun d'eux ? Pourquoi sont-ils
énoncés dans un rapport de cause à conséquence ?**

XVIII

Le lendemain, vers deux heures, l'ordinateur cracha un nom.

– J'en tiens un, dit Danglard assez fort en étendant un bras vers ses collègues.

Une dizaine d'agents se groupa dans son dos, les yeux braqués sur
5 l'écran de son ordinateur. Depuis le matin, Danglard cherchait un CLT au fichier, pendant que d'autres continuaient d'engranger les informations sur les vingt-huit appartements menacés, cherchant en vain un point de croisement. Les premiers résultats du labo étaient arrivés ce matin : la serrure avait été forcée, en professionnel. Pas d'autres
10 empreintes dans l'appartement que celles de la victime et de la femme de ménage. Le charbon de bois utilisé pour noircir la peau du cadavre provenait de branches de pommier, et non pas des sacs vendus dans le commerce, emplis d'un mélange d'essences forestières diverses. Quant à l'enveloppe ivoire, on pouvait s'en procurer dans toute papeterie un peu
15 fournie, au prix de trois francs vingt l'unité. Elle avait été ouverte avec une lame lisse. Elle ne contenait que de la poussière de papier et le cadavre d'un petit insecte. Est-ce qu'on refilait la bestiole à l'entomologue[1] ? Adamsberg avait froncé les sourcils, puis acquiescé.

– Christian Laurent Taveniot, lut Danglard, penché sur son écran.
20 Trente-quatre ans, né à Villeneuve-les-Ormes. Incarcéré il y a douze ans pour coups et blessures à la maison centrale de Périgueux. Dix-huit mois de taule et deux mois de mieux pour violences sur gardien.

Danglard fit défiler le dossier sur l'écran et chacun tendit le cou pour apercevoir le visage de CLT, sa figure longue au front bas, son nez plein,
25 ses yeux rapprochés. Danglard lut rapidement la suite du dossier.

---

1. Spécialiste scientifique des insectes.

– Chômage pendant un an à sa sortie de prison puis gardien de nuit dans une casse de voitures. Domicilié à Levallois, marié, deux enfants. Danglard lança un regard interrogatif vers Adamsberg.

– Ses études ? demanda Adamsberg, dubitatif.

30   Danglard fit cliqueter son clavier.

– Orienté en filière professionnelle à l'âge de treize ans. Échoue au brevet de couvreur-zingueur. Abandonne, vit de paris sur les matchs et bricole des mobylettes qu'il revend en sous-main. Jusqu'à cette bagarre où il manque tuer un de ses clients en lui balançant la mobylette à tra-

35 vers le corps, à bout portant si on peut dire. Et puis, taule.

– Les parents ?

– Une mère, employée dans une fabrique de cartonnages à Périgueux.

– Frères, sœurs ?

40   – Un frère aîné, gardien de nuit à Levallois. C'est par lui qu'il a trouvé son emploi.

– Ça ne laisse pas beaucoup de place au studieux. Je ne vois pas comment Christian Laurent Taveniot aurait trouvé le temps et les moyens de parler latin.

45   – Autodidacte ? suggéra une voix.

– Je ne vois pas pourquoi un type qui vide tout bonnement sa colère en projetant des mobylettes se mettrait à distiller de l'ancien français. Il aurait beaucoup changé de méthode, en dix ans.

– Alors ? demanda Danglard, déçu.

50   – Deux hommes pour aller voir. Mais je n'y crois pas.

Danglard mit sa machine en pause et suivit Adamsberg jusqu'à son bureau.

– Je suis emmerdé, annonça-t-il.

– Qu'est-ce qui se passe ?

55   – J'ai des puces.

Adamsberg fut surpris. C'était la première fois que Danglard, homme discret et pudique, lui faisait part d'un souci d'hygiène domestique.

– Décapsulez une bombe tous les dix mètres carrés, mon vieux. Sortez deux heures, revenez et aérez, ça marche très bien.

60   Danglard secoua la tête.

– Ce sont des puces de chez Laurion, précisa-t-il.

– Qui est Laurion ? demanda Adamsberg en souriant. Un fournisseur ?

– Merde, René Laurion, c'est le mort d'hier.

65   – Pardon, dit Adamsberg. Son nom m'était sorti de la tête.

– Eh bien notez-le, bon Dieu. J'ai attrapé des puces chez Laurion. Ça a commencé à me gratter le soir à la Brigade.

– Mais qu'est-ce que vous voulez que j'y fasse, bon sang, Danglard ? Le type était moins soigné qu'il n'en avait l'air. Ou bien il en ramassait
70   au garage. Qu'est-ce que j'y peux ?

– Bon Dieu, dit Danglard en s'énervant. Vous l'avez dit vous-même à l'équipe pas plus tard qu'hier : la peste se transmet par la piqûre des puces.

– Ah, dit Adamsberg en considérant cette fois son adjoint. Je vous
75   suis, Danglard.

– Vous y mettez le temps, ce matin.

– J'ai peu dormi. Vous êtes certain qu'il s'agit de puces ?

– Je sais faire la différence entre une piqûre de puce et de moustique. Je suis piqué à l'aine et aux aisselles, des boutons gros comme mon
80   ongle. Je n'ai découvert ça que ce matin, je n'ai pas eu le temps de vérifier les enfants.

Cette fois, Adamsberg réalisa que Danglard était en proie à une véritable inquiétude.

– Mais qu'est-ce que vous craignez, mon vieux ? Qu'est-ce qui se
85 passe ?

– Laurion est mort de peste et j'ai chopé des puces chez lui. J'ai
vingt-quatre heures pour réagir ou ce sera peut-être trop tard. Pareil
pour les petits.

– Mais bon Dieu, vous marchez dans la combine ? Vous ne vous sou-
90 venez pas que Laurion est mort étranglé, d'un *simulacre* de peste ?

Adamsberg était allé fermer la porte et avait tiré sa chaise auprès de
son adjoint.

– Je me souviens, dit Danglard. Mais dans sa folie des symboles,
CLT a poussé le détail jusqu'à lâcher des puces dans l'appartement. Ça
95 ne peut pas être une coïncidence. Dans sa tête de dingue, ce sont des
puces pesteuses. Et rien, absolument rien ne m'assure qu'elles ne sont
pas, en effet, réellement infectées.

– Si elles l'étaient, pourquoi aurait-il pris la peine d'étrangler
Laurion ?

100 – Parce qu'il veut donner la mort lui-même. Je ne suis pas un
trouillard, commissaire. Mais être mordu par des puces libérées par un
obsédé de la peste ne me fait pas rigoler.

– Qui nous accompagnait hier ?

– Justin, Voisenet et Kernorkian. Vous. Le légiste. Devillard et les
105 hommes du 1er arrondissement.

– Vous les avez toujours ? demanda Adamsberg en posant la main
sur son téléphone.

– Quoi ?

– Vos puces.

110 – Sûrement. À moins qu'elles ne vadrouillent déjà dans la Brigade.

Adamsberg décrocha son téléphone et composa le numéro du labo de
la Préfecture.

— Adamsberg, dit-il. Vous vous souvenez de l'insecte que vous avez trouvé au fond de l'enveloppe vide? Oui, exactement. Activez l'entomologue, priorité absolue. Eh bien tant pis, dites-lui de remettre ses mouches à plus tard. C'est urgent, mon vieux, un cas de peste. Oui, grouillez-vous, et dites-lui que je lui en envoie d'autres, vivantes. Qu'il prenne ses précautions et, surtout, silence absolu.

— Quant à vous, Danglard, dit-il en raccrochant, montez à la douche et fourrez toutes vos fringues dans un sac plastique. On va les faire partir aux analyses.

— Et comment je fais? je me balade à poil toute la journée?

— Je vais vous acheter deux trois bricoles, dit Adamsberg en se levant. Inutile que vous lâchiez vos bestioles dans toute la ville.

Danglard était trop déstabilisé par ses piqûres de puces pour s'inquiéter des habits qu'allait lui rapporter Adamsberg. Mais une vague appréhension traversa ses pensées.

— Dépêchez-vous, Danglard. J'envoie la désinfection chez vous, et ici même à la Brigade. Et j'alerte Devillard.

Avant d'aller faire ses achats vestimentaires, Adamsberg appela l'historien femme de ménage, Marc Vandoosler. Par chance, il prenait un déjeuner tardif chez lui.

— Vous vous souvenez de cette affaire de 4 pour laquelle je vous avais consulté? demanda Adamsberg.

— Oui, répondit Vandoosler. Depuis, j'ai entendu le communiqué de vingt heures et j'ai lu les journaux ce matin. Ils disent qu'on a retrouvé un type mort et un journaliste assure qu'à la sortie du cadavre, un bras dépassait du drap, un bras taché de noir.

— Merde, dit Adamsberg.

— Est-ce que le corps était noir, commissaire?

– Vous vous y connaissez en affaires de peste ? demanda Adamsberg sans répondre. Ou juste en chiffres ?

– Je suis médiéviste, expliqua Vandoosler. Je connais bien la peste, oui.

145 – Il y en a beaucoup qui s'y connaissent ?

– Des pestologues ? Disons qu'aujourd'hui, il y en a cinq. Je ne parle pas des biologistes. J'ai deux collègues dans le Sud, plutôt sur le versant médical de la question, un autre à Bordeaux, plutôt axé sur les insectes vecteurs[1], et un historien tendance démographe, à l'université de Clermont.

150 – Et vous ? Quelle est votre tendance ?

– Tendance chômage.

Cinq, se dit Adamsberg, ça ne fait pas lourd pour tout le pays. Et jusqu'ici, Marc Vandoosler avait été le seul à connaître la signification des 4. Historien, littéraire, pestologue et certainement latiniste, ça valait la

155 peine d'aller sonder l'homme.

– Dites-moi, Vandoosler, combien de temps diriez-vous pour la durée de la maladie ? En gros ?

– Trois à cinq jours d'incubation[2] en moyenne, mais parfois un ou deux, et cinq à sept jours de peste déclarée. Grosso modo.

160 – Ça se soigne bien ?

– Si on la prend au tout début des symptômes.

– Je crois que je vais avoir besoin de vous. Vous accepteriez de me recevoir ?

– Où ? demanda Vandoosler, méfiant.

165 – Chez vous ?

– Entendu, répondit Vandoosler après une nette hésitation.

---

1. Qui transmettent l'infection.
2. Période d'une maladie infectieuse comprise entre l'introduction du micro-organisme et l'apparition des symptômes.

Le type était réticent. Mais beaucoup de types sont réticents à l'idée de voir débarquer un flic chez eux, presque tous en fait. Ça ne faisait pas automatiquement de ce Vandoosler un CLT.

170   – Dans deux heures, proposa Adamsberg.

Il raccrocha et fila à la grande surface de la place d'Italie. Il évalua Danglard à une taille 48 ou 50, quinze centimètres de plus que lui et trente kilos de mieux. Il fallait de quoi ranger son ventre. Il décrocha en vitesse une paire de chaussettes, un jean et un grand tee-shirt noir, parce 175 que le blanc grossit, il l'avait entendu dire, et les rayures aussi. Pas la peine de prendre une veste, il faisait doux et Danglard avait toujours chaud, à cause des bières.

Danglard attendait dans la salle de douche, enroulé dans une serviette. Adamsberg lui passa les vêtements neufs.

180   – J'envoie le paquet de fringues au labo, dit-il en levant le gros sac-poubelle dans lequel Danglard avait enfermé ses habits. Pas de panique, Danglard. Vous avez deux jours d'incubation devant vous, on est au large. Ça nous laisse le temps d'avoir les résultats des examens. Ils vont traiter notre problème en urgence.

185   – Merci, bougonna Danglard en sortant le tee-shirt et le jean du sac. Bon Dieu, vous voulez que je mette ça ?

   – Vous verrez, capitaine, ça vous ira parfaitement.

   – Je vais avoir l'air d'un con.

   – J'ai l'air d'un con ?

190   Danglard ne répondit pas et explora le fond du sac.

   – Vous ne m'avez pas pris de slip.

   – J'ai oublié, Danglard, il n'y a pas mort d'homme. Buvez moins de bière jusqu'à ce soir.

   – Pratique.

195   – Vous avez prévenu le collège ? Pour vérifier les enfants ?

– Évidemment.

– Montrez-moi ces piqûres.

Danglard leva un bras et Adamsberg compta trois gros boutons sous l'aisselle.

200 – Ce n'est pas discutable, reconnut-il. Ce sont des puces.

– Vous ne craignez pas d'en attraper ? demanda Danglard en le voyant retourner le sac dans tous les sens pour l'attacher.

– Non, Danglard. Je n'ai pas souvent peur. J'attendrai d'être mort pour avoir peur, ça me gâchera moins la vie. À vrai dire, la seule fois où 205 j'ai eu vraiment peur dans mon existence, c'est quand j'ai descendu ce glacier tout seul, sur le dos, quasiment à la verticale. Ce qui me faisait peur, hormis la chute imminente[1], c'était ces foutus chamois sur le côté qui me regardaient et qui disaient avec leurs grands yeux bruns : « Pauvre crétin. Tu n'y arriveras pas. » Je respecte beaucoup ce que disent 210 les chamois avec leurs yeux mais je vous raconterai ça une autre fois, Danglard, quand vous serez moins tendu.

– S'il vous plaît, dit Danglard.

– Je vais rendre une petite visite à cet historien-femme de ménage-pestologue, Marc Vandoosler, rue Chasle, pas loin d'ici. Regardez si 215 vous avez quelque chose sur lui et transférez tous les appels du labo sur mon portable.

---

1. Sur le point de se produire.

BIEN LIRE

Qui est le premier suspect ?
Pourquoi le commissaire Adamsberg ne croit-il pas à sa culpabilité ?
Pourquoi son adjoint est-il inquiet ? A-t-il raison de l'être ?

XIX

Rue Chasle, Adamsberg se trouva face à un pavillon délabré, haut et étroit, étonnamment épargné en plein cœur de Paris, séparé de la rue par un espace de friches[1] et d'herbes hautes qu'il traversa avec une certaine satisfaction. Un homme vieux, souriant et ironique, lui ouvrit la
5 porte, une belle gueule qui, au contraire de Decambrais, n'avait pas l'air d'en avoir fini avec les plaisirs de la vie. Il tenait une cuiller en bois à la main et il lui indiqua la route à suivre du bout de cette mouvette[2].

– Installez-vous dans le réfectoire, dit-il.

Adamsberg entra dans une grande pièce percée de trois hautes
10 fenêtres en arc de cercle, meublée d'une longue table en bois sur laquelle un type en cravate s'activait avec un chiffon et de la cire, avec des gestes circulaires et professionnels.

– Lucien Devernois, se présenta le type en posant son chiffon, la main ferme et le verbe haut. Marc est prêt dans une minute.

15 – Pardonnez le dérangement, dit le vieux, c'est l'heure où Lucien cire la table. On n'y peut rien, c'est la consigne.

Adamsberg s'assit sur un des bancs de bois en s'abstenant de tout commentaire, et le vieux prit place d'office en face de lui, avec la mine d'un homme qui va s'offrir un excellent moment.

20 – Alors Adamsberg, attaqua le vieux d'un ton jubilant, on ne reconnaît plus les anciens ? On ne salue plus ? On ne respecte rien, comme d'habitude ?

Interdit, Adamsberg dévisagea le vieil homme avec intensité, appelant à lui les images enfouies dans sa mémoire. Ça ne devait pas dater

1. Terrains non cultivés et abandonnés.
2. Spatule.

25 d'hier, sûrement pas. Ça allait mettre au moins dix minutes à remonter. Le type au chiffon, Devernois, avait ralenti son mouvement et regardait tour à tour les deux hommes.

– Je vois qu'on n'a pas changé, continua le vieux en souriant franchement. Ça ne vous a pas empêché de grimper, depuis votre tabouret 30 de brigadier-major. Il faut reconnaître que vous vous êtes taillé de sacrées victoires, Adamsberg. L'affaire Carréron, l'affaire de la Somme, la décharge de Valandry, de fameux trophées de chevalier. Sans parler des hauts faits récents, le cas Le Nermord, la tuerie du Mercantour, l'affaire Vinteuil. Félicitations, commissaire. J'ai suivi votre carrière de près, 35 comme vous le voyez.

– Pourquoi ? demanda Adamsberg sur la défensive.

– Parce que je me demandais s'ils vous laisseraient vivre ou mourir. Avec vos airs d'avoir poussé comme un cerfeuil sauvage dans un pré ratissé, trop calme et trop indifférent, vous gêniez tout le monde, 40 Adamsberg. Je veux croire que vous le savez mieux que moi. Vous divaguiez dans l'usine policière comme une boule de billard dans les rayons de la hiérarchie. Incontrôlé et incontrôlable. Oui, je me demandais s'ils vous laisseraient pousser. Vous vous êtes faufilé et c'est tant mieux. Je n'ai pas eu votre chance. Ils m'ont rattrapé et ils m'ont viré.

45 – Armand Vandoosler, murmura Adamsberg en voyant surgir sous les traits du vieil homme un visage énergique, un commissaire plus jeune de vingt-trois années, caustique[1], égocentrique et bon vivant.

– Vous y êtes.

– Dans l'Hérault, continua Adamsberg.

50 – Ouais. La jeune fille disparue. Vous vous étiez bien démerdé sur ce coup, brigadier-major. On avait bloqué le type au port de Nice.

---

1. Acerbe, mordant.

– Et on avait dîné sous les arcades.

– Du poulpe.

– Du poulpe.

55 – Je me sers un coup de vin, décida Vandoosler en se levant. Ça s'arrose.

– Marc, c'est votre fils ? demanda Adamsberg en acceptant le verre de vin.

– Mon neveu et mon filleul. Il m'héberge dans les étages, parce que 60 c'est un bon gars. Il faut savoir, Adamsberg, que je suis resté aussi chiant que vous êtes resté souple. Plus chiant, même. Et vous, plus souple ?

– Je ne sais pas.

– À l'époque, il y avait déjà des tas de choses que vous ne saviez pas et cela n'avait pas l'air de vous alarmer. Qu'est-ce que vous venez cher-65 cher dans cette demeure, que vous ne savez pas ?

– Un assassin.

– Le rapport avec mon neveu ?

– La peste.

Vandoosler le Vieux hocha la tête. Il attrapa un manche à balai et 70 frappa deux coups au plafond, dans un secteur de plâtre déjà largement creusé par les impacts.

– On est quatre ici, expliqua Vandoosler le Vieux, empilés les uns sur les autres. Un coup pour Saint Matthieu, deux coups pour Saint Marc, trois coups pour Saint Luc, ici présent avec son chiffon, et quatre coups 75 pour moi. Sept coups, dégringolade de tous les évangélistes.

Vandoosler jeta un œil à Adamsberg en remisant le manche à balai.

– Vous ne changez pas, hein ? dit-il. Rien ne vous épate ?

Adamsberg sourit sans répondre et Marc fit son entrée dans le réfectoire. Il contourna la table, serra la main du commissaire et jeta un 80 regard contrarié à son oncle.

– Je vois que tu as pris la tête des opérations, dit-il.

– Navré, Marc. On a mangé des poulpes ensemble il y a vingt-trois ans.

– Promiscuité[1] des tranchées, murmura Lucien en pliant son chiffon.

Adamsberg observa le pestologue, Vandoosler le Jeune. Mince, ner-
veux, les cheveux noirs et raides et quelque chose d'indien dans les traits.
Il était vêtu de sombre de la tête aux pieds, hormis une ceinture un peu
clinquante, et il portait aux doigts des anneaux d'argent. Adamsberg
remarqua à ses pieds de lourdes bottes noires à boucles, à peu près semblables à celles de Camille.

– Si vous souhaitez une conversation privée, dit-il à Adamsberg, je
crains qu'il ne faille sortir d'ici.

– Ça ira comme ça, dit Adamsberg.

– Vous avez un problème de peste, commissaire ?

– Un problème avec un connaisseur de peste, plus exactement.

– Celui qui dessine ces 4 ?

– Oui.

– Un rapport avec le meurtre d'hier ?

– À votre avis ?

– À mon avis oui.

– À cause ?

– De la peau noire. Mais le 4 est censé protéger de la peste et non
pas l'apporter.

– Donc ?

– Donc je suppose que votre victime n'était pas protégée.

– C'est exact. Vous croyez au pouvoir de ce chiffre ?

– Non.

---

1. Proximité désagréable.

Adamsberg croisa le regard de Vandoosler. Il semblait sincère et vaguement vexé.

— Pas plus que je ne crois aux amulettes, aux bagues, aux turquoises,
110 aux émeraudes, aux rubis ni aux centaines de talismans qui ont été inventés pour s'en protéger. Beaucoup plus onéreux qu'un simple 4, évidemment.

— On portait des bagues?

— Quand on en avait les moyens. Les riches mouraient peu de la
115 peste, protégés sans le savoir par leurs maisons solides épargnées par les rats. C'est le peuple qui y passait. On avait d'autant plus tendance à croire au pouvoir des pierres précieuses : les pauvres ne portaient pas de rubis, et ils mouraient. Le *nec plus ultra*[1] était le diamant, la protection par excellence : «Le diamant porté à la main gauche passe pour neutra-
120 liser toutes sortes de devenirs.» C'est ainsi qu'en gage d'amour les hommes fortunés prirent l'habitude d'offrir un diamant à leur fiancée, pour les protéger du fléau. C'est resté, mais plus personne ne sait pourquoi, pas plus qu'on ne se souvient de la signification des 4.

— Le tueur s'en souvient. Où l'a-t-il trouvée?

125 — Dans les livres, dit Marc Vandoosler avec un mouvement d'impatience. Si vous m'exposiez le problème, commissaire, je pourrais peut-être vous aider.

— Je dois d'abord vous demander où vous étiez lundi soir, vers deux heures du matin.

130 — C'est l'heure du meurtre?

— À peu près.

Le médecin légiste l'avait fixée aux alentours d'une heure trente mais

---

1. Ce qu'il y a de mieux (locution latine).

Adamsberg préférait laisser de la marge. Vandoosler repoussa ses cheveux raides derrière ses oreilles.

135   – Pourquoi moi ? demanda-t-il.

– Désolé, Vandoosler. Peu de gens connaissent le sens de ce 4, très peu de gens.

– C'est logique, Marc, intervint Vandoosler le Vieux. C'est le boulot.

Marc eut un geste agacé. Puis il se leva, attrapa le manche à balai et 140 frappa un coup.

– Descente de Saint Matthieu, précisa le Vieux.

Les hommes attendirent en silence, seulement troublé par le fracas que faisait Lucien en lavant la vaisselle, et en se désintéressant de la conversation.

145   Une minute plus tard, un très grand type blond entra, large comme la porte et seulement vêtu d'un gros pantalon de toile serré à la taille par une ficelle.

– On m'a appelé ? demanda-t-il d'une voix de basse.

– Mathias, dit Marc, qu'est-ce que je foutais lundi soir à deux heures 150 du matin ? C'est important, personne ne souffle.

Mathias se concentra quelques instants, fronçant ses sourcils clairs.

– Tu es rentré tard avec du repassage, vers dix heures. Lucien t'a servi à bouffer et puis il est parti dans sa chambre, avec Élodie.

– Émilie, rectifia Lucien en se retournant. C'est tout de même ter-155 rible que vous ne puissiez pas vous foutre son prénom dans le crâne.

– On a fait deux parties de cartes avec le parrain, continua Mathias, il a empoché trois cent vingt balles et puis il est allé dormir. Tu t'es mis au repassage du linge de Mme Boulain, puis de Mme Druyet. À une heure du matin, alors que tu rangeais la planche, tu t'es souvenu que tu 160 devais livrer deux paires de draps pour le lendemain. Je t'ai filé un coup de main et on les a repassés à deux sur la table. J'ai pris le vieux fer. On a terminé de plier à deux heures et demie et on en a fait deux paquets séparés. En montant se coucher, on a croisé le parrain qui descendait pisser.

165   Mathias releva la tête.

– Il est préhistorien, commenta Lucien depuis son évier. C'est un précis, vous pouvez lui faire confiance.

– Je peux repartir ? demanda Mathias. Parce que j'ai un remontage[1] en cours.

170   – Oui, dit Marc. Je te remercie.

– Un remontage ? demanda Adamsberg.

– Il recolle des silex paléolithiques à la cave, expliqua Marc Vandoosler.

Adamsberg hocha la tête sans comprendre. Ce qu'il comprenait en 175 revanche, c'est qu'il ne saisirait pas le fonctionnement de cette maison pas plus que celui de ses occupants en quelques questions. Cela exigeait certainement un stage complet, et ce n'était pas son affaire.

– Mathias pourrait mentir, évidemment, dit Marc Vandoosler. Mais si vous voulez, demandez-nous séparément la couleur des draps. Il n'a 180 pas pu décaler les dates. J'ai pris le linge le matin même chez Mme Toussaint, 22 avenue de Choisy, vous pouvez aller contrôler. Je l'ai fait tourner et sécher dans la journée et on l'a repassé le soir. Je l'ai rapporté le lendemain. Deux draps bleu clair avec des coquillages, et deux autres brun rosé à revers gris.

185   Adamsberg hocha la tête. Un alibi domestique impeccable. Ce type s'y connaissait en lingerie.

– Bien, dit-il. Je vous résume les choses.

---

1. Assemblage.

Comme Adamsberg parlait lentement, il prit tout de même vingt-cinq minutes pour exposer l'affaire des 4, du Crieur et du meurtre de la
190 veille. Les deux Vandoosler écoutaient, attentifs. Marc hochait souvent la tête, comme s'il confirmait le récit à mesure qu'il se déroulait.

— Un semeur de peste, conclut-il, voilà ce que vous avez sur les bras. En même temps qu'un protecteur. Un type qui s'en croit le maître, donc. Cela s'est vu, mais surtout, on en a inventé par milliers.

195 — C'est-à-dire ? demanda Adamsberg en ouvrant son carnet.

— À chaque atteinte de peste, expliqua Marc, la terreur était telle qu'on cherchait, hormis Dieu, les comètes et l'infection de l'air qu'on ne pouvait pas châtier[1], des responsables terrestres à punir. On cherchait les *semeurs de peste*. On accusait des types de répandre le fléau à
200 l'aide d'onguents[2], de graisses et de préparations diverses qu'ils étalaient sur les sonnettes, les serrures, les rampes, les façades. Un pauvre gars qui posait imprudemment la main sur une bâtisse risquait mille morts. On a pendu des tas de gens. On les a appelés les semeurs, les graisseurs, les engraisseurs, sans jamais se demander une seule fois dans
205 toute l'histoire de l'homme l'intérêt qu'aurait eu un gars à faire ce genre de boulot. Ici, vous avez un semeur, ça ne fait pas de doute. Mais il ne sème pas à tout vent, hein ? Il en attaque un et il protège les autres. Il est Dieu, et il manipule le fléau de Dieu. En tant que Dieu, il choisit ceux qu'il appelle à lui.

210 — On a cherché un lien entre tous ceux qui sont visés. Néant, pour le moment.

— S'il y a semeur, il y a vecteur. De quoi se sert-il ? Vous avez trouvé des traces d'onguent sur les portes vierges ? Sur les serrures ?

---

1. Punir
2. De crèmes, de pommades.

– On n'a pas cherché ça. À quoi bon un vecteur, puisqu'il étrangle ?

215 – Je suppose que, dans sa logique, il ne se sent pas tueur. S'il voulait tuer lui-même, il n'aurait pas besoin de faire intervenir toute cette histoire de peste. Il se sert d'un fléau intermédiaire qu'il interpose entre lui et ceux qu'il abat. C'est la peste qui tue, ce n'est pas lui.

– D'où les annonces.

220 – Oui. Il met en scène la peste de manière ostentatoire[1] et il la désigne comme la seule responsable de ce qui va se produire. Et il lui faut un vecteur, nécessairement.

– Les puces, proposa Adamsberg. Mon adjoint s'est fait bouffer par des puces chez la victime, hier.

225 – Bon Dieu, des puces ? Il y avait des puces chez ce mort ?

Marc s'était levé brusquement, les poings enfoncés dans les poches de son pantalon.

– Quelles puces ? demanda-t-il nerveusement. Des puces de chat ?

– Je n'en sais rien. J'ai fait porter les habits au labo.

230 – S'il s'agit de puces de chat, ou de chien, rien à craindre, dit Marc en allant et venant le long de la table. Elles sont incompétentes. Mais s'il s'agit de puces de rat, si le gars a vraiment infecté des puces de rat et qu'il les lâche dans la nature, bon sang, c'est la catastrophe.

– Elles sont vraiment dangereuses ?

235 Marc regarda Adamsberg comme s'il lui avait demandé quoi penser des ours polaires.

– J'appelle le labo, dit Adamsberg.

Il s'écarta pour téléphoner et Marc fit signe à Lucien de faire moins de bruit en rangeant les assiettes.

---

1. Visible, très apparente.

240 — Oui, c'est cela, disait Adamsberg. Vous avez terminé ? Quel nom dites-vous ? Épelez, nom de Dieu.

Sur son carnet, Adamsberg avait formé un N, puis un O et il avait des difficultés pour poursuivre. Marc lui prit le crayon des mains et compléta le mot commencé : *Nosopsyllus fasciatus.* Puis il ajouta un 245 point d'interrogation. Adamsberg acquiesça.

— Ça va, j'ai le nom, dit-il à l'entomologue.

Marc avait écrit à la suite : *porteuses du bacille ?*

— Faites-les porter en bactériologie, ajouta Adamsberg. Recherche du bacille pesteux. Dites-leur de mettre les bouchées doubles, j'ai déjà un 250 homme de piqué. Et ne les égarez pas dans le labo, par pitié. Oui, au même numéro. Toute la nuit.

Adamsberg rangea son portable dans sa poche intérieure.

— Il y avait deux puces dans les vêtements de mon adjoint. Ce n'étaient pas des puces d'homme. C'étaient des...

255 — *Nosopsyllus fasciatus,* des puces de rat, dit Marc.

— Dans l'enveloppe que j'ai prélevée chez le mort, il y en avait une autre, morte. Même espèce.

— C'est comme cela qu'il les introduit.

— Oui, dit Adamsberg en marchant à son tour. Il ouvre l'enveloppe 260 et il libère les puces dans l'appartement. Mais je ne crois pas que ces foutues puces soient infectées. Je crois qu'il est toujours dans le symbole.

— Il pousse pourtant le symbole jusqu'à dénicher des puces de rat. Ce n'est pas si facile de s'en procurer.

— Je crois qu'il frime, et c'est pour cela qu'il tue lui-même. Il sait que 265 ses puces ne pourront pas tuer.

— Ce n'est pas certain. Vous auriez intérêt à récupérer toutes les puces qui traînent chez Laurion.

– Et comment je m'y prends?

– Le plus simple, c'est d'entrer dans l'appartement avec un ou deux
270 cobayes[1] que vous promenez cinq minutes dans les lieux. Ils se ramas-
seront tout ce qui traîne. Vous les enfournez vite fait dans un sac et vous
les portez à votre labo. Aussitôt après, désinfection des lieux. Ne laissez
pas le cobaye trop longtemps. Une fois qu'elles ont piqué, ces puces ont
tendance à repartir faire un tour. Faut les choper pendant leur déjeuner.

275   – Bon, dit Adamsberg en notant la stratégie. Merci de votre aide,
Vandoosler.

– Deux choses encore, dit Marc en l'accompagnant à la porte.
Sachez que votre semeur de peste n'est pas si bon pestologue que ça. Son
érudition a des limites.

280   – Il se goure?

– Oui.

– Où?

– Le charbon, la «Mort noire». C'est une image, une confusion de
mots. *Pestis atra* signifiait la «mort horrible», et non pas la «Mort noire».
285 Les corps des pestiférés n'ont jamais été noirs. Quelques taches bleuâtres
par-ci par-là, et encore. C'est un mythe tardif, c'est une erreur populaire
et générale. Tout le monde le croit mais c'est faux. Quand votre homme
charbonne le corps, il se trompe. Il commet même une énorme bévue[2].

– Ah, dit Adamsberg.

290   – Gardez la tête froide, commissaire, dit Lucien en sortant de la
pièce. Marc est tatillon, comme tous les médiévistes. Il se perd dans les
détails et passe à côté de l'essentiel.

– Qui est?

---

1. Sujets d'expérience.
2. Erreur grossière faite par méprise.

– Mais la violence, commissaire. La violence de l'homme.

295 Marc sourit et s'effaça pour laisser Lucien sortir.

– Qu'est-ce qu'il fait, votre ami ? demanda Adamsberg.

– Son premier métier est d'irriter le monde mais ce n'est pas payé. Il exerce cette activité bénévolement. En second choix, c'est un contemporanéiste, spécialiste de la Grande Guerre. On a de gros conflits de

300 périodes.

– Ah bien. Et la deuxième chose que vous vouliez me dire ?

– Vous cherchez bien un type dont les initiales seraient CLT ?

– C'est une piste sérieuse.

– Laissez-la tomber. CLT est l'abréviation du fameux électuaire[1] des

305 trois adverbes, tout simplement.

– Pardon ?

– Pratiquement tous les traités de peste le citent comme le meilleur des conseils : *Cito, longe fugeas et tarde redeas*. C'est-à-dire : *Fuis vite, longtemps et reviens tard*. En d'autres termes, casse-toi en vitesse et pour

310 un bail. C'est le célèbre « remède des trois adverbes » : « Vite, Loin, Longtemps ». En latin : « Cito, Longe, Tarde ». CLT.

– Vous pouvez me le noter ? demanda Adamsberg en tendant son carnet.

Marc griffonna quelques lignes.

315 – « CLT », c'est un conseil que votre assassin donne aux gens, en même temps qu'il les protège par le 4, dit Marc en lui rendant son carnet.

– J'aurais de beaucoup préféré des initiales, dit Adamsberg.

– Je comprends. Vous pouvez me tenir au courant ? Pour les puces ?

320 – L'enquête vous intéresse à ce point ?

---

1. Remède (ancien).

– Ce n'est pas la question, dit Marc en souriant. Mais vous avez peut-être sur vous des *Nosopsyllus*. Auquel cas, j'en ai peut-être sur moi. Et les autres aussi.

– Je vois.

325   – C'est un autre remède contre la peste. Bloque-les vite et lave-toi bien. BLB.

En sortant, Adamsberg croisa le géant blond et l'arrêta pour lui poser une seule question.

– Une paire était beige, répondit Mathias, avec un revers gris, et
330 l'autre paire était bleue, avec des coquilles Saint-Jacques.

Adamsberg quitta la maison de la rue Chasle par le jardin en friche, un peu abasourdi. Il existait sur terre des gens qui savaient des quantités de choses ahurissantes. Qui avaient écouté à l'école, d'une part, et qui avaient continué d'engranger par la suite des connaissances par
335 wagons-citernes. Des connaissances d'un autre monde. Des gens qui passaient leur vie sur des affaires de semeurs, d'onguents, de puces latines et d'électuaires. Et il était bien certain que ceci n'était qu'un faible fragment des wagons-citernes entassés dans la tête de ce Marc Vandoosler. Wagons-citernes qui ne semblaient pas l'aider mieux qu'un
340 autre à se démerder dans l'existence. Mais aujourd'hui pourtant, ça allait aider, vitalement.

BIEN LIRE

Quel est le surnom de l'auteur des « spéciales » à présent ? Quelle était sa « fonction » à l'époque de la peste ? Quels autres surnoms étaient utilisés ?

Expliquez l'expression : « s'il y a semeur, il y a vecteur ».

Quel rapport existe-t-il entre la signification de l'abréviation CLT et le titre du roman ?

XX

De nouveaux fax étaient tombés à la Brigade en provenance du labo et Adamsberg en prit connaissance rapidement : les « spéciales » ne portaient aucune empreinte, hormis celles du Crieur et de Decambrais, identifiées sur toutes les annonces.

5   – Cela m'aurait surpris que le semeur se laisse aller à poser les doigts sur ses messages, dit Adamsberg.

– Pourquoi se paye-t-il des enveloppes pareilles ? demanda Danglard.

– Question de cérémonial. À ses yeux, chacun de ses actes est précieux. Il ne va pas les présenter dans une enveloppe prolétarienne[1]. Il 10 veut les sertir[2] dans des écrins de prix parce que c'est de l'acte hautement raffiné. Pas de l'acte minable du premier passant venu, vous ou moi, Danglard. Vous n'imaginez pas un grand cuisinier vous servir un vol-au-vent dans un bol en plastique. Eh bien c'est pareil. L'enveloppe est à la hauteur du geste : recherchée.

15   – Empreintes de Le Guern et de Ducouëdic, dit Danglard en reposant le fax. Deux taulards.

– Oui. Mais des séjours de courte durée. Neuf et six mois.

– Qui laissent tout le temps de se faire des relations utiles, dit Danglard en se grattant violemment sous le bras. Le stage en serrurerie 20 peut se faire après la taule. Quels chefs d'inculpation[3] ?

– Pour Le Guern, coups et blessures avec intention de donner la mort.

– Bon, dit Danglard en sifflant, c'est déjà honorable. Pourquoi n'a-t-il pas tiré plus ?

---

1. Pour les personnes exerçant un métier manuel, les ouvriers.
2. Assembler.
3. Motifs d'arrestations.

25　－ Circonstances atténuantes : l'armateur qu'il a démoli avait laissé pourrir son chalutier et le bateau a fini par couler. Deux marins sont morts noyés. Le Guern a débarqué de l'hélico de sauvetage, fou de douleur, et il s'est jeté sur lui.

－ L'armateur a écopé[1] ?

30　－ Non. Ni lui ni les types de la capitainerie qui l'ont couvert, la patte graissée[2], selon la déposition de Joss Le Guern à l'époque. Ils se sont donné le mot d'armateur en armateur et ils l'ont fusillé dans tous les ports de Bretagne. Le Guern n'a jamais plus retrouvé de commandement. Il y a treize ans, raide comme un passe-lacet[3], il a débarqué sur le grand parvis 35 de Montparnasse.

－ Il a de sérieuses raisons d'en vouloir à la terre entière, vous ne croyez pas ?

－ Si, et il est colérique et rancunier. Mais René Laurion n'avait jamais foutu les pieds dans une capitainerie, semble-t-il.

40　－ Il choisit peut-être des victimes de substitution. Ça s'est vu. Le Guern est quand même le mieux placé pour s'envoyer les messages à lui-même, non ? D'ailleurs, depuis qu'on planque sur la place et que Le Guern en a été le premier informé, il n'y a plus de « spéciales ».

－ Il n'était pas le seul à savoir que les flics étaient là. 45 Au *Viking*, à neuf heures du soir, tout le monde les avait déjà reniflés.

－ Si le tueur n'est pas du quartier, comment l'aurait-il appris ?

－ Il avait tué, il se doutait bien que les flics étaient sur les dents. Il les a repérés, en planque sur le banc.

－ On surveille pour rien, en fin de compte ?

50　－ On surveille pour le principe. Et pour autre chose.

---

1. Été sanctionné pour ce qu'il a fait (familier).
2. On leur a donné de l'argent pour obtenir une faveur.
3. Sans un sou.

– Decambrais-Ducouëdic, pourquoi a-t-il plongé ?

– Pour tentative de viol sur mineure dans l'établissement où il enseignait. Toute la presse de l'époque lui est tombée dessus. À cinquante-deux ans, il a manqué être lynché[1] dans la rue. Il a fallu une protection
55 policière jusqu'au procès.

– L'affaire Ducouëdic, je me rappelle. Une gamine agressée dans les toilettes. On ne croirait pas, hein ? Quand on le voit ?

– Souvenez-vous de sa défense, Danglard. Trois élèves de seconde s'étaient jetés sur une gosse de douze ans, à l'heure déserte de la cantine.
60 Ducouëdic aurait frappé les gars, fort, et attrapé la petite pour la sortir de là. La gamine était à moitié nue et elle hurlait dans ses bras dans le couloir. C'est cela que les autres gosses ont vu. Les trois gars ont présenté une version des faits inverse : Ducouëdic violait la gamine, ils sont intervenus et Ducouëdic les a cognés et a sorti la petite pour s'enfuir. La
65 parole de l'un contre celle des autres. Ducouëdic est tombé. Son amie l'a plaqué aussi sec et ses collègues se sont éloignés. Dans le doute. Le doute fait le vide, Danglard, et le doute demeure. C'est pour cela qu'il se fait appeler Decambrais. C'est un type qui a terminé sa vie à cinquante-deux ans.

70 – Quel âge auraient ces trois gars aujourd'hui ? À peu près trente-deux, trente-trois ans ? L'âge de Laurion ?

– Laurion était collégien à Périgueux. Ducouëdic enseignait à Vannes.

– Il peut prendre des victimes de substitution.

– Encore ?

75 – Et alors ? Vous n'en connaissez pas, vous, des vieux qui abominent toute une génération ?

– J'en connais trop.

---

1. Exécuté sommairement par une foule.

– Faut creuser sur ces deux types. Decambrais est parfaitement placé pour poser ces messages et plus encore pour les écrire. C'est tout de 80 même lui qui a réussi à en percer le sens. Sur un petit mot arabe qui l'a mis sur la piste directe du *Liber canonis* d'Avicenne. Très fort, non ?

– On est obligés de creuser, de toute façon. Je suis persuadé que le tueur est à la criée. Il a démarré de là parce qu'il n'avait pas le choix du moyen, c'est entendu. Mais aussi parce qu'il connaissait l'urne de près, 85 depuis longtemps. Cette criée qui nous paraît incongrue[1] lui semblait au contraire un véhicule évident des nouvelles, comme à tous ceux du quartier. Je suis sûr de cela. Et je suis convaincu qu'il vient s'écouter, je suis sûr qu'il est là, à la criée.

– Il n'y a pas de raison, objecta Danglard. Et c'est dangereux pour lui. 90 – Il n'y a pas de raison mais c'est égal, Danglard, je pense qu'il est là, dans la foule. C'est pour cela qu'on ne relâche pas la surveillance de la place.

Adamsberg sortit du bureau et traversa la salle centrale pour se poster devant le plan de Paris. Les agents le suivaient des yeux et Adamsberg 95 comprit que ce n'était pas lui mais Danglard, enveloppé dans un grand tee-shirt noir à manches courtes, que chacun observait avec intérêt. Il leva haut le bras droit et tous les regards revinrent sur lui.

– Évacuation des locaux à dix-huit heures pour désinfection, dit-il. En arrivant chez soi, chacun passera sous la douche, cheveux compris, 100 et déposera tous ses vêtements, je dis bien *tous*, dans la machine à laver, température 60°. Motif : extermination des puces potentielles.

Il y eut des sourires, des murmures.

– C'est un ordre formel, dit Adamsberg, qui vaut pour tous et par-

---

1. Déplacée.

ticulièrement pour les trois hommes qui m'accompagnaient chez
Laurion. Quelqu'un, ici, a-t-il été piqué depuis hier ?

Un doigt se leva, celui de Kernorkian, qu'on dévisagea avec une certaine curiosité.

– Lieutenant Kernorkian, annonça-t-il.

– Rassurez-vous, lieutenant, vous avez de la compagnie. Le capitaine
Danglard a été piqué également.

– Soixante degrés, dit une voix, elle va être foutue, la chemise.

– C'est ça ou les flammes, dit Adamsberg. Ceux qui souhaitent
contrevenir[1] s'exposent à une peste potentielle. Je dis : potentielle. Je
suis convaincu que les puces que le tueur a lâchées chez Laurion sont
saines et tout aussi symboliques que le reste. Mais cette mesure reste
néanmoins obligatoire. Les puces piquent surtout la nuit, je vous
demande donc expressément d'effectuer cette opération dès votre
retour chez vous. Faites-la suivre d'une désinsectisation en règle, des
bombes sont à votre disposition dans les vestiaires. Noël et Voisenet,
vous contrôlerez demain les alibis de ces quatre chercheurs, dit-il en
leur tendant une fiche, tous les quatre pestologues[2], donc suspects.
Vous, dit-il en désignant l'homme souriant aux cheveux gris.

– Lieutenant Mercadet, dit l'officier en se levant à moitié.

– Mercadet, vous vérifierez cette affaire de draps chez une
Mme Toussaint, avenue de Choisy.

Adamsberg lui tendit une fiche qui passa de main en main jusqu'à
Mercadet. Puis il désigna de la main le visage rond et craintif aux yeux
verts et le raide brigadier de Granville.

– Brigadier Lamarre, dit l'ancien gendarme en se levant, très droit.

---

1. Enfreindre, transgresser.
2. Spécialistes de la peste (mot inventé).

130   – Brigadier Estalère, dit le visage rond.

– Vous passerez dans les vingt-neuf immeubles pour procéder à un nouvel examen des portes vierges. Objectif : recherche d'un onguent, d'une graisse, d'un produit quelconque étalé sur la serrure, la sonnette ou la poignée. Prenez vos précautions, mettez des gants. Qui a continué
135   à bosser sur ces vingt-neuf personnes ?

Quatre doigts se levèrent, ceux de Noël, Danglard, Justin et Froissy.

– Qu'est-ce que ça donne ? Des recoupements ?

– Aucun, dit Justin. L'échantillon résiste à tous les balayages statistiques.

140   – Les interrogatoires de la rue Jean-Jacques-Rousseau ?

– Nul. Personne n'a aperçu d'inconnu dans l'immeuble. Et les voisins n'ont rien entendu.

– Le code ?

– Facile. Les chiffres clés sont tellement usés qu'on ne les lit plus. Ça
145   laisse cent vingt combinaisons qui se testent en six minutes.

– Qui s'est chargé d'interroger les résidents des vingt-huit autres immeubles ? Est-ce qu'une seule personne a pu apercevoir ce peintre ?

La femme rude au visage massif leva un bras décidé.

– Lieutenant Retancourt, dit-elle. Personne n'a vu le peintre. Il agit
150   forcément la nuit, et son pinceau ne fait aucun bruit. Avec de l'habitude, l'opération ne lui prend pas plus d'une demi-heure.

– Les codes ?

– Il reste des traces de pâte à modeler sur beaucoup d'entre eux, commissaire. Il en prend l'empreinte et il repère les emplacements gras.
155   – Astuce de taulard, dit Justin.

– N'importe qui peut l'inventer, dit Noël.

Adamsberg regarda la pendule.

— Moins dix, dit-il. On évacue.

Adamsberg fut réveillé à trois heures du matin par un appel du service de biologie.

— Pas de bacille, annonça une voix d'homme fatiguée. Négatif. Ni
dans les puces des vêtements ni dans celle de l'enveloppe ni dans les
douze spécimens qu'on a ratissés chez Laurion. Indemnes, propres
comme un sou neuf.

Adamsberg ressentit un bref soulagement.

— Toutes des puces de rat ?

— Toutes. Cinq mâles, dix femelles.

— C'est parfait. Gardez-les précieusement.

— Elles sont mortes, commissaire.

— Ni fleurs ni couronnes. Gardez-les en tube.

Il s'assit sur son lit, alluma sa lampe et se frotta les cheveux. Puis il
appela Danglard et Vandoosler pour les informer du résultat. Il composa successivement les vingt-six numéros des autres agents de la
Brigade, puis celui du légiste et de Devillard. Pas un seul ne se plaignit
d'être réveillé au milieu de la nuit. Il s'y perdait, dans tous ces adjoints,
et son carnet n'était plus à jour. Il n'avait plus eu le temps de s'occuper
de son mémento, ni même d'appeler Camille pour fixer rendez-vous. Il
eut l'impression que le semeur de peste allait à peine le laisser dormir.

À sept heures trente, un appel le cueillit en pleine rue alors qu'il était
en chemin pour la Brigade, à pied depuis le Marais.

— Commissaire ? dit une voix essoufflée. Brigadier Gardon, équipe

de nuit. Deux corps sur le trottoir, dans le 12ᵉ arrondissement, un rue
de Rottembourg et l'autre pas loin de là, sur le boulevard Soult. Étendus à poil sur le macadam et couverts de charbon de bois. Deux
185 hommes.

BIEN LIRE

Quel est le passé judiciaire de Joss et de Decambrais ?
Les puces de rats analysées sont-elles finalement les « vecteurs » de
la peste ?
Combien de cadavres ont-ils été découverts jusqu'à la fin de ce
chapitre ?

XXI

À midi, les deux corps avaient été enlevés et conduits à la morgue, et les lieux rendus à la circulation. En raison de leur exposition spectaculaire, il n'y avait plus aucun espoir que ces cadavres noirs échappent à la connaissance du public. Dès ce soir, les journaux télévisés s'en empare-5 raient, dès demain, tout serait dans la presse. Il était impossible de dissimuler l'identité des victimes et le rapport serait aussitôt fait avec leurs domiciles de la rue Poulet et de l'avenue de Tourville. Deux immeubles marqués de 4, à l'exception de deux portes, les leurs. Deux hommes, âgés de trente et un et trente-six ans, l'un père de famille, l'autre vivant 10 en couple. Les trois quarts des agents de la Brigade s'étaient répandus dans la capitale, les uns recherchant des témoins sur les lieux où avaient été déposés les corps, les autres visitant une nouvelle fois les deux immeubles cibles, questionnant les proches à la recherche de toute information susceptible de révéler un lien entre ces morts et René 15 Laurion. Le dernier quart s'affairait sur les claviers, dressant les rapports, enregistrant les données nouvelles.

Tête penchée, adossé au mur de son bureau, non loin de la fenêtre d'où il pouvait apercevoir à travers les barreaux neufs le mouvement continu de la vie roulant sur le trottoir, Adamsberg tâchait de rassem-20 bler la masse à présent très lourde des données relatives aux meurtres et autres détails *y afférents*. Il lui semblait que cette masse était devenue trop volumineuse pour le seul cerveau d'un homme, le sien en tous les cas, qu'il ne pouvait plus en longer les contours, qu'elle l'écrasait. Entre le contenu des « spéciales », les petites affaires de la place Edgar-Quinet, 25 les casiers judiciaires de Le Guern et de Ducouëdic, les dispositions des immeubles marqués, les identités des victimes, leurs voisins, leurs

parents, entre le charbon, les puces, les enveloppes, les analyses du labo, les appels du médecin, les caractéristiques du tueur, il ne parvenait plus à embrasser la totalité des routes ouvertes, et il se perdait. Pour la pre-
30 mière fois, il avait l'impression que Danglard en aurait raison avec son ordinateur et non pas lui, nez au vent dans la tourmente.

Deux nouvelles victimes en une nuit, deux hommes d'un coup. Puisque les flics gardaient leurs portes, le tueur les avait tout simplement attirés au-dehors pour les exécuter, contournant l'obstacle de manière
35 aussi élémentaire que les Allemands passant l'infranchissable ligne Maginot par avion, puisque les Français bloquaient les routes. Les deux brigadiers qui montaient la garde devant l'appartement du mort de la rue de Rottembourg, Jean Viard, l'avaient vu sortir à vingt heures trente. On ne peut pas empêcher un gars d'aller à un rendez-vous, pas vrai ?
40 Surtout que ce Viard n'était pas impressionné une seconde par « ce foutu bordel de quatre », comme il l'avait expliqué à l'agent de garde. L'autre homme, François Clerc, avait quitté son domicile à dix heures, pour une balade, avait-il dit. Ça l'étouffait, ces flics derrière sa porte, il faisait doux, il voulait aller boire un coup. On ne peut pas empêcher un
45 gars d'aller boire un coup, pas vrai ? Les deux hommes avaient été tués par strangulation, comme Laurion, l'un environ une heure avant l'autre. De l'abattage en série. Puis les cadavres avaient été transportés, sans doute ensemble, dans une voiture où on les avait dénudés et passés au charbon. Enfin, le tueur les avait largués en pleine rue, dans le 12ᵉ, au
50 bord de Paris, avec toutes leurs affaires. Le semeur n'avait pas pris le risque de s'exposer aux regards car, cette fois, les corps n'étaient pas dis-posés christiquement[1] sur le dos et les bras en croix. Ils étaient tels qu'on les avait lâchés, en hâte. Adamsberg supposait que cette obligation de

---

1. Comme le Christ.

bâcler la dernière étape avait dû contrarier l'assassin. Au cœur de la nuit,
personne n'avait aperçu quoi que ce soit. Avec ses deux millions d'habitants, la capitale peut être aussi déserte qu'un village de montagne, en
semaine, à quatre heures du matin. Capitale ou pas capitale, on dort sur
le boulevard Soult comme on dort dans les Pyrénées.

La seule nouveauté qu'on pouvait engranger, c'était qu'il s'agissait de
trois hommes, tous ayant passé la trentaine. Ce n'est pas ce qu'on pouvait espérer de plus précis en matière de dénominateur commun. Le
reste des portraits ne collait absolument pas. Jean Viard n'avait pas trimé
dans les banlieues en filière professionnelle comme la première victime.
C'était un produit des meilleurs quartiers, devenu ingénieur en infor-
matique et marié à une avocate. François Clerc était d'origine plus
modeste, un homme lourd aux larges épaules, livreur pour le compte
d'un grand marchand de vin.

Sans bouger de son mur, Adamsberg appela le légiste, en plein travail
sur le corps de Viard. Pendant qu'on allait le chercher, il consulta son
carnet à la recherche du patronyme du médecin. Romain.

— Romain, ici Adamsberg. Désolé de vous déranger. Vous confirmez
la strangulation ?

— Aucun doute. Le tueur utilise un lacet solide, sans doute un gros
fil plastique. Il y a un point d'impact assez net sur la nuque. Il pourrait
s'agir d'une sorte de collet[1] coulissant. L'assassin n'a qu'à serrer vers la
droite, ça ne demande pas beaucoup de force. Il a d'ailleurs amélioré sa
technique en se lançant dans la tuerie de gros : les deux cadavres ont
reçu une bouffée de lacrymogène fortement dosé. Le temps qu'ils réagis-
sent, le tueur avait déjà passé le collet. C'est du rapide et du sûr.

---

1. Nœud coulant.

80   – Est-ce que Laurion avait des piqûres sur le corps, des piqûres d'insectes ?

– Bon sang, je ne l'ai pas signalé dans le rapport. Sur le coup, ça ne m'a pas paru signifiant. Il avait des boutons de puces assez frais à l'aine. Viard en présente également, sur l'intérieur de la cuisse droite et au cou, 85 déjà plus anciens. Je n'ai pas encore eu le temps d'examiner le dernier.

– Est-ce que les puces peuvent piquer un mort ?

– Non, Adamsberg, en aucune façon. Elles le quittent dès les premiers signes de refroidissement.

– Merci, Romain. Contrôlez l'absence du bacille, comme pour 90 Laurion. On ne sait jamais.

Adamsberg rempocha son portable, appuya ses doigts sur ses yeux. Donc, il s'était trompé. Le tueur n'avait pas déposé son enveloppe à puces au même moment qu'il avait tué. Il s'était écoulé un délai entre l'introduction des puces et le meurtre, puisque les insectes avaient eu le 95 temps de piquer. Un délai même assez long dans le cas de Viard, le légiste ayant décrété que les boutons étaient déjà anciens.

Il tourna dans la pièce, les mains croisées dans le dos. Le semeur suivait donc un protocole assez fou pour glisser tout d'abord son enveloppe décachetée sous les portes de ses futures victimes, puis pour revenir 100 quelque temps plus tard et cette fois forcer la serrure et étrangler sa proie, charbon de bois en poche. Il travaillait en deux temps. Un, les puces, deux le meurtre. Sans parler de l'infernal ajustage des 4 et des annonces préparatoires. Adamsberg sentit grandir en lui une sorte d'impuissance. Les chemins se mélangeaient, la route à prendre lui échappait, ce tueur 105 cérémonieux lui devenait étranger, incompréhensible. Il composa sur une impulsion le numéro de Camille et, une demi-heure plus tard, il s'étendait sur son lit, nu sous ses habits, puis nu sans ses habits. Camille se posa sur lui et il ferma les yeux. En une minute, il oublia que vingt-sept hommes de sa brigade patrouillaient dans les rues ou sur les claviers.

110   Deux heures et demie plus tard, il rejoignait la place Edgar-Quinet, raccommodé avec lui-même, enveloppé et presque protégé par ce léger fléchissement des cuisses.

– J'allais vous appeler, commissaire, dit Decambrais en venant à lui depuis le seuil de sa maison. Il n'y en avait pas hier, mais il y en a une 115 aujourd'hui.

– On n'a vu personne la déposer dans l'urne, dit Adamsberg.

– Elle est arrivée par courrier. Il a changé de méthode, il ne prend plus le risque de venir lui-même. Il poste.

– À quelle adresse ?

120   – À Joss Le Guern, ici même.

– Il connaîtrait le nom du Crieur ?

– Beaucoup de gens le connaissent.

Adamsberg suivit Decambrais dans son antre et ouvrit la grande enveloppe.

125   *Le bruit court soudain, bien vite confirmé, que la peste venait d'éclater en ville dans deux rues à la fois. On disait que les deux (…) avaient été trouvés avec tous les signes les plus nets du mal.*

– Le Guern l'a criée ?

– Oui, à midi. Vous aviez dit de poursuivre.

130   – Les textes sont plus explicites à présent que le gars est entré en action. Quel effet sur le public ?

– Des remous, des interrogations et beaucoup de discussions au

Viking. Je crois qu'il y avait un journaliste. Il posait des quantités de questions à Joss et aux autres. Je ne sais pas d'où il sortait.

135　　– De la rumeur, Decambrais. C'était inévitable. Avec les spéciales des derniers jours, avec le communiqué de mardi soir et le mort du matin, c'était obligatoire que la boucle se noue. Cela devait arriver. La presse a peut-être reçu une déclaration du semeur lui-même, afin d'activer la tornade.

140　　– C'est bien possible.

– Postée hier, dit Adamsberg en retournant l'enveloppe, dans le 1er arrondissement.

– Deux morts annoncées, dit Decambrais.

– C'est fait, dit Adamsberg en le regardant. Vous entendrez cela ce 145 soir à la télévision. Deux hommes jetés sur le trottoir comme des sacs, nus et passés au noir.

– Deux d'un coup, dit Decambrais d'une voix sourde.

Sa bouche s'était contractée, dispersant une pluie de rides sur sa peau blanche.

150　　– À votre avis, Decambrais, les corps des pestiférés sont-ils noirs?

Le lettré fronça les sourcils.

– Je ne suis pas spécialiste de la question, commissaire, et surtout pas d'histoire de la médecine. C'est pourquoi j'ai tant traîné à identifier ces « spéciales ». Mais je peux vous assurer que les médecins de l'époque ne 155 mentionnent jamais cet aspect, cette couleur. Des charbons, des taches, des bubons[1], des bosses, oui, mais pas ce noir. Il s'est ancré dans l'imagination collective beaucoup plus tard, par glissement sémantique[2], voyez-vous.

– Bon.

---

1. Inflammations d'un ganglion.
2. De sens.

– C'est sans importance car l'erreur est restée et on appelle bien la
160 peste la *Mort noire*. Et ces mots sont certainement capitaux pour le tueur
car ce sont des termes qui sèment l'effroi. Il veut impressionner, frapper
les esprits avec des idées fortes, qu'elles soient vraies ou fausses. Et la
Mort noire frappe comme un canon.

Adamsberg s'installa au *Viking*, assez calme en cette fin d'après-midi,
165 et commanda un café au grand Bertin. Par la vitre, il avait une vue étendue sur toute la place. Danglard le sonna un quart d'heure plus tard.

– Je suis au *Viking*, dit Adamsberg.

– Méfiez-vous de ce calva, dit Danglard. Il est très singulier. Il vous
ôte les idées en un tournemain[1].
170 – Je n'ai plus d'idées, Danglard. Je suis paumé. Je crois qu'il m'a
saoulé, qu'il m'a déboussolé. Je crois qu'il m'a eu.

– Le calva?

– Le semeur de peste. CLT. À propos, Danglard, laissez tomber ces
initiales.
175 – Mon Christian Laurent Taveniot?

– Laissez-le en paix, dit Adamsberg qui avait ouvert son carnet à la
page remplie par Vandoosler. C'est l'électuaire des trois adverbes.

Adamsberg attendit une réaction de son adjoint, qui ne vint pas.
Danglard, lui aussi, se faisait déborder. Son esprit éclairé se noyait.
180 – *Cito, Longe, Tarde*, lut Adamsberg. Casse-toi au diable et pour un
bail.

– Merde, dit Danglard après un moment. *Cito, longe fugeas et tarde
redeas.* J'aurais dû y penser.

---

1. En un instant.

– On ne pense plus et même plus vous. Il nous submerge.

185　– Qui vous a renseigné?

– Marc Vandoosler.

– J'ai vos renseignements sur ce Vandoosler.

– Laissez tomber aussi. Il est hors de cause.

– Vous saviez que son oncle avait été flic et viré juste en fin de car-
190　rière?

– Oui. J'ai bouffé du poulpe avec ce type.

– Ah bon. Vous saviez que le neveu, Marc, avait trempé dans quelques affaires?

– Criminelles?

195　– Oui, mais du côté de l'enquête. Pas con du tout, le type.

– J'avais remarqué.

– Je vous appelais pour les alibis[1] des quatre pestologues. Tous en ordre, rubis sur l'ongle[2], des vies de famille indémontables.

– Pas de chance.

200　– Non. Il ne nous reste plus personne.

– Et moi, je ne vois plus rien. Je ne sens plus rien, mon vieux.

Danglard aurait dû se réjouir de l'agonie des intuitions d'Adamsberg. Il se surprit pourtant à déplorer cette débâcle et à l'encourager dans cette voie qu'il réprouvait plus qu'aucune autre.

205　– Si, dit-il fermement, vous sentez forcément un truc, au moins un truc.

– Juste un truc, convint lentement Adamsberg après un court silence. Toujours le même.

– Dites ce truc.

---

1. Justifications prouvant l'innocence.
2. Réglé immédiatement.

210   Adamsberg balaya la place du regard. Des petits groupes commençaient à se former, d'autres à sortir du bar, se préparant pour la criée de
Le Guern. Là-bas, près du grand platane, on prenait les paris sur l'équipage perdu ou sauvé en mer.
       – Je sais qu'il est là, dit-il.
215   – Là où ?
       – Sur cette place. Il est là.

       Adamsberg n'avait plus la télévision et il avait pris l'habitude, en cas
de nécessité, de descendre à cent mètres de chez lui dans un pub irlandais saturé de musique et d'odeur de Guinness, où Enid, une serveuse
220 qui le connaissait depuis longtemps, le laissait regarder le petit poste
coincé sous le bar. Il poussa donc la porte des *Eaux noires de Dublin* à
huit heures moins cinq et se glissa derrière le comptoir. Les eaux noires,
c'était exactement l'impression qu'il ressentait depuis le matin, au
moins. Pendant qu'Enid lui préparait une énorme pomme de terre aux
225 lardons – où les Irlandais se procuraient-ils des pommes de terre aussi
gigantesques, c'était une question qu'on pouvait se poser, si on en avait
le temps, c'est-à-dire si un semeur de peste ne vous bloquait pas toute la
tête –, Adamsberg suivit le bulletin d'informations en sourdine. C'était
à peu de chose près aussi catastrophique que ce qu'il avait redouté.
230   Le présentateur annonçait le décès de trois hommes à Paris, survenu
dans les nuits du lundi au mardi et du mercredi au jeudi dans des circonstances alarmantes. Les victimes habitaient toutes des immeubles
présentant ces peintures de 4 qui avaient fait l'objet d'un communiqué
spécial de la Préfecture de police au JT de l'avant-veille. Le sens de ces
235 chiffres, sur lequel la police n'avait pas alors souhaité s'expliquer, était à
présent connu grâce à la réception par l'AFP d'un court message de leur

auteur. Ce communiqué anonyme était à prendre avec les plus grandes précautions et rien n'en assurait l'authenticité. Son auteur affirmait cependant la mort par peste des trois hommes et assurait qu'il avait depuis longtemps mis en garde la population de la capitale contre le fléau par des annonces publiques répétées sur le carrefour Edgar-Quinet-Delambre. Une telle revendication était certainement à mettre au compte d'un déséquilibré. Si les corps présentaient en effet bien des aspects de la mort noire, la Préfecture de police certifiait que ces hommes avaient été les malheureuses victimes d'un tueur en série, et qu'ils étaient décédés des suites d'une strangulation. Adamsberg entendit qu'on citait son nom.

Suivaient des plans des portes marquées, avec explications à l'appui, des témoignages d'occupants, une vue de la place Edgar-Quinet puis le commissaire divisionnaire Brézillon en personne, filmé dans son bureau du Quai des Orfèvres, qui assura avec toute la gravité nécessaire que toutes les personnes menacées par le déséquilibré étaient protégées par les forces de police et que la rumeur de peste était pure et simple invention de l'individu actuellement recherché, les taches noires constatées sur les corps ayant été produites par le frottement d'un morceau de charbon de bois. Au lieu de s'en tenir à ces affirmations apaisantes, le journal enchaînait sur un court documentaire relatant le passé de la peste noire en France, chargé d'images et de commentaires parfaitement atroces.

Adamsberg gagna sa place, un peu accablé, et entama sans la voir cette monumentale pomme de terre.

Au *Viking*, on avait monté le son du poste, et Bertin recula l'heure du plat chaud et du lancement du tonnerre. Joss, au centre de l'intérêt

général, se débrouillait comme il le pouvait devant l'assaut des ques-
265 tions, soutenu impeccablement par Decambrais qui gardait un parfait
sang-froid et par Damas qui, bien qu'ignorant en quoi il pouvait se
rendre utile, sentait qu'une situation tendue et complexe venait de
naître et ne lâchait pas le flanc gauche de Joss. Marie-Belle avait éclaté
en larmes, déclenchant la panique de Damas.

270   – Il y a la peste ? avait-elle crié pendant le bulletin, résumant les
alarmes de chacun, que personne n'osait exprimer aussi naïvement.

    – T'as pas entendu ? dit Lizbeth de sa voix dominante. Ils ne sont
pas morts de peste, ces gars, ils ont été étranglés. T'as pas entendu ? Faut
suivre, Marie-Belle.

275   – Et qui nous dit qu'il ne nous roule pas dans la farine, le gros de la
Préfecture ? dit un homme au bar. Tu crois que s'il y a la peste en ville, ils
vont nous le dire gentiment aux infos, des fois, Lizbeth ? Tu crois qu'ils
nous balancent tout ce qu'ils savent ? C'est comme ce qu'ils foutent dans
le maïs et dans la vache, tu crois qu'ils nous le racontent, des fois ?

280   – Et nous, qu'est-ce qu'on fait pendant ce temps-là ? dit un autre.
On le bouffe, leur maïs.

    – Moi, je ne le bouffe plus, dit une femme.

    – T'en as jamais bouffé, dit son mari, tu n'aimes pas ça.

    – Avec toutes leurs expériences à la con, reprit une voix au bar, c'est
285 bien possible qu'ils aient encore fait une grosse bourde et qu'ils aient
lâché la maladie dans la nature. Tiens, les algues vertes, tu sais d'où elles
viennent, les algues vertes ?

    – Ouais, répondit un type. Et on ne peut plus les rattraper, mainte-
nant. C'est comme les maïs et les vaches.

290   – Trois morts, tu te rends compte ? Et comment ils vont stopper ça ?
Ils ne le savent même pas eux-mêmes, je te le garantis.

– Tu penses, dit un gars, au bout du bar.

– Mais bon sang, cria Lizbeth en essayant de couvrir le bruit de la discussion, ces gars ont été étranglés !

295 – Parce qu'ils n'avaient pas les 4, dit un homme en levant l'index. Ils étaient pas protégés. Ils l'ont expliqué, ça, oui ou merde, à la télé ? On n'a pas rêvé, oui ou merde ?

– Ben si c'est ça, c'est pas un truc qui s'est échappé, c'est un type qui l'envoie.

300 – C'est un truc qui s'est échappé, reprit l'homme fermement, et il y a un type qu'essaie de protéger les personnes et de les prévenir. Il fait ce qu'il peut, le type.

– Et pourquoi il a oublié des gens, alors ? Et pourquoi il a peint qu'une poignée d'immeubles ?

305 – Dis donc, il est pas Dieu, le gars. Il a pas quatre mains. T'as qu'à les faire tout seul, tes 4, si tu chies au froc.

– Mais bon sang ! cria à nouveau Lizbeth.

– Qu'est-ce qui s'est passé ? demanda timidement Damas, sans que personne n'y prête attention.

310 – Laisse tomber, Lizbeth, dit Decambrais en lui prenant le bras. Ils deviennent dingues. Il faut espérer que la nuit les calme. On va servir le dîner, sonne le rappel des locataires.

Pendant que Lizbeth rassemblait ses brebis, Decambrais passa un coup de fil à Adamsberg, en s'éloignant du bar.

315 – Commissaire, ça chauffe ici, dit-il. Les gens perdent la tête.

– Ici aussi, dit Adamsberg, depuis sa table du bar irlandais. Qui sème l'audience récolte la panique.

– Qu'est-ce que vous allez faire ?

– Répéter et répéter que les trois hommes ont été assassinés. Qui dit 320 quoi, autour de vous ?

— Lizbeth en a vu d'autres et garde la tête froide. Le Guern s'en fout un peu, il tente de défendre son gagne-pain, et il faut d'autres tempêtes que celle-là pour l'émouvoir. Bertin me semble assez ébranlé, Damas ne comprend rien et Marie-Belle a ses nerfs. Le reste prend la tournure attendue, on nous cache tout, on ne nous dit rien et les saisons sont déréglées. *Comme quand l'hiver est chaud, au lieu d'être froid ; l'été frais, au lieu d'être chaud, et ainsi du printemps, et l'automne.*

— Vous allez avoir du pain sur la planche, conseiller.

— Vous aussi, commissaire.

— Je ne distingue même plus le pain de la planche.

— Vous comptez vous y prendre comment ?

— Je compte aller dormir, Decambrais.

BIEN LIRE

Quel changement intervient dans l'envoi des messages ?
Qui sont les deux autres victimes ?
Quelle est l'arme utilisée par le criminel ?

Fred Vargas

XXII

Dès huit heures le vendredi matin, un renfort de douze hommes fut affecté au groupe homicide du commissaire Adamsberg et on fit installer en urgence une quinzaine de postes téléphoniques supplémentaires pour tenter de répondre aux appels que renvoyaient sur la Brigade
5 les commissariats d'arrondissement surchargés. Quelques milliers de Parisiens exigeaient de savoir si, oui ou non, la police avait dit la vérité au sujet de ces morts, s'il y avait des précautions à prendre, et quelles étaient les consignes. Ordre avait été donné par la Préfecture à tous les commissariats de prendre en compte chacun des appels et de
10 traiter un par un tous les paniquards, qui sont les premiers des fouteurs de merde.

La presse du matin n'allait rien faire pour apaiser cette inquiétude grandissante. Adamsberg avait étalé les principaux titres sur sa table et passait de l'un à l'autre. Les journaux exposaient dans ses grandes lignes
15 le contenu du journal télévisé de la veille, avec un surcroît de commentaires et de photos, beaucoup d'entre eux reproduisant le 4 à rebours à la une. Certains aggravaient l'événement et d'autres, plus circonspects, tâchaient de titrer sobrement. Tous les journaux cependant prenaient la précaution de citer in extenso[1] les propos du divisionnaire[2] Brézillon.
20 Et tous retranscrivaient les textes des deux dernières « spéciales ». Adamsberg les relut, tâchant de se mettre dans la peau de celui qui les découvrait pour la première fois, dans un tel contexte, c'est-à-dire avec trois cadavres noirs à la clef :

---

1. En entier (latin).
2. Commissaire de police d'un rang hiérarchique élevé.

Ce fléau est toujours prêt et aux ordres de Dieu qui l'envoye et le fait par-
25 *tir quand il luy plaît.*

Le bruit court soudain, bien vite confirmé, que la peste venait d'éclater
en ville dans deux rues à la fois. On disait que les deux (…) avaient été
trouvés avec tous les signes les plus nets du mal.

Il y avait là, dans ces quelques lignes, de quoi faire vaciller les plus
30 crédules, dix-huit pour cent de la population environ puisque dix-huit
pour cent avaient redouté le passage en l'an 2000. Adamsberg était surpris de l'ampleur que la presse avait jugé bon d'accorder à l'affaire, surpris aussi de la rapidité de ce début d'incendie, qu'il avait pourtant
redouté dès l'annonce du premier mort. La peste, ce fléau dépassé, pous-
35 siéreux, englouti par l'histoire, renaissait sous les plumes avec une vitalité presque intacte.

Adamsberg jeta un œil à la pendule, se préparant à tenir une conférence de presse à neuf heures, sur ordre de la direction générale.
Adamsberg n'aimait ni les ordres ni les conférences de presse, mais il
40 était conscient que la situation l'exigeait. Calmer les esprits, montrer les
photos des cous étranglés, démonter les rumeurs, telles étaient les
consignes. Le médecin légiste était venu en renfort et, à moins d'un
nouveau meurtre ou d'une « spéciale » particulièrement terrifiante, il
estimait la situation encore contrôlable. Derrière la porte, il entendait
45 grossir le groupe des journalistes et enfler le bruit des conversations.

À la même heure, Joss ponctuait sa météo marine, devant une petite
foule nettement accrue, et abordait sa spéciale du jour, parvenue par la
poste au matin. Le commissaire avait été formel : on continue à lire, on
ne coupe pas le seul cordon qui nous relie au semeur. Dans un silence
50 un peu lourd, Joss annonça le numéro 20 :

— Petit traicté et familier de la peste. Contenant la description, les symptômes et effects d'icelle[1], avec la méthode et remèdes y requis, tant préservatifs que curatifs[2], points de suspension. *Et reconnaîtra qu'il est atteint de la dite peste tel qui présentera les bosses à l'aine, qu'on dit communément*
55 *bubons, tel qui souffrira des fièvres et des étourdissements, de maux d'esprit et de toutes sortes de folies et qui verra des taches qui paraissent en la peau qu'on appelle communément trac ou pourpre et sont pour la plupart de couleur bleuâtre, livide et noire, et vont néanmoins s'élargissant. Tel qui voudra se préserver de l'atteinte de l'infection aura soin de faire afficher sur sa*
60 *porte le talisman de croix aux quatre pointes qui écartera très sûrement la contagion de sa maison.*

À l'instant où Joss achevait avec peine cette longue description, Decambrais décrochait son téléphone pour la transmettre sans délai à Adamsberg.

65 — On est en plein dedans, résuma Decambrais. Le type en a terminé des prémices[3]. Il décrit le mal comme s'il était réellement installé dans la ville. Je pense à un texte du début du XVIIe siècle.

— Relisez-moi la fin, s'il vous plaît, demanda Adamsberg. Lentement.

70 — Il y a du monde chez vous ? J'entends du bruit.

— Une soixantaine de journalistes qui s'impatientent. Et chez vous ?

— Un groupe plus dense que d'habitude. Presque une petite foule, des tas de visages nouveaux.

— Notez les anciens. Tâchez de me dresser une liste des habitués, tant
75 que vous vous en souvenez, aussi précise que vous le pourrez.

---

1. De celle-ci.
2. Qui permettent la guérison.
3. Avec les débuts.

— Cela change selon les heures des criées.

— Faites votre possible. Demandez aux permanents de la place de vous aider. Le cafetier, le planchiste, sa sœur, la chanteuse, le Crieur, tous ceux qui savent.

80 — Vous pensez qu'il est ici ?

— Je le crois. C'est de là qu'il est parti, c'est là qu'il reste. Chaque homme a son trou, Decambrais. Relisez-moi cette fin.

— *Tel qui voudra se préserver de l'atteinte de l'infection aura soin de faire afficher sur sa porte le talisman de croix aux quatre pointes qui écartera très*
85 *sûrement la contagion de sa maison.*

— Appel à la population à peindre elle-même des 4 sur les portes. Il va noyer le poisson.

— Justement. J'ai dit XVIIe siècle mais j'ai l'impression que pour la première fois, et pour les besoins de la cause, on a là des fragments
90 inventés. Ils font illusion mais je les crois faux. Quelque chose qui ne va pas dans le style, à la fin.

— Par exemple ?

— Cette « croix aux quatre pointes ». Je n'ai jamais rencontré cette formulation. L'auteur veut expressément désigner un quatre, il veut que
95 nul ne s'y trompe, mais je pense qu'il a forgé ce passage de toutes pièces.

— Si l'extrait a été adressé à la presse en même temps qu'à Le Guern, on risque d'être débordés, Decambrais.

— Un instant, Adamsberg, j'écoute le naufrage.

Il se fit un silence de deux minutes, puis Decambrais revint en ligne.

100 — Alors ? demanda Adamsberg.

— Tous sauvés, dit Decambrais. Vous aviez parié quoi ?

— Tous sauvés.

— C'est au moins ça de gagné pour la journée.

Au moment où Joss sautait à bas de sa caisse pour aller boire le café
105 chez Damas, Adamsberg pénétrait dans la grande salle et grimpait sur la
petite estrade que lui avait préparée Danglard, le légiste à ses côtés, le
projecteur prêt à tourner. Il fit face à la troupe des journalistes et des
micros tendus et dit :

– J'attends vos questions.

110 Une heure trente plus tard, la conférence était terminée et s'était plutôt bien passée, Adamsberg étant parvenu, en répondant doucement et
point par point, à désamorcer les doutes qui planaient sur les trois morts
noires. En milieu de séance, il avait croisé le regard de Danglard et compris à sa mine tendue que quelque chose venait de dérailler. Les rangs de
115 ses officiers s'étaient discrètement clairsemés. Sitôt la réunion achevée,
Danglard ferma la porte du bureau derrière eux.

– Un cadavre avenue de Suffren, annonça-t-il, fourré sous une
camionnette avec ses habits en tas. On ne l'a découvert que lorsque le
conducteur a démarré, à neuf heures quinze du matin.

120 – Merde, dit Adamsberg en se laissant tomber sur sa chaise. Un
homme ? La trentaine ?

– Une femme, moins de la trentaine.

– Le seul fil qui casse. Elle habitait un de ces foutus immeubles ?

– Le numéro 14 de la liste, rue du Temple. Il avait été couvert de 4
125 il y a deux semaines, sauf la porte de l'appartement de la victime, au
deuxième droite.

– Les premières informations ?

– Elle s'appelle Marianne Bardou. Solitaire, des parents en Corrèze,
un amant pour le week-end à Mantes, un autre pour quelques soirées à
130 Paris. Elle était vendeuse dans une épicerie de luxe rue du Bac. Une jolie
femme, très sportive, inscrite dans plusieurs salles de gymnastique.

– Je suppose qu'elle n'y rencontrait pas Laurion ni Viard ni Clerc ?

– Je vous l'aurais dit.

– Elle est sortie hier soir ? Elle a dit quelque chose à l'agent de garde ?

135 – On ne sait pas encore. Voisenet et Estalère sont partis à son domicile. Mordent et Retancourt sont avenue de Suffren, ils vous attendent.

– Je ne sais plus qui est qui, Danglard.

– Ce sont vos adjoints, hommes et femmes.

– La jeune femme ? Étranglée ? Nue ? La peau passée au noir ?

140 – Comme les autres.

– Pas de viol ?

– Il ne semble pas.

– Avenue de Suffren, c'est bien choisi. Un des coins les plus déserts de la ville à la nuit. On a le temps de décharger quarante corps sans se

145 faire de bile. Pourquoi sous un camion, à votre avis ?

– J'ai eu le temps d'y penser. Il a dû la déposer assez tôt dans la nuit mais il n'a pas souhaité qu'on la découvre avant l'aube. Soit pour respecter la tradition des charretiers[1] qui venaient ramasser au petit jour les corps qu'on avait jetés dans les rues, soit pour que la découverte ait lieu

150 après la criée. La criée a-t-elle annoncé cette mort ?

– Non. Elle donnait des prescriptions pour se garantir du fléau. Devinez quoi.

– Des 4 ?

– Des 4. Des 4 à dessiner chez soi tout seuls, comme des grands.

155 – Notre semeur est trop occupé à tuer, c'est cela ? Il n'a plus le temps de peindre ? Il délègue ?

– Ce n'est pas cela, dit Adamsberg en se relevant et en enfilant sa veste. C'est pour nous noyer. Imaginez que seulement un dixième des

---

1. Conducteurs de charrette.

Parisiens obéisse et protège sa porte par un 4, on ne pourra plus démê-
160 ler les authentiques des spontanés. C'est facile à peindre, les journaux
l'ont reproduit en long et en large, il n'y a qu'à recopier soigneusement.

— Un graphologue nous séparera vite fait les vrais des faux.

Adamsberg secoua la tête.

— Non, Danglard, pas vite fait. Pas si on se retrouve à la tête de cinq
165 milliers de 4 exécutés par cinq milliers de mains. Et je suis sans doute
bien en dessous du chiffre. Des tas de gens vont obéir. Combien font
dix-huit pour cent de deux millions ?

— Qui sont ces dix-huit pour cent ?

— Les crédules, les peureux, les superstitieux. Ceux qui craignent les
170 éclipses, les nouveaux millénaires, les prédictions et les fins du monde.
Ceux qui l'avouent dans les sondages, du moins. Combien cela fait,
Danglard ?

— Trois cent soixante mille.

— Eh bien, on peut s'attendre à quelque chose comme ça. Si la peur
175 s'en mêle, ça va être un raz-de-marée. Et si l'on ne distingue plus les
vrais 4, on ne distinguera plus non plus les *vraies* portes vierges. On ne
pourra plus protéger personne. Et le semeur pourra déambuler comme
il lui plaît, sans un flic qui l'attende à chaque palier. Il pourra même
peindre en plein jour, sans s'emmerder avec les codes. Car on ne pourra
180 pas arrêter les milliers de gens pris à dessiner sur leurs portes. Vous comprenez, Danglard, pourquoi il fait cela ? Il manipule l'opinion, parce que
ça l'arrange, parce qu'il en a besoin, pour se débarrasser des flics. Il est
lucide, Danglard, lucide et pragmatique[1].

— Lucide ? Rien ne l'obligeait à peindre ses foutus 4. Rien ne l'obli-
185 geait à isoler ses victimes. C'est un piège qu'il s'est tendu à lui-même.

---

1. Pratique.

– Il voulait qu'on comprenne qu'il s'agissait de la peste.

– Il n'avait qu'à peindre une croix rouge, *après*.

– C'est vrai. Mais il lance une peste sélective, et non pas générale. Il choisit ses victimes, et il tient résolument à protéger de la contagion ceux qui les côtoient. Cela aussi, c'est pragmatique, c'est raisonné.

– Raisonné dans l'univers de sa démence. Il pouvait tuer sans mettre en scène cette foutue peste hors du temps.

– Il ne veut pas tuer lui-même. Il veut que des gens *soient tués*. Il veut être l'agent qui dirige la malédiction. Cela doit faire une énorme différence pour lui. Il ne se sent pas responsable.

– Bon sang, mais une peste ! C'est grotesque. D'où sort-il, ce type ? De quel monde ? De quelle tombe ?

– Quand on comprendra cela, Danglard, on le tiendra, je vous l'ai dit. Quant au grotesque, c'est certain. Mais ne mésestimez[1] pas cette vieille peste. Elle a encore du ressort et elle intéresse déjà beaucoup plus de monde qu'elle ne devrait. Grotesque peut-être, avec ses frusques[2] en lambeaux, mais elle ne fait marrer personne. Grotesque mais redoutable.

Depuis la voiture roulant en direction de l'avenue de Suffren, Adamsberg contacta l'entomologue pour l'envoyer rue du Temple avec un cobaye, dans l'appartement de la nouvelle victime. On avait recueilli des *Nosopsyllus fasciatus* dans les appartements de Jean Viard et de François Clerc, quatorze chez le premier et neuf chez le second, plus quelques-unes dans les paquets de vêtements que le semeur avait jetés près d'eux. Toutes saines. Toutes sorties d'une grosse enveloppe ivoire fendue d'un coup de couteau. Son second appel fut pour l'AFP. Que

---

1. Sous-estimez.
2 . Vêtements (familier).

quiconque recevant une telle enveloppe se mette aussitôt en contact avec les flics. Qu'on montre l'enveloppe au JT de midi.

Adamsberg contempla avec désolation le corps nu de la jeune femme, défiguré par l'étranglement, presque entièrement sali par le charbon et la crasse de la camionnette, ses habits formant un petit amas pathétique à ses côtés. On avait bloqué l'avenue pour éviter les curieux, mais des centaines de gens étaient déjà passés à ses côtés. Il n'y aurait aucun moyen de contenir l'information. Il enfonça tristement ses poings dans ses poches. Il perdait toute clairvoyance[1], il ne parvenait plus à comprendre, à sentir, à saisir ce tueur, tandis que le semeur faisait montre à l'inverse d'une efficacité parfaite, claironnant ses annonces, maîtrisant la presse et abattant ses victimes où il voulait et quand il voulait, en dépit d'un déploiement policier censé le cerner de toutes parts. Quatre morts qu'il n'avait pas pu empêcher alors que sa vigilance s'était éveillée bien avant. Quand, d'ailleurs? À la seconde visite de Maryse, la mère de famille à bout de nerfs. Il repérait nettement l'instant où étaient nées ses premières inquiétudes. Mais il ne savait plus en revanche quand il avait perdu le fil, à quel moment il s'était égaré dans le brouillard, submergé de données, impuissant.

Il regarda la jeune Marianne Bardou jusqu'à ce qu'on charge son corps dans le camion de la morgue, donnant quelques ordres brefs, écoutant distraitement les rapports de ses officiers qui arrivaient en provenance de la rue du Temple. La jeune femme n'était pas sortie hier soir, elle n'était tout simplement pas rentrée après son travail. Il envoya deux lieutenants chez son employeur, sans y croire, et prit le chemin de la Brigade à pied. Il marcha longtemps, bien plus d'une heure, et bifurqua

---

1. Lucidité.

vers Montparnasse. Si seulement il pouvait se rappeler quand il s'était perdu.

Il remonta la rue de la Gaîté et, lentement, rallia le *Viking*. Il commanda un sandwich et s'assit à la table qui donnait sur la place, la table dont personne ne voulait parce qu'il fallait être assez petit pour ne pas se cogner contre la fausse proue de drakkar qui la surmontait, suspendue au mur. Au quart de son sandwich, Bertin se leva et frappa soudainement sur une plaque de cuivre au-dessus du bar, déclenchant un grondement de tonnerre. Surpris, Adamsberg vit décoller en un fracas d'ailes tous les pigeons de la place pendant qu'entraient simultanément une masse de clients, parmi lesquels Le Guern auquel il adressa un signe. Le Crieur vint s'asseoir en face de lui, sans demander.

– Vous broyez du noir, commissaire ? demanda Joss.

– Je broie du néant, Le Guern, ça se voit tant que ça ?

– Ouais. Perdu en mer ?

– Je ne saurais mieux dire.

– Ça m'est arrivé trois fois et on a tourné comme des malheureux dans la brume, évitant une catastrophe pour en frôler une autre. Deux fois, ce sont les appareils qui se sont déréglés tout seuls. Mais la troisième fois, c'est moi qui avait fait une erreur de sextant, au bout d'une nuit blanche. Un coup de fatigue et c'est la bourde, la bévue. Un truc impardonnable.

Adamsberg se redressa, et Joss vit s'allumer dans ses yeux d'algue la même lumière que celle qu'il avait vue briller dans son bureau, la première fois.

– Redites-moi ça, Le Guern. Redites-moi ça exactement.

– Le coup du sextant ?

– Oui.

265   — Ben c'est le coup du sextant. Quand on se goure, la grosse bévue, l'erreur impardonnable.

Adamsberg fixa un point sur la table, concentré, immobile, une main tendue comme pour faire taire le Crieur. Joss n'osait plus parler et il observait le sandwich se plier un peu entre les doigts du commissaire.

270   — Je sais, Le Guern, dit Adamsberg en relevant la tête. Je sais quand j'ai cessé de comprendre, quand j'ai cessé de le voir.

— Qui ?

— Le semeur de peste. J'ai cessé de le voir, j'ai perdu le cap. Mais maintenant je sais *quand* ça s'est produit.

275   — C'est important ?

— Aussi important que si vous pouviez rectifier votre erreur de sextant et revenir au point précis où vous vous étiez égaré.

— Alors oui, confirma Joss, c'est important.

— Il faut que j'y aille, dit Adamsberg en laissant un billet sur la table.

280   — Attention au drakkar, prévint Joss. On se fend le crâne.

— Je suis petit. Il y avait une spéciale, ce matin ?

— On vous aurait prévenu.

— Vous allez chercher votre point ? dit Joss au moment où Adamsberg ouvrait la porte.

285   — Exactement, capitaine.

— Vous savez vraiment où il est ?

Adamsberg montra son front du doigt et sortit.

C'était au moment de la bévue. Quand Marc Vandoosler lui avait parlé de la bévue. C'est à ce moment qu'il avait perdu le sens. Adamsberg

290 essayait en marchant de se remémorer la phrase de Vandoosler. Il laissait remonter les images, toutes récentes, avec le son. Vandoosler debout contre la porte avec sa ceinture brillante et sa main qui s'agitait dans l'air,

mince, ornée de bagues d'argent, trois bagues d'argent. Oui, c'était l'histoire du charbon, ils en étaient là. *Quand votre homme charbonne le corps,*
295 *il se trompe. Il commet même une énorme bévue.*

Adamsberg respira, soulagé. Il s'assit sur le premier banc venu, nota la remarque de Marc Vandoosler sur son carnet et termina son sandwich. Il ne savait pas plus vers où aller mais au moins, il avait retrouvé le point. Le point où son sextant avait déraillé. Et il savait qu'à partir de
300 là, les brumes avaient une chance de se lever. Il ressentit un vif sentiment de gratitude[1] envers le marin Joss Le Guern.

Il regagna tranquillement la Brigade, son regard heurtant les unes des journaux chaque fois qu'il passait devant un kiosque. Ce soir, demain, si le semeur adressait son nouveau message à l'AFP, son pernicieux *Petit*
305 *traicté de peste*, et quand la mort de la quatrième victime serait connue, aucune conférence de presse ne pourrait plus contenir la contagion de la rumeur. Le semeur semait et il gagnait, largement.

Ce soir, demain.

---

1. Reconnaissance.

BIEN LIRE

**Combien de « spéciales » Joss a-t-il « crié » ?
À quelle voix (active ou passive) est conjuguée
« *soient tués* » (p. 209, l. 193) ? Pourquoi cette
forme verbale est-elle en italique ?**

XXIII

— C'est toi ?

— C'est moi, Mané. Ouvre, dit l'homme avec impatience.

À peine entré, il se jeta dans les bras de la vieille femme et la serra contre lui en tournant doucement d'un côté et de l'autre.

5 — Ça marche, Mané, ça marche ! dit-il.

— Comme des mouches, ils tombent comme des mouches.

— Ils se tordent et ils tombent, Mané. Tu te souviens qu'autrefois, les infects[1], rendus comme fous, arrachaient leurs habits et couraient à la rivière pour s'y noyer ? Ou contre un mur pour s'y fracasser ?

10 — Viens, Arnaud, dit la vieille femme en le tirant par la main. On ne va pas rester dans le noir.

Mané se guida au rayon de sa lampe électrique jusqu'au salon.

— Installe-toi, je t'ai fait des galettes. Tu sais qu'on ne trouve pas de peau de lait, je suis obligée de mettre de la crème, je suis obligée, 15 Arnaud. Sers-toi de vin.

— Autrefois, les infects, on s'en débarrassait par les fenêtres tellement il y en avait, et on les retrouvait dans la rue, jetés comme des vieux matelas. C'est triste, hein, Mané ? Des parents, des frères, des sœurs.

— Ce ne sont pas tes frères et tes sœurs. Ce sont des bêtes féroces qui 20 ne méritent pas de marcher sur terre.

Après, après seulement, tu récupéreras tes forces. C'est ça ou c'est toi. Et maintenant c'est toi.

Arnaud sourit.

— Tu sais qu'ils tournoient et qu'ils s'affaissent en quelques jours ?

---

1. Personnes atteintes d'une infection.

25   – Le fléau de Dieu les foudroie dans leur course. Ils peuvent toujours courir. Je crois qu'ils savent, maintenant.

– Bien sûr qu'ils savent, et ils tremblent, Mané. C'est leur tour, dit Arnaud en vidant son verre.

– Trêve de conneries, tu viens pour le matériel ?

30   – Il m'en faut beaucoup. C'est le moment du voyage, Mané, tu sais, je m'étends.

– Le matériel, c'était pas de la merde, hein ?

Au grenier, la vieille femme se dirigea entre les cages, au milieu des couinements et des grattements.

35   – Allons, allons, marmonna-t-elle, ce n'est pas bientôt fini de crier comme ça ? Elle ne vous nourrit pas bien, Mané ?

Elle souleva un petit sac bien fermé qu'elle tendit à Arnaud.

– Tiens, dit-elle, tu vas m'en dire des nouvelles.

En descendant l'échelle devant Mané, et en veillant à parer la vieille
40   femme, Arnaud balançait au bout de son bras le poids du rat mort, ému. C'était une sacrée spécialiste, Mané, la meilleure. Sans elle, il ne s'en serait pas tiré. Il était le maître sans doute, songea-t-il en faisant tourner son anneau, et il le prouvait, mais sans elle, il aurait encore perdu dix ans de sa vie. Or sa vie, il en avait besoin maintenant et tout de suite.

45   Arnaud quitta la vieille maison dans la nuit, les poches lestées[1] de cinq enveloppes où s'agitaient des *Nosopsyllus fasciatus* chargées comme des torpilles dans leur proventricule. Il se parlait à voix basse en remontant l'allée pavée dans l'obscurité. Proventricule[2]. Stylet[3] médian de

---

1. Chargées.
2. Estomac glandulaire.
3. Organe fin et pointu.

l'appareil buccal[1]. Proboscis[2], trompe, injection. Arnaud aimait les
50 puces et il n'avait personne, à part Mané, avec qui commenter à loisir
tout l'immense intérieur de leur anatomie, grand comme le ciel. Mais
pas les puces de chat, pas question. Des incompétentes qu'il méprisait
absolument, et Mané aussi.

---

1. De la bouche.
2. Trompe (latin).

BIEN LIRE

**Dans quel lieu se situe ce chapitre ?
Pourquoi est-il utile dans le déroulement de
l'intrigue policière ?**

XXIV

Ce samedi, tous les agents de la Brigade qui pouvaient passer en heures supplémentaires avaient été priés de bosser et, hormis trois hommes devant faire face à des impératifs familiaux, l'équipe d'Adamsberg était au complet, grossie des douze officiers de renfort. Adamsberg était arrivé dès sept heures et avait pris connaissance sans illusion des derniers résultats du laboratoire, avant d'attaquer la pile de journaux qu'on avait déposée sur sa table. Dans la mesure du possible, il essayait de remplacer le mot « bureau » par le mot « table » qui, sans l'enchanter, lui pesait moins sur le dos. Dans « bureau », il n'entendait que des barreaux, des carreaux, des garrots[1]. Dans « table », il entendait chuchoter du sable, des galbes[2], des fables. Table flottait, bureau retombait.

Sur cette table, il empila les dernières avancées techniques qui n'ouvraient sur rien. Marianne Bardou n'avait pas été violée, son employeur assurait qu'elle s'était changée dans l'arrière-boutique pour sortir mais qu'elle n'avait pas précisé où, l'employeur avait un bon alibi, les deux amants de Marianne de même. Elle était morte étranglée vers dix heures du soir et on l'avait aspergée de gaz lacrymogène, comme Viard et Clerc. Recherche du bacille négative. Sur le corps, aucune piqûre de puce, de même que sur le corps de François Clerc. Mais on avait prélevé chez elle neuf *Nosopsyllus fasciatus*, recherche du bacille négative. Charbon de bois employé : pommier. Aucune trace d'onguent, de graisse ou d'autre substance sur aucune des portes.

Il était sept heures et demie et les quarante-trois téléphones de la

1. Liens, entraves.
2. Courbures.

25 Brigade commençaient à sonner de toutes parts. Adamsberg avait fait basculer sa ligne, ne conservant que son portable. Il tira à lui la pile de journaux et la une du premier ne lui dit rien de bon. Il avait prévenu le divisionnaire Brézillon, la veille au soir, après que l'annonce de la nou-velle « mort noire » fut passée aux infos de vingt heures. Si le semeur
30 s'avisait d'adresser ses bons conseils « préservatifs et curatifs » à la presse, on ne serait plus en mesure de protéger les victimes potentielles.

– Et les enveloppes ? avait répondu Brézillon. On a focalisé sur ce point.

– Il peut changer d'enveloppe. Sans parler des farceurs ou des revan-
35 chards qui vont aller en glisser sous une foule de portes.

– Et les puces ? avait suggéré le divisionnaire. Toute personne piquée se mettant sous la protection de la police ?

– Elles ne piquent pas à tout coup, avait répondu Adamsberg. Clerc et Bardou n'ont pas été mordus. On risque aussi de voir débarquer des
40 milliers de gens affolés, simplement attaqués par des puces d'homme, de chat ou de chien, et de passer à côté des cibles véritables.

– Et de déclencher une panique générale, avait ajouté Brézillon, morose.

– La presse s'y emploie, avait dit Adamsberg. On n'y coupera pas.
45 – Coupez-y, avait tranché Brézillon.

Adamsberg avait raccroché, conscient que sa récente nomination à la Criminelle était en équilibre instable, entre les mains expertes du semeur de peste. Perdre sa place, aller ailleurs, il s'en foutait à peu près. Mais perdre le fil, à présent qu'il avait retrouvé le point d'emmêlement,
50 le préoccupait au plus haut point.

Il étala les journaux et dut fermer sa porte pour s'isoler des stridences[1]

---

1. Sifflements.

entrecroisées des téléphones qui se déclenchaient les unes après les autres dans la grande salle, mobilisant tous les agents de la Brigade.

Le *Petit traicté* du semeur s'étalait sur les unes, accompagné des photos de la dernière victime, d'encadrés sur la peste noire, soulignés de titres propres à aviver les peurs : *Peste noire ou serial killer ? Le retour du fléau de Dieu ? Meurtres ou contagion ? Un quatrième décès suspect à Paris.* Et à l'avenant.

Moins prudents que la veille, quelques articles commençaient à ébranler ce qu'on nommait déjà « la thèse officielle de la strangulation ». On citait dans presque toutes les éditions les éléments de preuves qu'il avait apportés la veille lors de la conférence de presse, pour aussitôt les mettre en doute et les déborder. Cette couleur noire des cadavres faisait décidément dérailler les plumes les plus maîtrisées et se réveiller les alarmes anciennes, comme autant de Belles au bois dormant après un sommeil de presque trois siècles. Ce noir qui n'était, pourtant, qu'une *énorme bévue*. Énorme bévue qui pouvait précipiter la ville dans des gouffres de folie.

Adamsberg trouva des ciseaux et commença à découper un article qui l'inquiétait plus encore que tous les autres. Un agent, Justin probablement, frappa et ouvrit la porte.

– Commissaire, dit-il, comme essoufflé, on dénombre des quantités de 4 dans le périmètre de la place Edgar-Quinet. Ça court de Montparnasse jusqu'à l'avenue du Maine et ça gagne le long du boulevard Raspail. Il semble qu'on compte déjà jusqu'à deux à trois cents immeubles atteints, environ un millier de portes. Favre et Estalère sont en reconnaissance. Estalère ne veut pas faire équipe avec Favre, il dit qu'il lui gonfle les couilles, qu'est-ce qu'on fait ?

– Permutez, faites équipe avec Favre.

– Il me gonfle les couilles.

— Brigadier… commença Adamsberg.

— Lieutenant Voisenet, rectifia l'officier.

— Voisenet, on n'a plus le temps de s'occuper des couilles de Favre, ni de celles d'Estalère ni des vôtres.

85 — J'en suis conscient, commissaire. On verra ça plus tard.

— Exactement.

— On poursuit les patrouilles ?

— C'est comme vider la mer à la cuiller. La vague arrive. Regardez, dit-il en lui tendant les journaux. Les conseils du semeur sont publiés à 90 toutes les unes : faites vos 4 vous-mêmes pour éviter l'infection.

— J'ai vu, commissaire. C'est une catastrophe. On ne va pas pouvoir s'en sortir. À part les vingt-neuf du début, on ne va plus savoir qui protéger.

— Il n'en reste plus que vingt-cinq, Voisenet. On a des appels pour 95 les enveloppes ?

— Plus d'une centaine, rien qu'ici. On n'arrive pas à suivre.

Adamsberg soupira.

— Dites aux gens de les apporter à la Brigade. Et faites vérifier ces foutues enveloppes. Il y en aura peut-être une d'authentique dans le tas.

100 — On continue les patrouilles ?

— Oui. Tâchez d'estimer l'ampleur du phénomène. Procédez par échantillonnage.

— Au moins, pas de meurtre cette nuit, commissaire. Les vingt-cinq étaient tous bon pied bon œil au matin.

105 — Je sais, Voisenet.

Adamsberg termina de découper à la va-vite cet article qui, dans la mêlée, se distinguait par son contenu posé et nourri. C'était le dernier élément qui manquait pour mettre le feu aux poudres, le jet d'essence

balancé dans le foyer naissant. Il titrait énigmatiquement : *La maladie*
110 *n° 9.*

> *La maladie n° 9*
> *La Préfecture de police, par la voix du divisionnaire Pierre Brézillon,*
> *nous a assuré que les quatre mystérieux décès survenus cette semaine à Paris*
> *étaient l'œuvre d'un tueur en série. Les victimes auraient trouvé la mort par*
> 115 *strangulation et le commissaire principal Jean-Baptiste Adamsberg, chargé*
> *de l'enquête, a communiqué à la presse les photos les plus convaincantes de*
> *ces marques d'étranglement. Mais nul n'ignore plus aujourd'hui que ces*
> *décès sont parallèlement attribués, par un informateur anonyme, à une épi-*
> *démie naissante de peste noire, ce terrible fléau qui ravagea autrefois le*
> 120 *monde.*
> *Face à cette alternative, permettons-nous de jeter le doute sur l'impec-*
> *cable démonstration de nos services de police en revenant quatre-vingts ans*
> *en arrière. Paris a effacé de sa mémoire l'histoire de sa dernière peste.*
> *Pourtant, l'ultime épidémie qui frappa la capitale ne remonte qu'à 1920.*
> 125 *Partie de Chine en 1894, la troisième pandémie[1] pesteuse dévasta les Indes*
> *en y causant la mort de douze millions d'hommes et atteignit l'Europe occi-*
> *dentale dans tous ses ports, à Lisbonne, à Londres, à Porto, à Hambourg, à*
> *Barcelone… et à Paris, par une péniche venue du Havre et vidant ses cales*
> *sur les berges de Levallois. Comme partout en Europe, la maladie fit heu-*
> 130 *reusement long feu et déclina en quelques années. Elle toucha néanmoins*
> *quatre-vingt-seize personnes, principalement dans les banlieues nord et est*
> *de la ville, parmi les populations misérables des chiffonniers logeant dans des*

---

1. Épidémie qui s'étend sur un ou plusieurs continents.

baraquements insalubres[1]. *La contagion se glissa même intra muros*[2] *et fit une vingtaine de victimes au cœur de la ville.*

135   *Or, durant le temps que dura cette épidémie, le gouvernement français la garda secrète. On vaccina les populations exposées sans que la presse fût informée du véritable objet de ces mesures exceptionnelles. Le Service des épidémies de la Préfecture de police, dans une série de notes internes, insista sur la nécessité de cacher le mal à la population, mal qu'elle nomma pudi-*
140   *quement « la maladie n° 9 ». Ainsi lit-on sous la plume du Secrétaire géné-ral, en 1920 :* « Un certain nombre de cas de maladie n° 9 ont été signalés à Saint-Ouen, à Clichy, à Levallois-Perret et dans le 19ᵉ et le 20ᵉ arrondissement. (…) J'attire votre attention sur le caractère strictement confidentiel de cette note et sur la nécessité de ne pas semer l'alarme
145 dans la population. » *C'est une fuite qui permit au journal* L'Humanité *de révéler la vérité dans son édition du 3 décembre 1920* : « Le Sénat a consacré sa séance d'hier à la maladie n° 9. Qu'est-ce que la maladie n° 9 ? À trois heures et demie, nous savions, par M. Gaudin de Villaine, qu'il s'agit de la peste… »

150   *Sans vouloir accuser les représentants de la police de falsifier les faits, aujourd'hui comme hier, pour nous masquer la réalité, cette petite note d'histoire rappelle utilement aux citoyens que l'État a ses vérités que la vérité ne connaît pas et qu'en tous les temps, il a su manier l'art de la dissimulation.*

   Pensif, Adamsberg, laissa retomber son bras, l'article ravageur entre
155 les doigts. La peste en 1920, à Paris. C'était la première fois qu'il entendait parler de ce truc. Il composa le numéro de Vandoosler.

---

1. Nuisibles à la santé, malsains.
2. À l'intérieur de la ville (latin).

— Je viens de lire les journaux, dit Marc Vandoosler sans lui laisser le temps de parler. On va à la catastrophe.

— On y va, confirma Adamsberg. Cette peste de 1920, c'est vrai ou c'est une foutaise ?

— Absolument vrai. Quatre-vingt-seize cas dont trente-quatre mortels. Des chiffonniers de la bordure et quelques gens de la ville. Ça a été particulièrement violent à Clichy, des familles entières. Les enfants ramassaient les rats crevés dans les décharges.

— Pourquoi ça ne s'est pas étendu ?

— Vaccination et prophylaxie[1]. Mais les rats semblaient surtout immunisés[2]. Ce fut l'agonie de la dernière peste d'Europe. Elle traînait encore à Ajaccio en 1945.

— Le silence de la police, c'est vrai ? La « maladie n° 9 », c'est vrai ?

— Vrai, commissaire, je suis désolé. Impossible pour vous de démentir.

Adamsberg raccrocha et déambula dans la pièce. Cette épidémie de 1920 cliquetait dans sa tête, comme un discret mécanisme libère une porte dérobée. Non seulement il avait retrouvé son point, mais il lui semblait pouvoir se hasarder au-delà de cette porte entrouverte, vers un escalier sombre un peu moisi, l'escalier de l'Histoire en somme. Le portable résonna dans sa veste et il écouta un Brézillon émergeant hors de lui de la lecture des journaux du matin.

— Qu'est-ce que c'est que ce souk sur les cachotteries de la police ? cria le divisionnaire. Qu'est-ce que c'est que ce souk sur une peste en 1920 ? La grippe espagnole, oui ! Vous allez me démentir ça au trot.

---

1. Précautions, préservations.
2. Protégés de la maladie.

— Impossible, monsieur le divisionnaire. C'est vrai.

— Vous vous foutez de moi, Adamsberg? Ou vous voulez retrouver votre alpage de montagne?

185 — Ce n'est pas la question, monsieur le divisionnaire. C'était une peste, c'était en 1920, il y eut quatre-vingt-seize cas dont trente-quatre mortels, et la police comme le gouvernement ont tâché de dissimuler le fait à la population.

— Mettez-vous à leur place, Adamsberg!

190 — J'y suis, monsieur le divisionnaire.

Il y eut un silence et Brézillon raccrocha violemment.

Justin, ou Voisenet, l'un ou l'autre, poussa la porte du bureau. Voisenet.

— Ça grimpe, commissaire. Des appels de partout. Toute la ville est 195 au courant, les gens ont la trouille, les portes se couvrent de 4. On ne sait plus où donner de la tête.

— N'essayez plus de donner de la tête. Laissez porter.

— Ah bien, commissaire.

Le portable résonna une nouvelle fois et Adamsberg reprit sa position 200 contre le mur. Le ministre? Le juge? Plus la tension des autres grimpait, plus sa nonchalance l'envahissait. Depuis qu'il avait retrouvé le point, tout se détendait.

C'était Decambrais. Il fut le premier à ne pas lui dire ce matin qu'il avait lu les journaux et qu'on allait à la catastrophe. Décambrais était 205 toujours axé sur ses « spéciales » qu'il recevait en avant-première, avant qu'elles ne parviennent à l'AFP. Le semeur laissait décidément un léger temps d'avance au Crieur, comme s'il tenait à lui conserver le privilège dont il avait bénéficié au départ, ou bien à le remercier de lui avoir servi de tremplin sans renâcler.

210   – La spéciale du matin, dit Decambrais. Elle mérite réflexion. C'est long, prenez de quoi noter.

   – J'y suis.

   – « *Il y avait en effet soixante-dix ans*, commença Decambrais, *qu'ils n'avaient essayé les rigueurs de ce terrible fléau, et qu'ils faisoient leur com-*
215   *merce avec une entière liberté, lorsque*, points de suspension, *on vit arriver*, points de suspension, *un vaisseau chargé de coton et autres marchandises*. Points de suspension. » Je vous signale ces points, commissaire, parce qu'ils figurent dans le texte.

   – Je sais. Continuez, lentement.

220   – « *Mais la liberté qu'on avait donnée aux passagers d'entrer dans la Ville avec leurs bagages, et la fréquentation qu'ils eurent avec les habitants, produisirent bientôt de funestes effets : car dès le* points de suspension, *les sieurs*, points de suspension, *Médecins, vinrent à l'Hôtel de Ville avertir les Échevins*[1], *qu'ayant été appellés le matin* points de suspension *pour*
225   *visiter un jeune homme malade nommé Eissalene, marinier, il leur avoit paru atteint de la Contagion.* »

   – C'est la fin ?

   – Non, il y a un épilogue[2] intéressant sur l'état d'esprit des gouvernants de la ville, propre à plaire à vos supérieurs.

230   – J'écoute.

   – « *Un tel avertissement fit frémir les Échevins ; et comme s'ils eussent déjà prévu les malheurs et les dangers qu'ils alloient essuyer, ils tombèrent tout à coup dans un abattement qui fit aisément connoître l'extrême douleur dont ils furent saisis. Et en effet, on ne doit pas être surpris si la crainte*
235   *et les approches de la Peste jettèrent tant de frayeur dans leurs esprits,*

---

1. Magistrats
2. Conclusion.

puisque les Livres sacrés nous apprennent, que des trois fléaux dont Dieu menaça autrefois son Peuple, celui de la Peste est le plus sévère, et le plus rigoureux... »

— Je ne sais pas si mon divisionnaire est dans un extrême abattement, commenta Adamsberg. Il aurait plutôt tendance à abattre les autres.

— Je me figure. J'ai connu ça, autrement. Il faut que quelqu'un tombe. Vous craignez pour votre place ?

— J'aviserai. Qu'est-ce qu'elle vous raconte, cette criée du jour ?

— Qu'elle est longue. Elle est longue parce qu'elle a deux objectifs : légitimer la peur de la population en justifiant celle des gouvernants eux-mêmes, et annoncer d'autres morts à venir. Annoncer avec précision. J'ai une vague idée de la question, Adamsberg, mais je ne suis pas sûr de moi, il faut que je vérifie. Je ne suis pas spécialiste.

— Du monde autour de Le Guern ?

— Plus encore qu'hier soir. L'espace devient rare à l'heure de la criée.

— Le Guern devrait faire payer la place. Au moins, ça profiterait à quelqu'un.

— Attention, commissaire. Je vous mets en garde contre ce genre de plaisanteries, si vous vous trouvez face au Breton. Parce que chez les Le Guern, on est peut-être des brutes mais on n'est pas des brigands.

— C'est certain ?

— En tous les cas, c'est ce que prétend son arrière-arrière-grand-père défunt. Il vient lui rendre visite de temps à autre. Pas famille famille, mais tout de même assez régulier.

— Decambrais, vous avez peint un 4 sur votre porte, ce matin ?

— Vous essayez de me froisser ? S'il doit en rester un qui se tiendra debout contre les vagues mortelles de la superstition, ce sera moi, Ducouëdic, parole de Breton. Moi, et Le Guern. Et Lizbeth. Si vous voulez vous joindre à nous, vous serez le bienvenu dans notre quarteron.

265   – J'y songerai.

– Qui dit superstition dit crédulité, continua Decambrais, lancé.
Qui dit crédulité dit manipulation et qui dit manipulation dit calamité.
C'est la plaie de l'humanité, elle a fait plus de morts que toutes les pestes
entassées. Tâchez d'attraper ce semeur avant qu'ils ne vous virent, com-
270 missaire. Je ne sais pas s'il est conscient de ses actes mais il commet un
tort considérable en nivelant le peuple de Paris au plus bas de lui-même.

Adamsberg raccrocha, souriant et songeur. « Conscient de ses actes. »
Decambrais mettait le doigt sur le fil qui le tracassait depuis la veille et
qu'il commençait à longer tout doucement. Le texte de la « spéciale »
275 sous les yeux, il rappela Vandoosler pendant que Justin/Voisenet ouvrait
sa porte et, par un geste muet des doigts, lui signalait qu'on venait d'atteindre le chiffre de sept cents immeubles touchés par les 4. Adamsberg
acquiesça d'un mouvement de cils et estima qu'à ce rythme, on attein-
drait les milliers avant le soir.

280   – Vandoosler ? Adamsberg encore. Je vous lis la spéciale de ce matin,
vous avez le temps ? Ça prend un petit moment.

– Allez-y.

Marc écouta attentivement la voix d'Adamsberg décrire en douceur
le désastre imminent qui s'abattait sur la ville, en la personne du jeune
285 Eissalene.

– Alors ? dit Adamsberg en achevant sa lecture, comme s'il consultait un dictionnaire. Il lui semblait impossible que le wagon-citerne de
Marc Vandoosler ne lui livre pas l'énigme de ce nouveau message.

– Marseille, dit Marc d'un ton ferme. La peste arrive à Marseille.

290 Adamsberg s'était attendu à une diversion du semeur, puisque son
texte décrivait une éclosion nouvelle, mais pas à une sortie de Paris.

– Vous êtes sûr de vous, Vandoosler ?

– Formel. C'est l'arrivée du *Grand Saint-Antoine*, le 25 mai 1720,

aux îles du château d'If, vaisseau venant de Syrie et de Chypre, chargé
295 de ballots de soie infectés et portant à son bord un équipage déjà
décimé[1] par la maladie. Les noms manquants des médecins sont
Peissonel père et fils, qui sonnèrent l'alarme. Le texte est célèbre et l'épidémie aussi, un désastre qui enleva près de la moitié de la ville.

— Ce garçon, cet Eissalene que les médecins vont voir, vous savez où
300 ils l'ont visité ?

— Place Linche, aujourd'hui place de Lenche, derrière le quai nord
du Vieux-Port. Le foyer d'origine de l'épidémie ravagea la rue de
l'Escale. La rue n'existe plus aujourd'hui.

— Pas d'erreur possible ?

305 — Aucune. C'est Marseille. Je peux vous envoyer une copie du texte
original, si vous désirez une confirmation.

— Ça ne sera pas la peine, Vandoosler. Je vous remercie.

Adamsberg quitta son bureau, ébranlé. Il rejoignit Danglard qui,
comme la trentaine d'autres agents, tâchait de maîtriser les appels télé-
310 phoniques et de mesurer le mouvement ascendant de la tornade supersti-
tieuse. La grande salle sentait la bière et surtout la sueur.

— Bientôt, lui dit Danglard en reposant son combiné et en notant un
chiffre, il n'y aura plus un seul pot de peinture dans toute la ville.

Il releva la tête vers Adamsberg, le front humide.

315 — Marseille, dit Adamsberg en lui posant le texte de la spéciale sous
les yeux. Le semeur décolle. On va voyager, Danglard.

— Bon Dieu, dit Danglard en parcourant le texte rapidement.
L'arrivée du *Grand Saint-Antoine*.

— Vous connaissiez ce passage ?

---

1. Exterminé.

320   — Je le reconnais, maintenant que vous me le dites. Je ne sais pas si
je l'aurais décrypté tout de suite.

— Il est plus connu que les autres ?

— Certainement. Ce fut la dernière des épidémies en France, mais
elle fut atroce.

325   — Pas la dernière, dit Adamsberg en lui tendant l'article sur la « maladie n° 9 ». Lisez cela et vous comprendrez pourquoi on ne trouvera plus
d'ici ce soir un seul Parisien pour croire en la parole d'un flic.

Danglard lut, et hocha la tête.

— C'est une catastrophe, dit-il.

330   — N'employez plus ce mot, Danglard, je vous en supplie. Mettez-
moi en ligne avec le collègue de Marseille, secteur du Vieux-Port.

— Secteur du Vieux-Port, c'est Masséna, murmura Danglard qui
connaissait les divisionnaires et les principaux de tout le pays aussi bien
que les chefs-lieux d'arrondissements. Un type valable, pas une brute
335   comme son prédécesseur qui a fini par être rétrogradé pour coups et
blessures avec intention de faire pisser le sang aux Arabes. Masséna le
remplace, et il est correct.

— J'aime autant, dit Adamsberg, parce qu'on va devoir faire la jonction.

340   Adamsberg s'installa à six heures cinq sur la place Edgar-Quinet pour
entendre la criée du soir, qui n'apporta rien de neuf. Depuis que le
semeur était contraint d'utiliser la poste pour jeter ses messages dans
l'urne, sa liberté d'horaires s'en trouvait limitée. Adamsberg le savait et
n'était venu là que pour examiner les visages de ceux qui se groupaient
345   autour de Le Guern. La foule était bien plus dense que les jours précédents et beaucoup tendaient le cou pour voir à quoi ressemblait ce
« Crieur » par lequel l'annonce de la contagion était advenue. Les deux

agents qui surveillaient la place en permanence avaient pour mission supplémentaire de veiller à la sécurité de Joss Le Guern, au cas où un
350 mouvement hostile se déclencherait au cours de la criée.

Adamsberg s'était posté contre un arbre, assez près de l'estrade, et Decambrais lui commentait les visages familiers. Il avait déjà consigné sur une liste une quarantaine de personnes qu'il avait séparées en trois colonnes, les assidus[1], les fidèles et les inconstants, avec les descriptions
355 physiques *y afférentes*, comme disait Le Guern. Il avait souligné en rouge les noms de ceux qui profitaient de la Page d'Histoire de France pour lancer des paris sur les issues des naufrages finistériens[2], en bleu les rapides qui partaient au travail sitôt la criée achevée, en jaune les traînards qui restaient à discuter sur la place ou au *Viking*, en violet les fami-
360 liers inféodés[3] aux heures de marché. C'était du travail propre et clair. Papier en main, Decambrais désignait discrètement du doigt au commissaire les visages correspondants à mémoriser.

– Carmella, *trois-mâts autrichien de 405 tonneaux parti sur lest de Bordeaux à destination de Cardiff, vient se perdre sur Gazck-ar-Vilers.*
365 *Équipage, quatorze hommes, sauvé*, termina Joss en sautant à bas de son estrade.

– Regardez vite, dit Decambrais. Tous ceux qui ont l'air interdit, tous ceux qui froncent les sourcils, tous ceux qui n'y comprennent rien, ce sont des nouveaux.
370 – Des bleus, quoi, dit Adamsberg.

– Exactement. Tous ceux qui discutent, qui font des mouvements de tête, des gestes, ce sont des habitués.

Decambrais laissa Adamsberg pour aller aider Lizbeth à éplucher ces

---

1. Les habitués.
2. du Finistère (département breton).
3. Soumis.

haricots verts qu'ils avaient acquis à bas prix par cageots entiers et
375 Adamsberg entra au *Viking*, se glissant sous la proue du drakkar pour
occuper la table qu'il considérait déjà comme sienne. Les parieurs du
naufrage s'étaient rassemblés au bar et l'argent passait de main en main
avec bruit. C'est Bertin qui tenait la liste des paris afin qu'il n'y ait
aucune triche. En raison de ses origines divines, on estimait que Bertin
380 était un homme sûr, inaccessible aux pots-de-vin.

Adamsberg commanda un café et s'attarda sur le profil de Marie-
Belle qui écrivait une lettre à la table voisine, avec beaucoup d'applica-
tion. C'était une fille délicate qui aurait presque été ravissante si ses
lèvres avaient été plus nettes. Comme son frère, elle avait des cheveux
385 épais et bouclés qui lui tombaient sur les épaules, mais propres et
blonds. Elle lui sourit et se remit à l'ouvrage. À ses côtés, la jeune femme
qui s'appelait Éva s'efforçait de l'aider dans sa tâche. Elle était moins
jolie parce que moins libre sans doute, le visage lisse et grave, cerné de
violet sous les yeux, telle qu'Adamsberg se figurait quelque héroïne du
390 XIXe siècle cloîtrée dans sa maison de province à lambris de bois.

– C'est bien comme ça ? Tu crois qu'il va comprendre ? demandait
Marie-Belle.

– C'est bien, dit Éva, mais c'est un peu court.

– Je lui dis le temps qu'il fait ?

395 – Par exemple.

Marie-Belle se remit à l'ouvrage, tenant son stylo bien serré entre ses
doigts.

– « Attraper », dit Éva, ne prend qu'un « p ».

– Tu es sûre ?

400 – Je crois. Laisse-moi essayer.

Éva fit plusieurs essais sur un brouillon puis fronça les sourcils, indé-
cise.

– Je ne sais plus maintenant, je confonds.

Marie-Belle tourna la tête vers Adamsberg.

405   – Commissaire, demanda-t-elle un peu timidement, ça prend un ou deux « p », « attraper » ?

C'était la première fois de sa vie qu'on consultait Adamsberg sur un point d'orthographe et il était incapable de fournir la réponse.

– Dans la phrase « Mais Damas n'a pas attrapé froid » ? précisa 410 Marie-Belle.

– La phrase ne change rien, dit Éva à voix basse, toujours penchée sur son brouillon.

Adamsberg expliqua qu'il ne connaissait rien à l'orthographe et Marie-Belle parut affectée par cette nouvelle.

415   – Mais vous êtes policier, objecta-t-elle.

– C'est comme ça, Marie-Belle.

– Je file, dit Éva en effleurant le bras de Marie-Belle. J'ai promis à Damas de l'aider à faire la caisse.

– Merci, dit Marie-Belle, c'est gentil de me remplacer. Parce que 420 avec toute cette lettre à faire, je ne vais pas pouvoir me libérer.

– Au contraire, dit Éva, ça me distrait.

Elle disparut sans un bruit et Marie-Belle se tourna aussitôt vers Adamsberg.

– Commissaire, je dois lui parler de cette… de ce… fléau ? Ou est-425 ce qu'il faut se taire le plus possible ?

Adamsberg secoua la tête lentement.

– Il n'y a pas de fléau.

– Mais les 4 ? Les corps noirs ?

Adamsberg répéta son mouvement.

430   – Un tueur, Marie-Belle, c'est déjà amplement suffisant. Mais pas de peste, pas l'ombre d'une.

– Je dois vous croire ?

– Aveuglément.

Marie-Belle sourit à nouveau et cette fois se détendit tout à fait.

435   – J'ai peur qu'Éva soit amoureuse de Damas, dit-elle en plissant le front, comme si Adamsberg, parce qu'il avait résolu son problème de peste, allait débrouiller à la suite toutes les autres complications de sa vie. Le conseiller dit que c'est bien, que c'est la vie qui revient, qu'il faut la laisser faire. Mais moi, pour une fois, je ne suis pas d'accord avec le

440 conseiller.

– Parce que ? demanda Adamsberg.

– Parce que Damas est amoureux de la grosse Lizbeth, voilà pourquoi.

– Vous n'aimez pas Lizbeth ?

445 Marie-Belle eut une moue, puis elle se reprit.

– Elle est brave, dit-elle, mais elle fait beaucoup de bruit. Elle me fait un peu peur aussi. De toute façon, Lizbeth ici, c'est intouchable. Le conseiller dit que c'est comme un arbre qui donne l'abri à des centaines d'oiseaux. Je veux bien, mais c'est un arbre qui casse sacrément les

450 oreilles. Et puis Lizbeth, elle fait un peu sa loi partout. Tous les hommes se traînent devant elle. Automatiquement, avec son expérience.

– Vous êtes jalouse ? demanda Adamsberg en souriant.

– Le conseiller affirme que oui mais moi, je ne m'en rends pas compte. Ce qui m'embête, c'est que Damas est fourré là-bas tous les

455 soirs. Faut reconnaître qu'automatiquement, quand on écoute Lizbeth chanter, on tombe sous le charme. Damas est vraiment pris et il ne voit pas Éva, parce qu'elle ne fait pas de bruit. Bien sûr Éva est plus ennuyeuse mais automatiquement, avec ce qu'elle a vécu comme expérience.

460 Marie-Belle jeta un œil inquisiteur[1] à Adamsberg pour tester ce qu'il savait ou non d'Éva. Rien, visiblement.

– Son mari l'a battue pendant des années, expliqua-t-elle, incapable de résister à la tentation. Elle s'est enfuie mais il la cherche pour la tuer, vous vous imaginez ? Comment ça se fait que la police ne tue pas son 465 mari d'abord ? Personne ne doit savoir le nom d'Éva, c'est un ordre du conseiller et gare à celui qui veut fouiner là-dedans. Lui, il connaît son nom, mais il a le droit puisque c'est le conseiller.

Adamsberg se laissait porter par la conversation, tout en jetant un regard de temps à autre aux activités qui languissaient sur la place. Le 470 Guern rattachait son urne au platane pour la nuit. Le fracas des téléphones qui avait semblé le poursuivre jusque hors de la Brigade s'estompait peu à peu. Plus la conversation était indigente et plus ça le détendait. Il en avait sa claque, des réflexions intenses.

– D'accord, dit Marie-Belle en se tournant franchement vers lui, 475 c'est bien pour Éva, parce qu'elle ne pouvait plus voir les hommes en peinture après ça. Ça la réveille. Avec Damas, elle apprend qu'il existe des hommes meilleurs que le fumier qui lui cognait dessus. Et c'est bien parce qu'une vie de femme sans homme, je dis qu'automatiquement, ça ne rime à rien. Lizbeth n'y croit pas, elle dit que l'amour, c'est de la 480 blague pour faire tourner le manège. Elle dit même que c'est de la foutaise, alors voyez.

– Elle était prostituée ? demanda Adamsberg.

– Mais non, dit Marie-Belle, choquée, pourquoi vous dites des trucs pareils ?

485 Adamsberg regretta sa question. La candeur de Marie-Belle dépassait ses prévisions et c'était d'autant plus délassant.

---

1. D'une curiosité indiscrète.

– C'est votre métier, constata Marie-Belle d'un air peiné. Ça vous déforme tout.

– J'en ai peur.

490   – Et vous, vous y croyez, à l'amour ? Je me permets de demander des avis de droite et de gauche parce que ici, l'opinion de Lizbeth, c'est intouchable.

Comme Adamsberg gardait le silence, Marie-Belle hocha la tête.

– Automatiquement, conclut-elle, avec tout ce que vous voyez. Mais
495   le conseiller est pour l'amour, foutaise ou pas foutaise. Il dit qu'il vaut mieux une bonne foutaise que de s'emmerder sur sa chaise. C'est vrai pour Éva. Elle est plus allante[1] depuis qu'elle fait la caisse le soir avec Damas. Seulement, Damas aime Lizbeth.

– Oui, dit Adamsberg, voyant sans déplaisir qu'on tournait en rond.
500   Plus on tournerait, moins il en aurait à dire, plus il oublierait le semeur et les centaines de portes qui, en cet instant même, devaient se couvrir de 4.

– Et Lizbeth n'aime pas Damas. Donc Éva va se faire de la peine, automatiquement, Damas va se faire de la peine aussi et Lizbeth je ne sais pas.

505   Marie-Belle réfléchit à une autre combinaison, qui pourrait arranger tout le monde.

– Et vous, demanda Adamsberg, vous aimez quelqu'un ?

– Moi, dit Marie-Belle en rougissant et en tapotant du doigt sur sa lettre, avec mes deux frères, j'ai déjà assez d'hommes à m'occuper.

510   – Vous écriviez à votre frère ?

– Le plus jeune. Il vit à Romorantin et il aime avoir des nouvelles. Je lui écris toutes les semaines et je lui téléphone. Je voudrais qu'il vienne à Paris mais Paris, ça lui fait peur. Damas et lui, ils ne sont pas très

---

1. Elle réagit mieux.

débrouillards. Le petit encore moins. Il faut que je lui dise tout ce qu'il
515 doit faire, même avec les femmes. C'est un joli garçon pourtant, très
blond. Mais non, il attend que je le pousse sinon il ne bouge pas. Alors
il faut que je m'en occupe jusqu'à leur mariage, automatiquement. J'ai
de quoi faire, surtout si Damas attend des années après Lizbeth pour
zéro. Après, qui c'est qui va sécher ses larmes ? Le conseiller dit que je ne
520 suis pas forcée de m'en occuper.

— C'est vrai.

— Il s'en occupe bien, lui, des gens. Ça défile dans son bureau toute
la journée et il ne vole pas son argent. Ce ne sont pas des conseils à la
noix. Mais mes frères, je ne peux pas les laisser tomber, tout de même.
525 — Ça n'empêche pas d'aimer quelqu'un.

— Si, ça empêche, dit fermement Marie-Belle. Et avec le travail, la
boutique, je ne rencontre pas beaucoup de monde, automatiquement.
Il n'y a personne qui me plaise, sur la place. Le conseiller me dit d'aller
voir un peu plus loin.

530 La pendule du café sonna sept heures et demie et Marie-Belle sursauta. Elle plia sa lettre en vitesse, colla un timbre sur l'enveloppe et l'en-
fouit dans son sac.

— Pardonnez-moi, commissaire, mais je dois me sauver. Damas m'attend.

535 Elle fila en courant et Bertin vint enlever les verres.

— Bavarde, expliqua le Normand, comme pour excuser Marie-Belle.
Faut pas croire tout ce qu'elle dit sur Lizbeth non plus. Marie-Belle est
jalouse, elle a peur qu'elle ne lui fauche son frère. C'est humain. Lizbeth,
c'est une femme au-dessus de la mêlée, tout le monde ne peut pas com-
540 prendre. Vous restez dîner ?

— Non, dit Adamsberg en se levant. J'ai à faire.

– Dites commissaire, demanda Bertin en le suivant jusqu'à la porte, faut le peindre ou faut pas le peindre, ce 4 ?

– Il paraît que vous êtes fils du tonnerre ? dit Adamsberg en se retournant. Ou ce sont des racontars que j'ai entendus sur la place ?

– Je le suis, dit Bertin en relevant le menton. Par les Toutin par ma mère.

– Eh bien ne peignez pas ce 4, Bertin, si vous ne voulez pas être renié à coups de pied au cul par votre glorieuse ascendance.

Bertin referma la porte, le menton toujours levé, saisi d'une soudaine détermination. Lui vivant, pas un 4 ne paraîtrait à la porte du *Viking*.

Une demi-heure plus tard, Lizbeth avait rassemblé les locataires pour le dîner. Decambrais demanda le silence en faisant tinter son verre avec son couteau, geste qu'il jugeait un peu vulgaire mais parfois nécessaire. Castillon comprenait très bien ce rappel à l'ordre et réagissait au quart de tour.

– Je n'ai pas pour habitude de dicter la conduite de mes hôtes – Decambrais préférait ce terme à celui, trop concret, de locataire –, qui sont rois dans leurs chambres, commença-t-il. Néanmoins, eu égard aux circonstances très particulières du moment, je demande instamment à chacun de ne pas céder à l'intoxication collective et de s'abstenir de peindre un quelconque talisman sur sa porte. Une telle figure déshonorerait cette maison. Cependant, respectueux des libertés individuelles, si quelqu'un d'entre vous souhaite se placer sous la protection de ce 4, je ne m'y opposerai pas. Mais je lui saurai gré d'aller emménager ailleurs, le temps que durera la folie dans laquelle cherche à nous entraîner ce semeur de peste. Je veux espérer qu'aucun de vous ne souscrit à un tel projet.

Son regard passa de l'un à l'autre sur la tablée silencieuse. Decambrais
570 nota qu'Éva vacillait, hésitante, que Castillon souriait d'un air bravache,
sans être parfaitement tranquille pour autant, que Joss s'en balançait et
que Lizbeth fulminait à la seule idée qu'on vienne coller un 4 dans ses
parages.

– C'est bon, dit Joss, qui avait faim. C'est voté.

575 – Tout de même, lui dit Éva, si vous n'aviez pas lu tous ces messages
du diable.

– Le diable ne me fait pas peur, ma petite Éva, répondit Joss. Les
vagues, oui, parlez-m'en, ça c'est de la frousse. Mais le diable, les 4 et
toute cette pagaille, vous pouvez les mettre dans votre poche avec votre
580 mouchoir dessus. Parole de Breton.

– C'est dit, dit Castillon, que le discours de Joss avait redressé.

– C'est dit, répéta Éva à voix basse.

Lizbeth n'ajouta rien et versa la soupe largement.

BIEN LIRE

Montrez, au début du chapitre, que l'auteur aime jouer avec les mots.

Quel jugement est porté sur la presse ? Justifiez votre réponse.

Expliquez cet autre « proverbe » inventé : « Qui dit superstition, dit crédulité ».

XXV

Adamsberg comptait sur le dimanche et sur sa presse réduite à la portion congrue[1] pour apaiser les flammes. La dernière estimation de la veille au soir l'avait contrarié sans l'étonner : quatre à cinq mille immeubles marqués de 4 dans Paris. D'un autre côté, le dimanche laissait tout loisir aux Parisiens de s'occuper de leur porte et le chiffre pouvait s'en trouver dramatiquement accru. Tout dépendait du temps, en fin de compte. Si ce 22 septembre était beau, ils fileraient hors la ville et laisseraient un peu décanter[2] cette histoire. S'il était gris, le moral se fragiliserait et les portes en prendraient un coup.

Dès son réveil et sans bouger de son lit, son premier regard fut pour sa fenêtre. Il pleuvait. Adamsberg replia ses bras sur ses yeux et se conforta dans son intention de ne pas foutre un pied à la Brigade. L'équipe de garde saurait le trouver si le semeur avait frappé cette nuit, en dépit d'une surveillance renforcée auprès des vingt-cinq immeubles d'origine.

Après sa douche, il s'allongea tout habillé sur son lit et attendit, les yeux fixés au plafond et les pensées vagabondes. À neuf heures trente, il se mit debout et estima que la journée était au moins gagnée sur un front. Le semeur n'avait pas tué.

Il retrouva comme convenu la veille le médecin psychiatre Ferez qui l'attendait sur les quais de l'île Saint-Louis. Adamsberg n'aimait pas l'idée de s'enfermer dans son cabinet, coincé sur une chaise, et il avait obtenu qu'ils puissent parler dehors en regardant l'eau. Ferez n'avait pas pour habitude de se plier aux quatre volontés de ses patients mais

---

1. Au minimum vital.
2. S'éclaircir.

25 Adamsberg n'était pas un patient et l'émotion collective née de l'homme
des 4 l'intriguait depuis ses frémissements.

Adamsberg aperçut Ferez de loin, très grand homme un rien voûté
sous un large parapluie gris, le visage carré, le front haut, le crâne cerné
d'un rond de cheveux blancs qui brillaient sous la pluie. Il l'avait ren-
30 contré deux ans plus tôt à l'occasion d'un dîner dont il avait oublié les
hôtes. Cet homme qui cultivait un flegme[1] délicat, un bonheur sobre,
un discret éloignement des autres qu'il pouvait transformer en une
attention vraie, si on le lui demandait, avait modifié les idées un peu
fixes qu'Adamsberg se faisait de la profession. Il avait pris l'habitude de
35 consulter Ferez quand son intuition du fonctionnement d'autrui se
heurtait aux limites de ses compétences médicales.

Adamsberg, qui ne possédait pas de parapluie, arriva trempé au rendez-
vous. Ferez ne connaissait du tueur et de ses manies obsessionnelles que
ce que les médias avaient pu lui apprendre et il écouta le commissaire lui
40 livrer les détails complémentaires sans le quitter des yeux. Le masque inex-
pressif dont usait le médecin par automatisme professionnel était percé
par un regard fixe et clair qui ne lâchait pas les lèvres de son interlocuteur.

— Ce que je crois, dit Adamsberg après trois longs quarts d'heure de
narration que le médecin n'avait pas interrompus, c'est que ce recours à
45 la peste doit être élucidé. Ce n'est pas comme si le semeur employait une
idée banale, à l'ordre du jour dans tous les esprits, comme par
exemple…

Adamsberg s'arrêta pour chercher ses mots.

— Comme par exemple un thème à la mode qui ne surprenne per-
50 sonne…

---

1. Un calme.

Il s'interrompit à nouveau. Préciser verbalement les choses avec des termes aigus lui causait parfois des difficultés. Ferez n'essayait en aucune façon de lui donner un coup de main.

– Comme par exemple l'apocalypse du bimillénaire, ou l'heroïc fan-
55 tasy.

– Oui, confirma Ferez.

– Ou bien les rengaines[1] vampiriques, christiques, solaires. Tout cela, Ferez, pourrait servir d'emballage lisible à un tueur souhaitant se déresponsabiliser de ses actes. Lisible, j'entends compréhensible par
60 tous, contemporain. L'homme se présenterait comme le Seigneur des marais, l'Envoyé du soleil ou du Grand Tout, et chacun saisirait aussitôt qu'un cinglé a perdu la tête ou s'est fait allumer par une secte. Je me fais comprendre ?

– Poursuivez, Adamsberg. Vous ne voulez pas profiter de mon para-
65 pluie ?

– Merci, ça va s'arrêter. Mais avec cette peste, le semeur est hors de son siècle. Il est anachronique[2], il est « grotesque », comme dit mon adjoint. Il est grotesque parce qu'il est à côté de la plaque, parce que cette peste arrive dans notre époque comme un dinosaure dans un jeu
70 de quilles. Le semeur n'est pas dans le bain, il fait du hors-piste. Je me fais toujours comprendre ?

– Poursuivez, répéta Ferez.

– Encore que, si démodée soit-elle, sa peste parvient à réveiller des terreurs historiques bien moins amorphes[3] qu'on aurait pu le croire,
75 mais c'est un autre sujet. Mon sujet, c'est le décalage de ce type avec son

---

1. Refrains populaires.
2. Démodé.
3. Flasques, en sommeil.

temps, son choix incompréhensible d'un thème dont personne, absolument personne n'aurait eu idée. Et c'est cet incompréhensible qu'il faut saisir. Je ne dis pas qu'il n'existe pas quelques types qui triment sur la question, point de vue historique s'entend. J'en connais un. Mais dites-
80 moi si je me trompe, Ferez, aussi accroché soit un type à un sujet d'étude, ce sujet ne pourra pas pénétrer en lui au point de devenir le moteur d'une série de meurtres.

— Vrai. L'objet d'étude reste hors de la personnalité instinctive, surtout s'il est advenu tardivement. C'est une activité, pas une pulsion.

85   — Même si cette activité prend un tour frénétique[1] ?

— Même.

— J'élimine donc dans le choix du semeur toute motivation d'ordre intellectuel et j'élimine tout hasard. Ce n'est pas un homme qui s'est dit, allons, adoptons le fléau de Dieu, cela va produire un effet du tonnerre.
90 Ce n'est pas un fumiste[2] ou un mystificateur[3]. C'est impossible. Le semeur n'a pas cette distance. Il y croit violemment. Il dessine ses 4 avec un véritable amour, il est plongé dans son affaire jusqu'aux yeux. Il utilise la peste instinctivement, en l'absence de tout contexte culturel adéquat. Il se fout d'être compris ou incompris. Lui, il se comprend. Il l'uti-
95 lise parce qu'il le faut. J'en arrive donc là.

— Bien, dit Ferez patiemment.

— Si le semeur en est là, c'est que la peste est en lui, fondamentale. C'est donc que c'est une affaire de…

— Famille, compléta Ferez.

100   — Exactement. Vous êtes d'accord ?

---

1. Exalté, extrême.
2. Plaisantin.
3. Menteur.

   — Il n'y a pas de doute, Adamsberg. Parce qu'il n'y a pas d'autre solution.

   — Bien, dit Adamsberg, conforté et sentant qu'il avait, en matière de vocabulaire, passé le plus ardu. Au début, reprit-il, j'ai pensé que le type avait peut-être attrapé la maladie quand il était jeune dans un pays lointain, le coup de malchance, le traumatisme, je ne sais quoi. Ça ne m'a pas satisfait.

   — Alors ? encouragea Ferez.

   — Alors je me suis cassé la tête, cherchant comment l'enfance d'un homme pouvait se ressentir d'un drame qui s'était achevé au début du XVIIIe siècle. J'en suis arrivé à cette seule solution logique que le semeur était âgé de deux cent soixante ans. Ça ne m'a pas satisfait.

   — Ce n'était pas mal. Un patient intéressant.

   — Puis j'ai appris que la peste avait frappé Paris en 1920. Dans *notre* siècle, et déjà bien entamé. Le saviez-vous ?

   — Non, reconnut Ferez. Honnêtement non.

   — Quatre-vingt-seize cas, trente-quatre morts, dans les banlieues pauvres pour la majorité. Et je pense, Ferez, que la famille de ce type a connu cette tourmente, qu'elle y est passée en partie, les arrière-grands-parents peut-être. Que le drame s'est figé dans la saga[1] de famille.

   — On appelle ça un fantôme familial, coupa le médecin.

   — Très bien. Il s'est figé et c'est ainsi que la peste s'est infiltrée dans la tête de l'enfant, par la décimation des ancêtres proches, inlassablement racontée. Un garçon, à mon avis. Pour lui, elle fait donc partie naturelle de sa vie, de son…

   — Environnement psychique[2].

---

1. Histoire se déroulant sur plusieurs générations.
2. De l'esprit.

– C'est cela. Elle est un élément spontané et non pas une figure historique dépassée, comme à nos yeux. Je trouverai le nom de la famille du semeur parmi les trente-quatre victimes de la peste de 1920.

130   Adamsberg s'arrêta de marcher, croisa les bras et regarda le médecin.

– Vous êtes assez bon, Adamsberg, dit Ferez en souriant. Et vous êtes sur une voie juste. Ajoutez cependant à ce fantôme familial des perturbations violentes qui lui ont permis de s'installer. Les fantômes font leur nid dans les fractures.

135   – Entendu.

– Mais je vais vous frustrer, j'en ai peur. Je ne chercherais pas votre semeur au sein d'une famille décimée par la peste. Mais au sein d'une famille *épargnée*. Cela fait des milliers de gens possibles et non plus seulement trente-quatre.

140   – Pourquoi épargnée ?

– Parce que votre semeur se sert de la peste comme instrument de puissance.

– Eh bien ?

– Tel ne serait pas le cas si la peste avait *vaincu* sa famille. Il l'abo-
145   minerait.

– Je pensais que je faisais erreur quelque part, dit Adamsberg en reprenant sa marche, les bras croisés dans le dos.

– Pas une erreur, Adamsberg, une simple cheville qui n'était pas dans le bon sens. Car si le semeur use de la peste comme instrument de pou-
150   voir, c'est qu'elle a, en son temps, donné pouvoir à sa famille. Le foyer a dû être épargné, comme par miracle, au sein d'un quartier où tous les autres mouraient. Et la famille a pu payer le prix fort de ce miracle. Le pas est vite franchi de haïr ceux qui s'en sortent puis de les soupçonner de bénéficier d'une force secrète, puis de les accuser de semer le fléau.
155   Vous connaissez la sempiternelle histoire. Je ne serais pas étonné que sa

famille ait été montrée du doigt puis menacée, honnie[1], et qu'elle ait dû fuir les lieux du drame sous risque d'être déchiquetée par les voisins.

– Bon dieu, dit Adamsberg en tapant dans une touffe d'herbe au pied d'un arbre. Vous avez raison.

60 – C'est une possibilité.

– C'est la bonne. La saga de sa famille, c'est ce miracle de leur survie, puis cette vindicte[2] et leur isolement. La saga, c'est d'avoir échappé à la peste et, mieux, d'en avoir été les maîtres. Ils ont pu tirer fierté de ce qui leur était reproché.

65 – C'est ce qui se fait généralement. Dites à quelqu'un qu'il est con, il vous répondra qu'il en est fier. Réflexe de défense ordinaire, quelle que soit l'accusation.

– Le fantôme, c'est leur différence, c'est leur pouvoir sur le fléau de Dieu, enseigné inlassablement.

70 – N'oubliez pas, Adamsberg, pour votre semeur : famille déchirée, perte du père ou de la mère, sentiment d'abandon, donc faiblesse immense. C'est l'explication la plus probable pour que le garçon se soit accroché à la violence de la gloire familiale, sa seule source de puissance. Sans doute ressassée par un grand-père. Les passations de drames se font 75 en sautant une génération.

– Ce n'est pas avec ça que je vais le trouver à l'état civil, dit Adamsberg en malmenant toujours la même touffe d'herbe. Des centaines de milliers de gens ont échappé à la peste.

– Je suis désolé.

80 – Tant pis, Ferez. Vous m'avez aidé.

---

1. Exécrée et méprisée.
2. Punition des crimes au nom de la société.

BIEN LIRE

**Qui rencontre le commissaire Adamsberg ?
Dans quel but ?
Décrivez psychologiquement le semeur.**

XXVI

Adamsberg remonta le boulevard Saint-Michel par le trottoir où le soleil commençait à nouveau à donner. Il tenait sa veste à bout de bras, pour la sécher. Il n'essayait pas de combattre le point de vue de Ferez, il savait que le médecin était dans le vrai. Cela mettait le semeur hors
5 de sa portée alors qu'il l'avait cru presque à sa main. Restait la place Edgar-Quinet, vers laquelle il se dirigeait. L'arrière-petit-fils des chiffonniers[1] de 1920 se trouvait sur la place, il en revenait toujours là. Il s'y trouvait, ou il y passait sans cesse, au mépris du danger. Après tout, que craignait-il ? Il se sentait le maître et il l'avait prouvé, à un moment
10 de sa vie où il en avait eu besoin. Ce n'était pas vingt-huit flics qui allaient l'effaroucher, lui qui commandait au fléau de Dieu et qui pouvait le bloquer d'un revers de main. Alors vingt-huit flics, autant dire vingt-huit fientes[2] d'oiseau.

Et tout donnait raison à l'orgueil du semeur. Les Parisiens lui obéis-
15 saient et peignaient consciencieusement le talisman sur leurs portes. Et les vingt-huit flics laissaient les cadavres s'accumuler. Quatre morts déjà, et il n'avait pas la première idée pour empêcher la prochaine. Sauf de se planter sur ce carrefour pour regarder, et regarder quoi, il ne le savait même pas, et pour laisser sécher sa veste et les cuisses de son pantalon.
20 Il mettait un pied sur la place au moment où résonnait le coup de tonnerre du Normand. À présent, il avait compris le système et il se hâta pour profiter du plat chaud, se joignant à la tablée formée par Decambrais, Lizbeth, Le Guern, la mélancolique Éva et des gens qu'il ne connaissait pas. Comme sur un mot d'ordre visiblement donné par

---

1. Personnes qui ramassent les chiffons ou les vieux objets pour les revendre.
2. Excréments.

Decambrais, on tâcha de parler de tout sauf du semeur. En revanche, aux tables voisines, Adamsberg entendait les conversations rouler sur ce chapitre et certains appuyaient vigoureusement le point de vue du journaliste accusateur : les flics leur mentaient. Les photos des étranglements, c'était bidonné, on les prenait pour qui ? Pour des cons ? Ouais, lui répondait une autre, mais si tes morts sont morts de peste, comment ça se fait qu'ils ont eu le temps de se déshabiller avant de claquer et de faire un petit tas bien propre avec leurs affaires ? Ou d'aller se foutre sous un camion ? Ça rime à quoi, tu veux me le dire ? Ça ressemble à une peste, ça, ou à un assassinat ? Très juste, pensa Adamsberg qui se retourna pour examiner le visage intelligent et posé d'une très grosse femme serrée dans une blouse à fleurs. Je ne dis pas, répondait son vis-à-vis ébranlé, je ne dis pas que c'est simple. C'est pas ça, intervint un autre, un homme sec à la voix flûtée. C'est les deux à la fois. C'est des gens qui meurent de peste, mais comme l'inconnu veut que ça se sache, il les sort de chez eux et il les déshabille pour qu'on voie bien ce qu'il en est et que la population soit au parfum. C'est pas un tricheur, lui. Il essaye d'aider. Ouais, reprit la femme, alors pourquoi il cause pas plus clairement ? Les gars qui se cachent, ça ne m'a jamais inspiré confiance. Il se cache parce qu'il ne peut pas se montrer, reprit la voix flûtée, élaborant péniblement sa théorie à mesure qu'il parlait. C'est un gars d'un laboratoire et ce gars, il sait qu'ils ont laissé partir la peste en pétant un tube en verre ou quoi. Il ne peut pas le dire parce que le laboratoire a ordre de se taire, à cause de la population. Le gouvernement n'aime pas la population, quand elle ne se tient pas tranquille. Alors motus. Le gars, il essaie de faire comprendre aux gens sans se faire connaître. Pourquoi ? reprit la femme. Il a peur de perdre sa place ? Si c'est pour ça qu'il ne veut pas causer, ton protecteur, laisse-moi te dire, André, que c'est un minable.

Adamsberg s'éloigna au moment du café pour recevoir un appel du
55 lieutenant Mordent. On estimait à présent à près de dix mille le nombre
d'immeubles touchés. Pas de nouvelle victime à signaler, non, de ce côté,
on soufflait un peu. Mais de l'autre, c'était la submersion[1]. Est-ce qu'on
pouvait cesser de répondre aux appels des paniquards, à présent ? Parce
qu'en plus, ils n'étaient que six dans la Brigade aujourd'hui. Évidemment,
60 dit Adamsberg. Bon, dit Mordent, tant mieux. Au moins, ce qui le conso-
lait, c'était que ça démarrait sec à Marseille aussi, ça ferait de la compagnie. Masséna avait demandé qu'il le joigne.

Adamsberg s'enferma dans les toilettes pour appeler Masséna et s'assit sur le couvercle rabattu.

65   – Ça commence, collègue, dit Masséna, depuis que la radio a diffusé
le message de votre détraqué sur les ondes et que les journalistes l'ont
commenté, en veux-tu en voilà.

     – Ce n'est pas *mon* détraqué, Masséna, dit Adamsberg sur un ton un
peu net. C'est le vôtre aussi maintenant. Partageons.

70   Masséna laissa passer un silence, le temps de jauger[2] le collègue.

     – Partageons, admit-il. Notre cinglé a mis le doigt sur un point
chaud parce que ici, la peste, c'est une vieille blessure mais il ne faut pas
grand-chose pour la rouvrir. Chaque mois de juin, l'archevêque célèbre
la messe du Vœu pour conjurer l'épidémie. On a encore des monu-
75 ments et des rues à la gloire du chevalier Roze ou de l'évêque Belsunce.
Ce ne sont pas des noms qu'on a enterrés parce que les Marseillais, ils
n'ont pas un trou du cul à la place de la mémoire.

     – Qui sont ces types ? demanda Adamsberg d'une voix
tranquille.

---

1. Le débordement.
2. Évaluer.

Masséna était un colérique, probablement chauffé par un anti-parisianisme instinctif, ce dont Adamsberg se foutait parce qu'il n'était pas parisien, et dont il se serait foutu tout autant en étant parisien. Pour Adamsberg, être d'ici ou d'ailleurs n'avait pas d'importance. Mais Masséna n'était un combatif qu'en façade et ça ne lui prendrait pas plus d'un quart d'heure pour faire tomber ce crépi[1].

– Ces types, collègue, ce sont des gars qui se sont défoncés jour et nuit pour aider les gens pendant la grande contagion de 1720, pendant que des tas d'officiers municipaux, des notables, des médecins et des curés prenaient leurs jambes à leurs cous. C'étaient des héros, quoi.

– C'est normal d'avoir peur de la mort, Masséna. Vous n'y étiez pas.

– Dites, on n'est pas là pour refaire l'histoire. Je vous explique juste qu'à Marseille, le fléau du *Grand Saint-Antoine* se rouvre à la vitesse accélérée.

– Ne me dites pas que tous les Marseillais savent qui sont ces Roze et Belsain.

– Belsunce, collègue.

– Belsunce.

– Non, reconnut Masséna, ils ne le savent pas tous. Mais l'histoire de la peste, la ville anéantie, le mur de Provence, ils le savent. La peste est quelque part au fond des têtes.

– Faut croire qu'ici aussi, Masséna. On atteint les dix mille immeubles marqués aujourd'hui. Il n'y a plus qu'à prier pour une pénurie de peinture.

– Eh bien ici, en une seule matinée, j'en dénombre à peu près deux cents dans le quartier du Vieux-Port. Faites le compte à l'échelle de la ville. Mais bon sang de merde, collègue, ils sont dingues ou quoi ?

---

1. Cette apparence (enduit de plâtre appliqué sur un mur sans être lissé).

– Ils font ça pour se protéger, Masséna. Si vous comptiez le nombre de gens qui possèdent un bracelet de cuivre, une patte de lapin, un saint Christophe, de l'eau de Lourdes ou qui touchent du bois rond, et je ne
110 parle pas des croix, vous atteindriez aisément les quarante millions.

Masséna soupira.

– Tant qu'ils le font eux-mêmes, dit Adamsberg, ce n'est pas grave. Est-ce que quoi que ce soit vous indiquerait une signature authentique ? Un 4 dessiné par le semeur lui-même ?

115 – C'est difficile, collègue. Les gens recopient. Il y en a beaucoup qui négligent d'élargir la base, vous voyez, ou qui mettent une barrette au lieu de deux sur le retour. Mais, à cinquante pour cent, ils sont consciencieux. Ça ressemble diablement à l'original. Comment voulez-vous que je m'y retrouve ?

120 – Des enveloppes signalées ?

– Non.

– Est-ce que vous avez noté des immeubles où toutes les portes seraient marquées, sauf une ?

– Il y en a, collègue. Mais il y a aussi des tas de gens qui gardent la
125 tête froide et qui refusent de peindre cette connerie chez eux. Il y a aussi les honteux, qui crayonnent un 4 minuscule en bas de leur porte. Comme ça, ils le font sans le faire, discrètement, ou ils ne le font pas tout en le faisant, comme vous voudrez. Je ne peux pas passer toutes les portes à la loupe. Vous le faites, vous ?

130 – C'est le raz-de-marée, Masséna, l'occupation majeure du week-end. On ne contrôle plus.

– Plus rien ?

– Presque rien. Je contrôle cent mètres carrés sur les cent cinq millions de la ville. C'est l'espace où j'espère voir passer le semeur, qui est peut-être en train de rôder sur le Vieux-Port à la minute où je vous parle.

    — Vous avez son signalement ? Une idée vague ?

    — Rien. Personne ne l'a vu. Je ne sais même pas si c'est un homme.

    — Vous guettez quoi sur votre petit espace, collègue ? Un ecto-plasme[1] ?

    — Une impression. Je vous rappelle ce soir, Masséna. Tenez bon.

On secouait rageusement la poignée de la porte des toilettes depuis un bon moment déjà et Adamsberg en sortit, placide[2], passant devant un type formidablement impatient de pisser ses quatre bières.

    Il demanda à Bertin la permission de laisser sécher sa veste sur le dossier d'une de ses chaises pendant qu'il allait flâner sur la place. Depuis qu'Adamsberg avait redressé in extremis le courage mollissant du Normand, le sauvant peut-être d'une risée générale et d'une perte définitive de toute autorité divine auprès de la clientèle, Bertin se considérait comme son débiteur à vie. Il l'autorisa plutôt dix fois qu'une à lui abandonner sa veste pour laquelle il aurait une vigilance de mère, et il insista pour lui faire passer un ciré vert avant de sortir affronter le vent et l'averse que Joss avait annoncés à la criée de midi. Ce que fit Adamsberg pour ne pas froisser le fier descendant de Thor.

    Il traîna tout l'après-midi sur le carrefour, entrecoupant ses déambulations de quelques cafés au *Viking* et de quelques appels téléphoniques. On atteindrait les quinze mille immeubles d'ici ce soir à Paris et les quatre mille à Marseille qui, en effet, opérait un démarrage fulgurant. Adamsberg se blasait, accroissant ses vastes capacités d'indifférence pour

---

1. Fantôme.
2. Calme.

160 lutter contre cette marée montante. On lui aurait annoncé deux millions de 4 qu'il n'aurait pas sursauté pour autant. Tout en lui faisait relâche, s'abandonnait. Tout sauf son regard, seule partie restée vivante en son corps.

Il s'installa mollement contre le platane pour la criée du soir, les bras 165 pendant le long de son corps, perdu dans le bien trop large ciré du Normand. Le Guern décalait les horaires le dimanche et il était déjà près de sept heures quand il déposa sa caisse sur le trottoir. Adamsberg n'attendait rien de cette criée puisque le facteur ne passait pas le dimanche. Mais il commençait à reconnaître des visages dans les groupes qui se 170 constituaient autour de l'estrade. Il avait sorti la liste élaborée par Decambrais et contrôlait ses nouvelles connaissances à mesure de leur arrivée. Sept heures moins deux, Decambrais apparut sur le pas de sa porte, Lizbeth joua des coudes dans la petite foule pour retrouver son emplacement habituel, Damas apparut devant sa boutique, en pull, 175 adossé à sa grille de fer restée baissée.

Joss entama sa criée avec détermination, lançant sa voix puissante d'un bout à l'autre de la place. Adamsberg entendit s'écouler avec plaisir les annonces anodines, sous un faible soleil. Cet après-midi entier à ne rien foutre, à laisser retomber totalement son corps et ses pensées, 180 l'avait délassé de son épaisse discussion du matin avec Ferez. Il avait atteint l'état d'énergie d'une éponge ballottée par la houle, l'état exact qu'il recherchait parfois.

Et en fin de criée, alors que Joss abordait sa conclusion naufragée, il sursauta, comme si un caillou aigu avait heurté durement l'éponge. Ce 185 choc lui fit presque mal et le laissa interdit, aux aguets. Il était incapable d'en définir la provenance. C'était une image qui l'avait cogné, forcément, alors qu'il s'endormait presque contre le tronc du platane. Un bout d'image, quelque part sur la place, venu le croiser en un dixième de seconde.

190 Adamsberg se redressa, cherchant de toutes parts l'image inconnue pour renouer avec le choc. Puis il s'adossa contre l'arbre, reconstituant exactement la position dans laquelle il se trouvait au moment de l'impact. De là, son champ de vision allait depuis la maison de Decambrais jusqu'à la boutique de Damas, enjambant la rue du Montparnasse et 195 englobant environ le quart du public du Crieur, vu de face. Adamsberg serra les lèvres. Cela faisait pas mal d'espace et pas mal de monde et, déjà, la foule se dispersait à tous vents. Cinq minutes plus tard, Joss remportait sa caisse et la place se vidait. Tout échappait. Adamsberg ferma les yeux, la tête levée vers le blanc du ciel, dans l'espoir que l'image 200 revienne d'elle-même, aérienne. Mais l'image était tombée au fond de son puits, comme une pierre anonyme et boudeuse, vexée peut-être qu'il ne lui ait pas accordé plus d'attention au bref moment où elle avait daigné passer, comme une étoile filante, et elle mettrait peut-être des mois avant de se décider à remonter.

205 Désolé, Adamsberg quitta la place en silence, convaincu qu'il venait de laisser échapper sa seule chance.

Ce n'est qu'une fois chez lui, en se déshabillant, qu'il s'aperçut qu'il avait conservé le ciré vert du Normand et laissé sa vieille veste noire à sécher sous la proue du drakkar. Signe qu'il faisait lui aussi confiance à 210 la couverture divine de Bertin. Ou bien signe plus probable qu'il abandonnait toutes choses à vau-l'eau.

BIEN LIRE

À combien s'élève le nombre d'immeubles « marqués » ?
Pourquoi, à la fin de la criée de Joss, le commissaire sursaute-t-il ?
Dans quel état d'esprit se trouve l'enquêteur à la fin de ce chapitre ?

XXVII

Camille grimpa les quatre étages étroits qui conduisaient au logement d'Adamsberg. Au passage, elle nota que l'occupant du troisième
étage gauche avait barré sa porte d'un gigantesque 4 noir. Ils étaient
convenus avec Jean-Baptiste de se rejoindre ce soir pour partager la nuit,
5 pas avant dix heures en raison des journées imprévisibles que le semeur
faisait vivre à la Brigade.

Elle était emmerdée, avec ce bébé chat sous le bras. Il l'avait suivie
dans la rue depuis des heures. Camille l'avait caressé puis laissé, puis
semé, mais le bébé chat s'était obstinément collé à ses talons, s'exté-
10 nuant à courir par bonds désordonnés pour le rattraper. Camille avait
traversé le square pour couper court à la filature. Elle l'avait abandonné
à la porte pendant qu'elle dînait et l'avait retrouvé sur le palier au
moment de sortir. Le chaton avait repris sa poursuite, courageux, bra-
qué sur son objectif. De guerre lasse, parvenue devant l'immeuble
15 d'Adamsberg, et ne sachant que faire de cet animal qui l'avait élue, elle
l'avait soulevé et coincé sous son bras. C'était une simple boule blanche
et grise, légère comme une balle de mousse, aux yeux parfaitement
ronds et bleus.

À dix heures cinq, Camille poussa la porte qu'Adamsberg laissait
20 presque toujours ouverte et ne trouva personne, ni dans la pièce principale ni dans la cuisine. La vaisselle s'égouttait sur l'évier et Camille en
conclut que Jean-Baptiste s'était endormi en l'attendant. Elle pourrait le
rejoindre sans l'éveiller dans son premier sommeil, qu'elle épargnait beaucoup dans les moments d'enquête intense, et poser la tête sur son ventre
25 pour la nuit. Elle déposa son sac à dos et son blouson, installa le chaton
sur la banquette et passa dans la chambre en avançant avec précaution.

Dans la pièce sombre, Jean-Baptiste ne dormait pas. Camille mit un instant à comprendre, en le découvrant nu, de dos, son corps se détachant en brun sur les draps blancs, qu'il faisait l'amour avec une fille.

30 Une douleur fulgurante lui traversa le front comme un éclat d'obus venu se planter entre ses yeux et, sous le coup de cet éclair, elle s'imagina une fraction de seconde qu'elle n'y verrait plus jamais de sa vie. Les jambes coupées, elle se laissa tomber dans la pénombre sur la malle en bois qui servait à tout, et qui avait servi ce soir au dépôt des vêtements

35 de la jeune fille. Devant elle, inconscients de sa présence silencieuse, les deux corps bougeaient. Camille les regardait, abrutie. Elle vit Jean-Baptiste faire des gestes et elle les reconnut, un à un, mouvement après mouvement. La fulgurance[1], visée comme un foret chauffé au rouge entre ses sourcils, l'obligeait à serrer les yeux. Tableau violent, tableau

40 ordinaire, blessure et banalité. Camille abaissa son regard.

Ne pleure pas, Camille.

Elle fixa un point sur le sol, abandonnant les corps allongés sur le lit.

Pars, Camille. Pars vite, loin, et longtemps.

Cito, longe, tarde.

45 Camille essaya de bouger, mais elle s'aperçut que ses cuisses n'étaient pas capables de la tenir debout. Elle baissa plus encore les yeux et se concentra ardemment sur le bout de ses pieds. Sur ses bottes en cuir noir dont elle détailla intensément le bout carré, la boucle latérale, les replis grisés de poussière, le talon biseauté[2] par la marche.

50 Tes bottes, Camille, regarde tes bottes.

Je les regarde.

Une chance qu'elle n'ait pas quitté ses chaussures. Pieds nus et désar-

---

1. Vision rapide et aveuglante.
2. Taillé obliquement.

mée, elle n'aurait plus été en mesure d'aller où que ce soit. Peut-être
qu'elle serait restée là, fichée sur cette malle, avec son foret dans le front.
55 Un foret à béton, certainement, pas un foret à bois. Regarde tes bottes,
puisque tu les as. Regarde-les bien. Et cours, Camille.

Mais c'était trop tôt. Ses jambes reposaient comme des drapeaux affa-
lés sur le bois de la malle. Ne lève pas la tête, ne regarde pas.

Bien sûr qu'elle savait. Ça avait toujours été comme ça. Il y avait tou-
60 jours eu des filles, beaucoup d'autres filles, pour des séjours variables,
cela dépendait de la résistance de la fille, Adamsberg laissant toute situation se déliter[1] jusqu'à épuisement. Bien sûr qu'il y en avait toujours eu,
des filles, qui nageaient comme des sirènes au long du fleuve, qui s'en-
roulaient aux berges. « Elles me touchent », disait laconiquement Jean-
65 Baptiste. Oui, Camille savait tout cela, les moments d'éclipse, les temps
voilés, tout ce qui bouillonnait là-bas, au loin. Une fois, elle avait
rebroussé chemin et s'était éloignée. Elle avait oublié Jean-Baptiste
Adamsberg et ses berges surpeuplées, monde de drames bruissants qui
la frôlaient de trop près. Elle s'était éloignée pendant des années et avait
70 enterré Adamsberg avec les honneurs dus à ceux que l'on a tant aimés.

Jusqu'à ce qu'il apparaisse au détour d'une route, l'été dernier, et que
sa mémoire morte lui restitue, par un tour de passe-passe assez retors[2],
l'amont de son fleuve intact. Elle l'avait réinvesti du bout d'une botte,
un pied dehors, un pied dedans, opérant un grand écart expérimental et
75 parfois vacillant entre les bras de la liberté et ceux de Jean-Baptiste.
Jusqu'à ce soir où cette percussion imprévue lui avait enfoncé ce machin
dans le front. Pour une simple confusion de jour. Jean-Baptiste n'avait
jamais été très sourcilleux[3] sur les questions de dates.

---

1. Perdre sa cohérence.
2. Malin.
3. Pointilleux.

À force de fixer ses bottes, ses jambes avaient retrouvé une sorte de
80 fermeté. Sur le lit, le mouvement s'éteignait. Camille se leva très doucement et contourna la malle. Elle se glissait par la porte quand la jeune
fille se dressa et poussa un cri. Camille entendit le bruit des corps qui
s'affolent, Jean-Baptiste qui se mettait debout d'un bond sur le plancher
et qui criait son nom.

85   Pars, Camille.

Je fais ce que je peux. Camille attrapa son blouson, son sac à dos,
avisa le chaton perdu sur la banquette et le ramassa. Elle entendait la
jeune fille parler et questionner. Fuir, rapidement. Camille dévala l'escalier et courut longtemps dans la rue. Elle s'arrêta en soufflant devant
90 un square désert, passa par-dessus les grilles et se cala sur un banc, les
genoux repliés, serrant ses bottes entre ses mains. Le machin enfoncé
dans le front relâchait son étreinte.

Un jeune homme aux cheveux teints s'assit à côté d'elle.

— Ça ne va pas, affirma-t-il doucement.

95   Il lui déposa un baiser sur la tempe et s'éloigna en silence.

BIEN LIRE

Dans quel lieu se déroule cette scène romanesque ?
Que découvre Camille ? Comment réagit-elle ?

XXVIII

Danglard ne dormait pas quand on frappa discrètement à sa porte à minuit passé. Il buvait une bière en maillot de corps devant la télévision, sans la regarder, feuilletant et refeuilletant ses notes sur le semeur de peste et ses victimes. Ça ne pouvait pas être un hasard. Ce type les choi-
5 sissait, il devait y avoir un lien, quelque part. Il avait interrogé les familles pendant des heures à la recherche du moindre point de contact et il repassait ses notes, cherchant la jonction.

Autant Danglard était élégant en journée, autant il traînait le soir dans la tenue ouvrière de son enfance, celle de son père, en pantalon de
10 gros velours, débardeur et barbe naissante. Les cinq enfants dormaient, aussi se glissa-t-il silencieusement dans son long couloir pour aller ouvrir. Il pensait voir Adamsberg, il trouva la fille de la Reine Mathilde, droite sur son palier, presque raide, un peu essoufflée, avec une sorte de bébé chat sous le bras.

15 — Je te réveille, Adrien ? demanda Camille.

Danglard secoua la tête et lui fit signe de le suivre sans bruit. Camille ne se demanda pas s'il y avait une fille ou quoi que ce soit de ce genre chez Danglard et s'assit, éreintée, sur le canapé usé. Danglard vit à la lumière qu'elle avait pleuré. Il éteignit sans un mot la télévision et
20 décapsula une bière qu'il approcha de sa main. Camille en vida la moitié d'un coup.

— Ça ne va pas, Adrien, dit-elle dans un souffle en reposant la bouteille.

— Adamsberg ?

25 — Oui. On s'y est mal pris.

Camille vida la seconde moitié de sa bière. Danglard savait ce que c'était. Quand on pleure, il faut reconstituer la masse liquide qui s'est évaporée. Il se pencha à bas de son fauteuil, au pied duquel gisait un pack à peine entamé, et prépara une seconde bouteille qu'il avança vers Camille sur la table basse et lisse, comme on pousse un pion d'échec, plein d'espoir.

– Il existe toutes sortes de champs, Adrien, dit Camille en étendant un bras. Les siens, que l'on pioche, et ceux des autres, que l'on visite. Il y a des tas de trucs à voir là-dedans, de la luzerne, du colza, du lin, du blé, et puis des jachères[1] et puis des orties aussi. Je ne m'approche jamais des orties, Adrien, je ne les enlève pas. Elles ne sont pas à moi, tu comprends, pas plus que le reste.

Camille laissa retomber son bras, et sourit.

– Mais tout d'un coup, un écart, une erreur. Et on se fait piquer, sans le vouloir.

– Ça te brûle ?

– Ce n'est rien, ça va passer.

Elle saisit la seconde canette et but quelques gorgées, plus lentement. Danglard l'observait. Camille ressemblait beaucoup à sa mère, la Reine Mathilde, elle avait d'elle le maxillaire découpé au carré, le cou fin, le nez un peu arqué. Mais Camille avait la peau très claire et des lèvres encore enfantines qui différaient du large sourire conquérant de Mathilde. Ils restèrent un moment sans parler et Camille sécha sa deuxième canette.

– Tu l'aimes ? demanda Danglard.

Camille posa les coudes sur ses genoux et considéra avec attention la petite bouteille verte sur la table basse.

– Très périlleux, dit-elle doucement, en secouant la tête.

---

1. Terres non cultivées temporairement.

– Tu sais, Camille, que le jour où Dieu créa Adamsberg, Il avait
55 passé une fort mauvaise nuit.

– Ah non, dit Camille en levant les yeux, je ne savais pas.

– Si. Et non seulement Il avait mal dormi, mais Il se trouvait à court
de matériel. Si bien que, comme un étourdi, Il alla frapper chez son
Collègue pour lui emprunter quelque attirail.

60 – Tu veux dire… le Collègue d'en bas[1] ?

– Évidemment. Ce dernier se jeta sur l'aubaine et s'empressa de lui
procurer quelques fournitures. Et Dieu, hébété par sa nuit blanche,
mélangea le tout inconsidérément. De cette pâte, Il tira Adamsberg. Ce
fut un jour vraiment pas ordinaire.

65 – Je n'étais pas au courant.

– Ça traîne dans tous les bons livres, dit Danglard en souriant.

– Et alors ? Que donna Dieu à Jean-Baptiste ?

– Il lui donna l'intuition, la douceur, la beauté et la souplesse.

– Et que donna Diable ?

70 – L'indifférence, la douceur, la beauté et la souplesse.

– Merde.

– Comme tu dis. Mais on ne sut jamais en quelles proportions Dieu
l'étourdi confectionna sa mixture. Cela reste un des grands mystères
théologiques[2] d'aujourd'hui.

75 – Je ne vais pas m'en mêler, Adrien.

– C'est normal, Camille, car il est notoirement connu que lorsque
Dieu te fabriqua, Il avait roupillé dix-sept heures et tenait une forme
épatante. Tout au long du jour, Il s'appliqua à te modeler béatement[3] de
ses mains studieuses.

---

1. Le diable.
2. Religieux.
3. Avec un bonheur un peu niais.

80 Camille sourit.

– Et toi, Adrien, comment était Dieu quand il te fabriqua ?

– Il avait picolé toute la soirée avec ses potes Raphaël, Michel et Gabriel, quelque chose de carabiné. L'anecdote est moins connue.

– Ça aurait pu avoir des effets fameux.

85 – Non, ça Lui a donné la tremblote. C'est pourquoi tu vois mes contours brouillés, flous, fondus.

– Tout s'explique.

– Oui, tu vois comme c'est simple.

– Je vais aller me promener un peu, Adrien.

90 – En es-tu sûre ?

– Tu as une meilleure idée ?

– Plie-le.

– Je n'aime pas plier les gens, ça leur fait des marques.

– Tu as raison. Moi, on m'a plié, une fois.

95 Camille hocha la tête.

– Il faut que tu m'aides. Appelle-moi demain quand il est à la Brigade. Je pourrai passer chez moi et boucler mon sac.

Camille attrapa la troisième canette et l'entama largement.

– Tu vas où ? demanda Danglard.

100 – Aucune idée. Où y a-t-il de l'espace ?

Danglard montra son front.

– Ah oui, dit Camille en souriant, mais tu es un vieux philosophe, et je n'ai pas ta sagesse. Adrien ?

– Oui ?

105 – Qu'est-ce que je fais de ça ?

Camille tendit la main et lui montra la boule de poils. C'était bien un bébé chat.

– Il m'a suivie ce soir. Je suppose qu'il voulait m'aider. Il est tout

petit, mais sagace[1] et très fier. Je ne peux pas l'emporter, il est trop fra-
110 gile.

– Tu veux que je m'occupe de ce chat ?

Danglard attrapa le chaton par la peau du dos, l'examina et le reposa
à terre, décontenancé.

– Ce serait mieux que ce soit toi qui restes, dit Danglard. Tu vas lui
115 manquer.

– Au chaton ?

– À Adamsberg.

Camille termina sa troisième canette et la posa sans bruit sur la table.

– Non, dit-elle. Lui n'est pas fragile.

120 Danglard n'essaya pas de fléchir[2] Camille. Après un accident, il n'est
jamais mauvais d'aller vagabonder. Il lui garderait le chat, ça lui ferait un
souvenir, aussi doux et joli que Camille elle-même mais en moins faste[3],
évidemment.

– Où vas-tu dormir ? demanda-t-il.

125 Camille haussa les épaules.

– Ici, décida Danglard. Je vais te déplier cette banquette.

– Ne te donne pas de mal, Adrien. Je vais m'allonger dessus, parce
que je vais dormir avec mes bottes.

– Pour quoi faire ? Tu vas être mal.

130 – Ce n'est pas grave. Dorénavant, je dormirai avec.

– Ce n'est pas très propre, dit Danglard.

– Mieux vaut être debout, que propre.

– Tu sais, Camille, que la grandiloquence n'a jamais dépanné personne ?

---

1. Malin.
2. Convaincre.
3. Magnifique.

135   – Oui, ça, je le sais. C'est ma part imbécile qui me fait grandiloquer parfois. Ou petitloquer[1].

   – Il ne pousse rien sur le grandiloque, le petitloque ou le soliloque[2].

   – Sur quoi pousse-t-il quelque chose ? demanda Camille en ôtant ses bottes.

140   – Sur le réflexiloque[3].

   – Bien, dit-elle. J'en achèterai.

Camille s'allongea sur la banquette, sur le dos, les yeux ouverts. Danglard partit à la salle de bains et revint avec une serviette et de l'eau froide.

145   – Mets ça sur tes paupières, il faut que ça dégonfle.

   – Adrien, est-ce qu'il lui restait de la pâte, à Dieu, quand il eut terminé Jean-Baptiste ?

   – Un petit peu.

   – Qu'est-ce qu'Il en a fait ?

150   – Quelques bricoles assez complexes comme les semelles en cuir, par exemple. Merveilleuses à porter mais qui glissent sur les pentes et dérapent dès qu'il pleut. Ce n'est que récemment que l'Homme a résolu cet embarras millénaire en y collant du caoutchouc.

   – On ne peut pas coller du caoutchouc sur Jean-Baptiste.

155   – Pour éviter de glisser ? Non, on ne peut pas.

   – Quoi d'autre, Adrien ?

   – Il ne lui restait plus beaucoup de pâte, tu sais.

   – Quoi d'autre ?

   – Les billes.

160   – Tu vois, c'est vraiment calé, les billes.

---

1. M'exprimer peu ou très simplement (mot inventé, s'oppose à « grandiloquence »).
2. Discours de quelqu'un qui se parle à lui-même.
3. Action de réfléchir (mot inventé).

Camille s'endormit, et Danglard attendit une demi-heure avant de retirer la compresse froide et d'éteindre le plafonnier. Il regarda la jeune femme dans l'ombre. Il aurait donné dix mois de bière pour pouvoir l'effleurer quand Adamsberg oubliait de l'embrasser. Il attrapa le chat,
165 l'éleva à hauteur de son visage et le fixa dans les yeux.

— C'est con, les accidents, lui dit-il. C'est toujours très con. Et nous deux, on a un bout de chemin à faire ensemble. On attendra qu'elle revienne, peut-être. Pas vrai, la boule ?

Avant de se coucher, Danglard s'arrêta devant le téléphone et hésita à
170 prévenir Adamsberg. Trahir Camille ou trahir Adamsberg. Il médita un long moment devant la porte sombre de cette alternative.

Alors qu'Adamsberg s'habillait en hâte pour courir après Camille, la jeune fille enchaînait anxieusement les questions, depuis quand il la connaissait, pourquoi il n'en avait pas parlé, est-ce qu'il couchait avec
175 elle, est-ce qu'il l'aimait, à quoi il pensait, pourquoi il lui courait après, quand reviendrait-il, pourquoi il ne restait pas là, elle ne voulait pas être seule. Adamsberg en avait le tournis et ne savait répondre à aucune. Il l'abandonna dans l'appartement, certain de la retrouver là au retour, avec la boule des questions intacte. Le cas de Camille était autrement
180 plus emmerdant, car Camille ne se souciait pas de la solitude. Elle s'en souciait même si peu qu'elle se jetait dans l'errance à la moindre anicroche.

Adamsberg marchait rapidement dans les rues, flottant dans le grand ciré du Normand qui lui faisait froid aux bras. Il connaissait Camille. Elle
185 allait décoller, et vite. Quand Camille avait en tête de changer d'air, c'était aussi difficile de la retenir que de rattraper un oiseau dopé à l'hélium[1],

---

1. À un corps gazeux très léger.

aussi difficile que de rattraper sa mère, la Reine Mathilde, quand elle plongeait dans l'océan. Camille partait bricoler vers ses propres latitudes[1], subitement lasse d'un espace où les trajectoires tortueuses s'étaient maladroitement enchevêtrées. À l'heure qu'il était, elle devait arrimer ses bottes, emballer le synthétiseur, fermer sa trousse à outils. Camille comptait beaucoup sur cette trousse pour l'aider à usiner dans la vie, beaucoup plus que sur lui dont elle se défiait[2], à juste titre.

Adamsberg tourna au coin de sa rue et leva les yeux vers la verrière. Éteinte. Il s'assit en soufflant sur le capot d'une voiture et croisa les bras sur son ventre. Camille n'était pas repassée chez elle et sans doute s'envolerait-elle sans se retourner. C'était comme ça quand Camille s'en allait promener. Qui sait, alors, quand il la reverrait, dans cinq ans, dans dix ans ou jamais, c'était possible.

Il revint à pas lents chez lui, mécontent. Si le semeur n'avait pas obsédé ses heures et ses pensées, ça ne serait pas arrivé. Il se laissa tomber sur son lit, fatigué et silencieux, pendant que la jeune fille, désolée, reprenait l'enroulement de ses questions inquiètes.

– Je t'en prie, tais-toi, dit-il.

– Ce n'est pas de ma faute, s'insurgea-t-elle.

– C'est de la mienne, dit Adamsberg en fermant les yeux. Mais tais-toi, ou va-t'en.

– Cela t'est égal ?

– Tout m'est égal.

---

1. Son propre espace de liberté.
2. Se méfiait.

BIEN LIRE

Chez qui se rend Camille ? Dans quel but ? Que confie Camille à son ami ?

Comment réagit à son tour le commissaire ?

Comment jugez-vous les relations entre Camille et Adamsberg ?

XXIX

Danglard entra à neuf heures dans le bureau d'Adamsberg, relativement inquiet, encore qu'il sût que rien, fondamentalement, ne pouvait altérer[1] la constance de l'humeur vagabonde du commissaire, en raison d'une prise aussi réduite que possible avec la réalité. En effet, Adamsberg
5 feuilletait à sa table un tas de journaux aux titres assez dévastateurs sans paraître en être affecté, le visage aussi calme qu'à l'ordinaire, un peu plus lointain peut-être.

— Dix-huit mille immeubles touchés, lui dit Danglard en déposant une note sur sa table.

10 — C'est bien, Danglard.

Danglard resta en place, sans parler.

— J'ai failli attraper ce type, hier, sur la place, dit Adamsberg d'une voix un peu éteinte.

— Le semeur ? demanda Danglard, surpris.

15 — Le semeur en personne. Mais il m'a échappé. Tout m'échappe, Danglard, ajouta-t-il en levant les yeux et en croisant rapidement le regard de son adjoint.

— Vous avez vu quelque chose ?

— Non. Rien, justement.

20 — Rien ? Comment pouvez-vous dire que vous avez failli attraper ce type ?

— Parce que je l'ai senti.

— Senti quoi ?

— Je ne sais pas, Danglard.

25 Danglard renonça, préférant laisser Adamsberg seul quand il abordait

---

1. Troubler.

ces espaces confus, cet estran[1] où les pas s'enfoncent dans la douceur des vases, où l'eau le dispute à la terre. Il s'éclipsa jusqu'au porche d'entrée pour appeler Camille, avec la sensation honteuse de glisser comme un espion au sein de la Brigade.

30   – Tu peux y aller, dit-il à voix basse. Il est ici, il a du boulot haut comme la tour Eiffel.

    – Merci, Adrien. Au revoir.

    – Au revoir, Camille.

    Danglard raccrocha tristement, rejoignit sa table, alluma mécanique-
35 ment son ordinateur qui tinta un peu trop joyeusement dans ses pensées sombres. C'est con, un ordinateur, ça ne s'adapte à rien. Une heure et demie plus tard, il vit Adamsberg passer devant lui d'un pas relativement rapide. Danglard rappela aussitôt Camille pour la prévenir d'une probable visite. Mais Camille avait déjà mis les voiles.

40   Adamsberg se heurta à nouveau à la porte close et, cette fois, il n'hésita pas. Il sortit son passe et libéra la serrure. Un coup d'œil à l'atelier lui suffit à comprendre que Camille avait disparu. Le synthétiseur était parti, avec la trousse de plombier et le sac à dos. Le lit était fait, le frigo vidé, l'électricité coupée. Adamsberg s'assit sur une chaise pour contem-
45 pler cette maison désertée et tâcher de réfléchir. Il contempla, mais sans réfléchir. Son portable le tira de sa pose près de trois quarts d'heure plus tard.

    – Masséna vient d'appeler, dit Danglard. Ils ont un corps à Marseille.

50   – C'est bien, commenta Adamsberg, comme ce matin. J'arrive. Prenez-moi un billet dans le premier avion.

---

1. Cette portion du littoral comprise entre les plus hautes et les plus basses mers (figuré).

Vers deux heures, alors qu'il quittait la Brigade en effervescence, Adamsberg posa son sac auprès du bureau de Danglard.

– J'y vais, dit-il

55 – Oui, dit Danglard.

– Je vous confie la Brigade.

– Oui.

Adamsberg cherchait ses mots et son regard s'arrêta aux pieds de Danglard, qui dissimulaient à moitié un panier rond dans lequel dor-
60 mait un chaton minuscule et tout aussi rond.

– Qu'est-ce que c'est que ça, Danglard ?

– C'est un chat.

– Vous amenez des chats à la Brigade ? Vous ne trouvez pas qu'on a assez de bordel sur les reins ?

65 – Je ne peux pas le laisser à la maison. Il est trop jeune, il pisse partout et il peine parfois à s'alimenter.

– Danglard, vous aviez dit que vous ne vouliez pas d'animal.

– Il y a ce qu'on dit, il y a ce qu'on fait.

Danglard parlait de manière brève, un peu hostile, le regard figé sur
70 l'écran, et Adamsberg y reconnut distinctement cette désapprobation muette qu'il essuyait parfois de la part de son adjoint. Son regard retourna au panier et l'image remonta, bien nette. Camille s'en allant de dos, le blouson sur un bras, un chaton blanc et gris sous l'autre, auquel il n'avait pas, dans sa course, prêté attention.

75 – Elle vous l'a confié, n'est-ce pas, Danglard ? demanda-t-il.

– Oui, répondit Danglard, le regard toujours rivé à l'écran.

– Comment s'appelle-t-il ?

– La boule.

Adamsberg tira une chaise et s'assit, les coudes sur les cuisses.

80   – Elle est partie se promener, dit-il.

– Oui, répéta Danglard, et cette fois il tourna la tête et s'arrêta sur le regard lavé de fatigue d'Adamsberg.

– Elle vous a dit où ?

– Non.

85   Il y eut un court silence.

– Il s'est produit une petite collision, dit Adamsberg.

– Je sais.

Adamsberg se passa les doigts des deux mains dans les cheveux, plusieurs fois, lentement, comme s'il appuyait sur son crâne, puis il se leva
90   et quitta la Brigade sans un mot.

BIEN LIRE

Commentez cette phrase du commissaire : « Tout m'échappe » (l. 15). Identifiez la figure de style qu'il utilise pour évoquer le départ de Camille : « Elle est partie se promener » (l. 80).

XXX

Masséna vint cueillir son collègue à l'aéroport de Marignane et l'emmena directement à la morgue où le corps avait été transféré. Adamsberg voulait voir, Masséna n'étant pas en mesure de déterminer s'il avait affaire ou non à un imitateur.

5   – On l'a trouvé nu chez lui, expliqua Masséna. Les serrures avaient été forcées en artiste. Du travail très propre. Il y avait pourtant deux gros verrous tout neufs.

    – Technique des débuts, commenta Adamsberg. Il n'y avait pas de planton[1] sur le palier ?

10   – J'avais quatre mille immeubles sur les bras, collègue.

    – Oui. C'est là qu'il est fort. Il a annihilé[2] en quelques jours la surveillance policière. Nom, prénoms, qualités[3] ?

    – Sylvain Jules Marmot, trente-trois ans. Employé au port, à la réfection des bateaux.

15   – Des bateaux, répéta Adamsberg. Il est passé par la Bretagne ?

    – Comment vous le savez ?

    – Je ne sais pas, je me demande.

    – À dix-sept ans, il a bossé à Concarneau. C'est là qu'il a appris le métier. Brusquement, il a tout largué et il est monté à Paris, où il a vécu 20 de petits boulots de menuiserie.

    – Il vivait seul ici ?

    – Oui. Sa compagne est une femme mariée.

    – C'est pour ça que le semeur l'a tué chez lui. Il est très bien renseigné. Il n'y a pas de hasard là-dedans, Masséna.

---

1. Gardien debout devant la porte.
2. Réduit à néant.
3. Conditions sociale, civile, juridique.

25   — Peut-être, mais pas un point de commun entre ce Marmot et vos
quatre victimes. Sauf ce séjour à Paris, entre vingt et vingt-sept ans. Ne
vous cassez pas la tête pour les interrogatoires, collègue, j'ai envoyé tout
le dossier à votre Brigade.

    — C'est là que ça s'est passé, à Paris.

30   — Quoi ?

    — Leur rencontre. Ces cinq-là ont dû se connaître, se croiser, d'une
manière ou d'une autre.

    — Non, collègue, je crois que le semeur nous fait cavaler. Il nous
laisse croire que ces assassinats ont un sens, pour nous déboussoler. C'est
35 facile de savoir que Marmot vivait seul. Tout le quartier est au courant.
Ici, la vie se raconte dans la rue.

    — Il a eu droit au gaz lacrymogène ?

    — Un bon jet dans le visage. On comparera l'échantillon avec celui
de Paris, histoire de savoir s'il l'a trimballé sur lui ou acheté à Marseille.
40 Ça pourrait être un début.

    — Ne rêvez pas, Masséna. Le type est surdoué, j'en suis certain. Il a
tout prévu, toutes les articulations de l'affaire, toutes les réactions en
chaîne, comme un chimiste. Et il sait exactement à quel produit il veut
aboutir. Ça ne m'étonnerait pas que ce type soit un scientifique.

45   — Scientifique ? Je croyais que vous le disiez littéraire.

    — Ce n'est pas incompatible.

    — Scientifique et cinglé ?

    — Il a un fantôme dans la tête, depuis 1920.

    — Bon sang, collègue, c'est un vieux de quatre-vingts ans ?
50 Adamsberg sourit. Au contact, Masséna était un type bien plus cordial
qu'au téléphone. Trop, parce qu'il ponctuait presque toutes ses paroles
de gestes démonstratifs, saisissant le collègue au bras, lui frappant
l'épaule, le dos, et en voiture la cuisse.

— Je le vois plutôt entre vingt et quarante.

55 — Ce n'est pas une fourchette, ça, collègue, c'est le grand écart.

— Mais c'est possible qu'il en ait quatre-vingts, pourquoi pas. Sa technique d'assassinat ne lui demande aucune force. Asphyxie minute et lacet coulissant, probablement cette bague de serrage crantée qu'utilisent les électriciens pour ficeler les gros paquets de câbles. Un truc qui
60 ne pardonne pas et qu'un enfant peut manipuler.

Masséna se gara un peu loin de la morgue, cherchant une place à l'ombre. Ici, le soleil était encore brûlant et les gens se promenaient chemise ouverte ou bien prenaient le frais à l'ombre, assis sur les marches des maisons, une bassine de légumes à éplucher calée sur les genoux. À
65 Paris, Bertin devait chercher son ciré pour parer aux averses.

On repoussa le drap qui recouvrait le mort et Adamsberg l'examina attentivement. Les plaques de charbon de bois étaient d'une étendue similaire à celles trouvées sur les corps parisiens, couvrant la presque totalité du ventre, des bras, des cuisses, colorant la langue. Adamsberg
70 passa son doigt dessus, puis le frotta sur son pantalon.

— Il est parti aux analyses, dit Masséna.

— Il est piqué ?

— Deux fois ici, dit Masséna en pointant sur le pli intérieur de la cuisse.

— Et chez lui ?

75 — Sept puces récoltées, selon la technique que vous m'aviez indiquée, collègue. Pratique et malin. Les bestioles sont parties aux analyses.

— Une enveloppe ivoire ?

— Oui, dans la poubelle. Je ne comprends pas qu'il ne nous ait pas prévenus.

80 — Il avait peur, Masséna.

— Justement.

– Peur des flics. Bien plus peur des flics que de l'assassin. Il a cru pouvoir se défendre seul, il a fixé deux verrous supplémentaires. Comment étaient ses habits ?

85 – En vrac dans la chambre. Très bordélique, le Marmot. Quand on vit tout seul aussi, qu'est-ce que ça peut foutre ?

– C'est bizarre. Le semeur déshabille ses victimes proprement.

– C'est qu'il n'a pas eu à le déshabiller, collègue. Il dormait à poil sur son lit. Ici, c'est comme ça qu'on fait généralement. À cause du chaud.

90 – Je peux voir son immeuble ?

Adamsberg passa le porche d'une bâtisse au crépi rouge et délabré, pas loin du Vieux-Port.

– Pas de problème de code, hein ?

– Ça doit faire un moment qu'il est bousillé, dit Masséna.

95 Masséna avait apporté une puissante lampe torche, parce que la minuterie de la cage d'escalier ne fonctionnait plus. Adamsberg examina attentivement les portes dans le faisceau de lumière, palier par palier.

– Alors ? dit Masséna en atteignant le dernier étage.

– Alors il était chez vous. C'est de lui, ça ne fait pas de doute. Le

100 délié, la rapidité, l'aisance, l'emplacement des barres perpendiculaires, c'est lui. On peut même dire qu'il a pris son temps. On n'est pas beaucoup dérangé, dans ces immeubles ?

– C'est-à-dire qu'ici, expliqua Masséna, de jour et de nuit, si vous croisez un type en train de peindre sur une porte, tout le monde s'en

105 branle, au point où en est l'immeuble, ça ajouterait même un plus. Et avec tous ces gens qui peignaient en même temps que lui, qu'est-ce qu'il risquait ? Si on allait marcher un peu, collègue ?

Adamsberg le regarda, surpris. C'était la première fois qu'un flic voulait marcher, comme lui.

110   – J'ai une petite barcasse[1] dans une calanque[2]. Si on prenait le large ?
Ça donne des idées, non ? Moi, je fais souvent comme ça.

Une demi-heure plus tard, Adamsberg avait embarqué à bord de
l'*Edmond Dantès*, un petit canot à moteur qui tenait bien la mer.
Adamsberg, torse nu à l'avant, fermait les yeux sous le vent tiède.
115 Masséna, également torse nu, barrait à l'arrière. Ni l'un ni l'autre ne
cherchaient à avoir des idées.

– Vous partez ce soir ? cria Masséna.

– Demain à l'aube, dit Adamsberg. Je voudrais traîner sur le port.

– Ah oui. Il y a des idées aussi, sur le Vieux-Port.

120   Adamsberg avait coupé son portable pendant la balade et consulta ses
messages au débarquement. Un rappel à l'ordre du divisionnaire
Brézillon, très inquiet du cyclone qui tournait sur la capitale, un appel
de Danglard pour lui signaler le dernier bilan de 4, un autre de
Decambrais qui lui lisait la « spéciale » qui était tombée ce lundi matin :

125   *Elle prit domicile, pendant les premiers jours, dans les quartiers bas,*
humides et sales. Pendant quelque temps, elle fait peu de progrès. Elle semble
même avoir disparu. Mais peu de mois sont à peine écoulés, qu'enhardie, elle
s'avance lentement d'abord, dans des rues populeuses et aisées, et enfin, pleine
d'audace, elle se montre dans tous les quartiers, où elle répand son poison mor-
130 *tel. Elle est partout.*

Adamsberg nota le texte sur son carnet, puis le lut lentement sur le
répondeur de Marc Vandoosler. Il manipula son portable une nouvelle
fois, à la recherche irrationnelle d'un autre message, enfoui sous les
autres, mais il n'y avait rien. Camille, s'il te plaît.

---

1. Mauvaise barque.
2. Crique étroite et escarpée, aux parois rocheuses.

135 À la nuit, après un dîner chargé en compagnie du collègue, Adamsberg avait quitté Masséna sur une forte accolade avec fermes promesses de retrouvailles, et il marchait le long du quai sud, sous la présence très éclairée de Notre-Dame-de-la-Garde. Il considérait, bateau après bateau, les reflets qui se formaient sous les coques dans l'eau noire, 140 précis jusqu'à la pointe des mâts. Il s'agenouilla et lança un gravier dans l'eau, faisant trembler tout le reflet qui sembla pris d'un long frisson. La lumière de la lune s'accrocha en minuscules éclairs aux vaguelettes des remous. Adamsberg s'immobilisa, les cinq doigts de la main appuyés au sol. Il était là, le semeur.

145 Il releva la tête avec prudence et scruta les promeneurs dans la nuit, nombreux, profitant de la chaleur résiduelle en marchant à pas lents. Des couples et quelques groupes d'adolescents. Pas un homme seul. Adamsberg, toujours agenouillé, suivit les quais du regard, mètre par mètre. Non, il n'était pas sur les quais. Il était là, et il était ailleurs. En 150 économisant ses mouvements, Adamsberg jeta un nouveau gravillon, aussi petit que le précédent, dans l'eau plate et sombre. Le reflet frémit, et la lune fit de nouveau scintiller brièvement les liserés des ridules. C'est là qu'il était, dans l'eau, et dans l'eau brillante. Dans ces éclairs infimes qui frappaient ses yeux et s'évanouissaient. Adamsberg se cala plus fer-155 mement sur le quai, les deux mains posées au sol, le regard plongeant sous la coque blanche. Dans ces éclairs, le semeur. Il attendit, sans bouger. Et, comme une mousse se détachant des fonds rocheux et remontant mollement vers le jour, l'image perdue la veille, sur la place, amorça sa lente ascension. Adamsberg respirait à peine, fermant les yeux. Dans 160 l'éclair, l'image était dans l'éclair.

Tout à coup, elle fut là, entière. L'éclair, pendant la criée de Joss, à la fin. Quelqu'un avait bougé, et quelque chose avait étincelé, vif et rapide. Un flash ? Un briquet ? Non, bien sûr que non. C'était un éclair beaucoup

plus petit, infime et blanc, comme ceux des vaguelettes ce soir, et bien plus
165 fugace. Il avait bougé, de bas en haut, il venait d'une main, comme une
étoile filante.

Adamsberg se leva, et respira un grand coup. Il l'avait. L'éclair d'un
diamant, projeté par le mouvement d'une main, pendant la criée.
L'éclair du semeur, protégé par le roi des talismans. Il avait été là,
170 quelque part sur la place, son diamant au doigt.

Au matin, dans le hall de l'aéroport de Marignane, il reçut la réponse
de Vandoosler.

– J'ai passé la nuit à chercher ce foutu extrait, dit Marc. La version
que vous m'avez lue était modernisée, refondue au XIXe siècle.
175 – Alors ? demanda Adamsberg, toujours confiant en les ressources
du wagon-citerne de Vandoosler.

– Troyes. Texte original de 1517.

– Trois ?

– La peste en la ville de Troyes, commissaire. Il vous promène.
180 Adamsberg appela aussitôt Masséna.

– Bonne nouvelle, Masséna, vous allez pouvoir souffler. Le semeur
vous lâche.

– Que se passe-t-il, collègue ?

– Il va sur Troyes, la ville de Troyes.
185 – Pauvre gars.

– Le semeur ?

– Le commissaire.

– Je file, Masséna, on annonce mon vol.

– On se reverra, collègue, on se reverra.
190 Adamsberg appela Danglard pour lui communiquer la même nouvelle et lui demander de se mettre d'urgence en contact avec la cité
menacée.

— Il va nous faire courir dans toute la France ?

— Danglard, le semeur porte un diamant au doigt.

195   — Une femme ?

— C'est possible, peut-être, je ne sais pas.

Adamsberg coupa son portable pendant le vol et le rebrancha dès qu'il posa le pied à Orly. Il consulta la messagerie, vide, puis le rempocha en serrant les lèvres.

BIEN LIRE

À combien s'élève à présent le nombre de victimes ?
Pourquoi le criminel est-il peut-être à la fois un littéraire et un scientifique ?

XXXI

Pendant que la ville de Troyes se préparait à l'offensive, Adamsberg, sitôt débarqué d'avion, était passé à la Brigade puis reparti s'installer sur la place. Decambrais avait filé droit sur lui, une grosse enveloppe à la main.

– Votre spécialiste a-t-il démêlé la spéciale d'hier ? demanda-t-il.

5   – Troyes, l'épidémie de 1517.

Decambrais se passa une main sur une joue, comme s'il se rasait.

– Le semeur a pris goût aux voyages, dit-il. S'il visite tous les lieux que la peste a touchés, on en a pour trente ans à parcourir l'Europe, quelques localités de Hongrie et des Flandres exceptées. Il complique les
10 choses.

– Il les simplifie. Il regroupe ses hommes.

Decambrais lui jeta un regard interrogateur.

– Je ne pense pas qu'il traverse le pays pour le plaisir, expliqua Adamsberg. Sa troupe s'est dispersée, et il la rattrape.

15 – Sa troupe ?

– S'ils se sont dispersés, continua Adamsberg sans répondre, c'est que l'affaire a eu lieu il y a assez longtemps. Une bande, un groupe, un forfait[1]. Le semeur les cueille les uns après les autres en abattant sur eux le fléau de Dieu. Ce ne sont pas des choix de hasard, j'en suis certain. Il
20 sait où il vise et les victimes sont repérées depuis longtemps. Sans doute ont-elles compris à présent qu'elles sont menacées. Sans doute savent-elles qui est le semeur.

– Non, commissaire, elles viendraient se placer sous votre protection.

---

1. Crime abominable qui frappe l'imagination par son horreur.

25   — Non, Decambrais. À cause du forfait. Ce serait comme un aveu.

Le type de Marseille avait compris, il venait de poser deux verrous à sa porte.

— Mais quel forfait, bon sang ?

— Comment voulez-vous que je le sache ? Il y a eu une merde. On
30 assiste à son effet retour. Qui sème la merde récolte des puces.

— Si c'était cela, vous auriez trouvé le recoupement depuis longtemps.

— Il y en a deux. Ils sont tous, hommes et femmes, de la même génération. Et ils ont vécu à Paris. C'est pourquoi je dis un groupe, une
35 bande.

Il tendit la main et Decambrais y déposa la grande enveloppe ivoire. Adamsberg en tira la missive du matin :

Cette épidémie cessa brusquement au mois d'Août 1630 et tout (…) s'en réjouit fort ; malheureusement cette halte fut de bien courte durée. C'était
40 *le sinistre précurseur d'une recrudescence tellement horrible que du mois d'octobre 1631 jusque vers la fin de 1632 (…)*

— Où en sommes-nous des immeubles ? demanda Decambrais pendant qu'Adamsberg composait le numéro de Vandoosler. Les journaux annoncent dix-huit mille à Paris, et quatre mille à Marseille.

45   — C'était hier. On est aux vingt-deux mille au bas mot.

— Quelle misère.

— Vandoosler ? Adamsberg. Je vous dicte celle de ce matin, vous y êtes ?

Decambrais regarda le commissaire lire la « spéciale » au téléphone,
50 avec un air suspicieux et un brin jaloux.

— Il cherche et il me rappelle, dit Adamsberg en raccrochant.

— Doué, non, ce type ?

– Très, confirma Adamsberg avec un sourire.

– S'il vous trouve la ville à partir de cet extrait-là, bravo. Il sera plus
55 que doué, il sera visionnaire. Ou coupable. Vous n'aurez plus qu'à lancer vos chiens à ses trousses.

– C'est fait depuis longtemps, Decambrais. Le gars est hors de cause.
Non seulement il avait un excellent alibi drapier pour le premier
meurtre, mais je l'ai fait surveiller tous les soirs depuis. Le type dort chez
60 lui et sort au matin pour aller faire des ménages.

– Des ménages ? répéta Decambrais, perplexe.

– Il est femme de ménage.

– Et il est spécialiste de la peste ?

– Vous faites bien de la dentelle.

65 – Il ne la trouvera pas, celle-là, dit Decambrais après un silence
pincé.

– Il la trouvera.

Le vieil homme recoiffa ses cheveux blancs, réajusta sa cravate marine
et regagna l'ombre de son bureau où il ne connaissait nul rival.

70 Le grondement de tonnerre du Normand ravagea la place et, sous une
pluie fine, on se dirigea vers le *Viking*, écartant les pigeons à contresens.

– Désolé, Bertin, dit Adamsberg. J'ai emporté votre ciré jusqu'à
Marseille.

– La veste est sèche. Ma femme vous l'a repassée.

75 Bertin la sortit de sous son comptoir et la déposa, paquet bien propre
et carré, dans les bras du commissaire. La veste de toile n'avait jamais eu
cette allure depuis le jour de son achat.

– Dis donc, Bertin, tu cajoles les flics à présent ? On te roule dans la
farine et toi, t'en redemandes ?

80 Le haut Normand tourna la tête vers celui qui venait de parler et qui

se marrait d'un air mauvais, enfournant sa serviette en papier entre sa chemise et son cou de taureau, prêt à bouffer.

Le fils de Thor dégagea de son comptoir et se dirigea droit vers sa table, basculant des chaises sur son passage jusqu'à sa jonction avec
85 l'homme, qu'il saisit par la chemise et tira violemment en arrière. Comme le type protestait en hurlant, Bertin lui colla deux baffes et, le traînant jusqu'à la porte à la force du bras, le balança sur la place.

— T'avise pas de revenir, il n'y a pas de place au *Viking* pour des fumiers de ton genre.
90 — T'as pas le droit, Bertin ! cria le type en se relevant avec difficulté. T'es un établissement public ! T'as pas le droit de trier ta clientèle !

— Je choisis les flics et je choisis les hommes, répondit Bertin en claquant la porte. Puis il passa une large main dans ses cheveux clairs pour les remettre en arrière et reprit sa place au comptoir, digne et ferme.
95 Adamsberg alla se glisser à droite, sous la proue.

— Vous déjeunez là ? demanda Bertin.

— Je déjeune et je m'installe, jusqu'à la criée.

Bertin hocha la tête. Il n'aimait pas les flics plus qu'un autre mais cette table était donnée à Adamsberg *ad vitam aeternam*[1].
100 — Je ne vois pas ce que vous pouvez chercher sur cette place, dit le Normand en passant un grand coup d'éponge pour lui faire place nette. On se ferait plutôt chier, s'il n'y avait pas Joss.

— Justement, dit Adamsberg. J'attends la criée.

— Bon, dit Bertin. Vous avez cinq heures devant vous, mais chacun
105 ses méthodes.

Adamsberg posa son portable près de son assiette et le considéra d'un regard vague. Camille, bon sang, appelle. Il le prit, le retourna dans un

---

1. Pour l'éternité (latin).

sens et dans un autre. Puis il lui donna une légère pichenette. L'appareil tournoya sur lui-même, comme à la roulette. Et si ça se trouve, ça lui
110 était égal. Mais appelle. Puisque tout est égal.

Marc Vandoosler téléphona en milieu d'après-midi.

– Pas facile, dit-il du ton d'un type qui a cavalé toute la journée après une aiguille dans une charretée de foin.

Confiant, Adamsberg attendit la réponse.

115 – Châtellerault, continua Vandoosler. Un récit tardif des événements.

Adamsberg communiqua l'information à Danglard.

– Châtellerault, enregistra Danglard. Commissaires divisionnaires Levelet et Bourrelot. Je les mets en alerte.

– Des 4 à Troyes ?

120 – Pas encore. Les journalistes n'ont pas pu décrypter le message comme ils l'ont fait pour Marseille. Je dois vous laisser, commissaire. La boule est en train de faire des dégâts dans les plâtres neufs.

Adamsberg raccrocha et mit un temps à comprendre que Danglard venait de parler du chat. Pour la cinquième fois de la journée, il regarda
125 son portable dans les yeux, face à face.

– Sonne, lui murmura-t-il. Bouge. C'était une collision et il y en aura d'autres. Tu n'as pas à t'en occuper, qu'est-ce que cela peut bien te faire ? Ce sont mes collisions et ce sont mes histoires. Laisse-les-moi. Sonne.

130 – C'est un truc à reconnaissance vocale ? demanda Bertin en apportant le plat chaud. Ça répond tout seul ?

– Non, dit Adamsberg, ça ne répond pas.

– Ça ne donne pas que des satisfactions, ces trucs-là.

– Non.

135 Adamsberg passa l'après-midi au *Viking*, seulement dérangé par Castillon puis par Marie-Belle qui vint le délasser par une demi-heure de bavardage circulaire. Il s'installa pour la criée cinq minutes avant l'heure, en même temps que Decambrais, Lizbeth, Damas, Bertin, Castillon, qui prenaient leurs positions, et la mélancolique Éva qu'il
140 repéra dans l'ombre de la colonne Morris. La foule, toujours compacte, se serrait autour de l'estrade.

Adamsberg avait délaissé son platane pour s'approcher au plus près du Crieur. Son regard tendu passait de familier en familier, examinant leurs mains les unes après les autres, guettant les moindres gestes qui lui
145 révéleraient un faible éclair. Joss passa dix-huit annonces sans qu'Adamsberg ne repère quoi que ce soit. Pendant la météo marine, une main se leva, passant sur un front, et Adamsberg la saisit au vol. L'éclair.

Stupéfait, il recula jusqu'au platane. Il y resta appuyé sans bouger pendant un long moment, hésitant, incertain.
150 Puis il tira très lentement le téléphone de sa veste repassée.

– Danglard, murmura-t-il, rappliquez au pas de course sur la place avec deux hommes. Activez, capitaine. J'ai le semeur.

– Qui ? demanda Danglard tout en se levant, et faisant signe à Noël et Voisenet de le suivre.
155 – Damas.

Quelques minutes plus tard, la voiture des flics freina sur la place et trois hommes en sortirent rapidement, se dirigeant vers Adamsberg qui les attendait près du platane. L'événement suscita un certain intérêt de la part de ceux qui traînaient encore entre deux discussions, d'autant
160 que le plus grand des flics portait un chaton blanc et gris dans la main.

– Il y est toujours, dit Adamsberg à voix assez basse. Il fait sa caisse avec Éva et Marie-Belle. Ne touchez pas aux femmes, ne prenez que le

type. Attention, il peut être dangereux, taillé en athlète, assurez vos armes. En cas de violence, pas de casse, par pitié. Noël, vous venez avec
165 moi. Il y a une autre porte qui donne sur la rue latérale, celle par où passe le Crieur. Danglard et Justin, postez-vous devant.

– Voisenet, rectifia Voisenet.

– Postez-vous devant, répéta Adamsberg en décollant du tronc d'arbre. On y va.

170 La sortie de Damas, encadré par quatre flics, menottes aux poings, et son embarquement immédiat dans la voiture de police figèrent les habitants de la place dans la stupeur. Éva courut jusqu'à la voiture, qui démarra devant elle pendant qu'elle se tenait la tête à deux mains. Marie-Belle se jeta en larmes dans les bras de Decambrais.

175 – Il est dingue, dit Decambrais en serrant la jeune femme contre lui. Il est devenu complètement dingue.

Même Bertin, qui avait suivi toute la scène derrière ses carreaux, fut ébranlé dans la vénération qu'il portait au commissaire Adamsberg.

– Damas, murmura-t-il. Ils ont perdu la tête.

180 En l'espace de cinq minutes, toute la place s'était regroupée au *Viking*, où les discussions âpres débutèrent dans une ambiance de drame et de semi-émeute.

BIEN LIRE

Comment s'était comportée une des victimes précédentes ? Pourquoi est-ce un nouvel indice pour l'enquête ?
Qui est le policier qui tient dans sa main un chaton blanc et gris ?
À qui appartient cet animal ?

XXXII

Damas, lui, restait calme, sans l'ombre d'un souci ou d'une question passant sur son visage. Il s'était laissé arrêter sans protester, asseoir dans la voiture et conduire jusqu'à la Brigade sans dire un mot, sans non plus fermer son visage. C'était le prévenu le plus tranquille qu'Adamsberg ait
5 jamais assis face à lui.

Danglard se posa sur le bord de la table, Adamsberg s'adossa au mur en croisant les bras, Noël et Voisenet se tenaient debout dans les angles de la pièces. Favre était posté à une table en coin, prêt à taper l'interrogatoire. Damas, installé de manière assez décontractée sur sa chaise,
10 rejeta ses longs cheveux en arrière et attendit, les deux mains fermées sur ses genoux par les menottes.

Danglard sortit discrètement pour aller déposer la boule dans son panier et demanda à Mordent et Mercadet d'aller chercher de quoi boire et bouffer pour tout le monde, plus un demi-litre de lait, s'ils avaient
15 l'amabilité.

— C'est pour le prévenu ? demanda Mordent.

— Pour le chat, dit discrètement Danglard. Si vous pouvez lui remplir son écuelle, ce serait gentil. Je vais être pris pour la soirée, peut-être pour la nuit.

20 Mordent lui assura qu'on pouvait compter sur lui et Danglard alla reprendre sa position sur l'angle de la table.

Adamsberg était en train d'ôter les menottes à Damas et Danglard jugea le geste prématuré, attendu qu'il restait encore une fenêtre sans barreaux et qu'on ne savait rien des réactions de cet homme.
25 Néanmoins, il ne s'en inquiéta pas. Ce qui le souciait beaucoup en revanche, c'était de voir ce type accusé sans une seule preuve valable d'être le semeur de peste. La pacifique apparence de Damas le démen-

tait d'ailleurs tout à fait. On recherchait un érudit et un grand esprit. Et Damas était un homme simple, et même un peu lent à la détente. Il
30 était absolument impossible que ce type, surtout préoccupé de ses prouesses physiques, ait pu adresser des messages aussi complexes au Crieur. Danglard se demandait anxieusement si Adamsberg y avait seulement songé avant de se lancer tête baissée dans cette invraisemblable arrestation. Il se mâchonna l'intérieur des joues, empli d'appréhension.
35 Pour lui, Adamsberg allait droit dans le mur.

Le commissaire avait déjà contacté le substitut[1] et obtenu des mandats de perquisition[2] pour la boutique de Damas et pour son domicile, rue de la Convention. Six hommes étaient partis depuis un quart d'heure sur les lieux.

40   – Damas Viguier, commença Adamsberg en consultant sa carte d'identité usée, vous êtes accusé des meurtres de cinq personnes.

  – Pourquoi ? dit Damas.

  – Parce que vous êtes accusé, répéta Adamsberg.

  – Ah bon. Vous me dites que j'ai tué des gens ?

45   – Cinq, dit Adamsberg en disposant sous ses yeux les photos des victimes et en les nommant, les unes après les autres.

  – Je n'ai tué personne, dit Damas en les regardant. Je peux m'en aller ? ajouta-t-il aussitôt en se levant.

  – Non. Vous êtes en garde à vue. Vous pouvez passer un coup de
50 téléphone.

Damas regarda le commissaire d'un air interdit[3].

  – Mais j'en passe quand je veux, des coups de téléphone, dit-il.

---

1. Magistrat chargé d'assister le procureur général de la cour d'appel (substitut général) ou le procureur de la République.
2. Ordres légaux d'entrer chez quelqu'un et de fouiller son domicile pour rechercher des preuves.
3. Stupéfait, déconcerté.

– Ces cinq personnes, dit Adamsberg en lui montrant les photos une
à une, ont toutes été étranglées dans la semaine. Quatre à Paris, la der-
55 nière à Marseille.

– Très bien, dit Damas en se rasseyant.

– Les reconnaissez-vous, Damas ?

– Bien sûr.

– Où les avez-vous vues ?

60 – Dans le journal.

Danglard se leva et s'éloigna, laissant la porte ouverte pour entendre
la suite de ce médiocre début d'interrogatoire.

– Montrez-moi vos mains, Damas, dit Adamsberg en repliant les
photos. Non, pas comme cela, à l'envers.

65 Damas s'exécuta de bonne grâce et présenta au commissaire ses
longues mains tendues, paumes tournées vers le plafond. Adamsberg lui
saisit la main gauche.

– C'est un diamant, Damas ?

– Oui.

70 – Pourquoi le retournez-vous ?

– Pour ne pas l'abîmer quand je répare des planches.

– Il vaut cher ?

– Soixante-deux mille francs.

– D'où le tenez-vous ? C'est de famille ?

75 – C'est le prix d'une bécane que j'ai vendue, une 1000 R1 presque
neuve. L'acheteur m'a payé avec ça.

– Ce n'est pas courant pour un homme, de porter un diamant.

– Moi, je le porte. Puisque je l'ai.

Danglard se présenta à la porte et fit signe à Adamsberg de le
80 rejoindre à l'écart.

– Les gars de la perquisition viennent d'appeler, dit Danglard à voix basse. Ça ne donne rien. Pas un sac de charbon de bois, pas un élevage de puces, pas un rat vivant ou mort et surtout, pas un livre, ni à la boutique ni chez lui, à part quelques romans en édition de poche.

85   Adamsberg se frotta la nuque.

– Laissez tomber, dit Danglard d'un ton pressant. Vous allez au plantage. Ce type n'est pas le semeur.

– Si, Danglard.

– Vous ne pouvez pas vous lancer sur ce diamant, c'est ridicule.

90   – Les hommes ne portent pas de diamant, Danglard. Mais celui-ci en porte un à l'annulaire gauche, et il en cache la pierre dans sa paume.

– Pour ne pas l'abîmer.

– Foutaise, rien n'abîme un diamant. Le diamant est la pierre protectrice de la peste par excellence. Il le tient de famille, depuis 1920. Il
95 ment, Danglard. N'oubliez pas qu'il manipule l'urne du Crieur trois fois par jour.

– Ce type n'a pas lu un seul livre de sa vie, bon sang, dit Danglard presque en grondant.

– Qu'est-ce qu'on en sait ?

100   – Vous voyez ce mec-là en latiniste ? Vous plaisantez ?

– Je ne connais pas les latinistes, Danglard. Je n'ai donc pas vos préjugés.

– Et Marseille ? Comment se trouvait-il à Marseille ? Il est toujours fourré dans sa boutique.

105   – Pas le dimanche, ni le lundi matin. Après la criée du soir, il a eu tout le temps de sauter dans le train de 20 h 20. Et d'être de retour ici à dix heures du matin.

Danglard haussa les épaules, presque furieux, et partit s'installer à son écran. Si Adamsberg voulait se planter, qu'il y aille sans lui.

110   Les lieutenants avaient apporté de quoi dîner et Adamsberg servit les

pizzas sur son bureau, dans leurs cartons. Damas mangea avec appétit, l'air satisfait. Adamsberg attendit tranquillement que chacun ait fini de se nourrir, entassa les cartons à côté de la poubelle et reprit l'interrogatoire porte fermée.

Danglard frappa une demi-heure plus tard. Son mécontentement semblait en partie tombé. D'un regard, il fit signe à Adamsberg de le rejoindre.

– Il n'y a pas de Damas Viguier à l'identité, dit-il à voix basse. Ce type n'existe pas. Ses papiers sont faux.

– Vous voyez, Danglard. Il ment. Envoyez ses empreintes, il a sûrement fait de la taule. On le ressasse depuis le début. L'homme qui a ouvert l'appartement de Laurion et celui de Marseille savait s'y prendre.

– Le fichier empreintes vient de déraper. Quand je vous disais que ce foutu fichier m'emmerdait depuis huit jours.

– Filez au Quai[1], mon vieux, et grouillez-vous. Appelez-moi de là-bas.

– Merde, tout le monde a des faux noms sur cette place.

– Decambrais dit qu'il y a des lieux où souffle l'esprit.

– Vous ne vous appelez pas Viguier ? dit Adamsberg en reprenant sa place contre le mur.

– C'est un nom pour la boutique.

– Et pour vos papiers, dit Adamsberg en lui montrant sa carte. Faux et usage de faux.

– C'est un ami qui me les a faits, je préfère.

– Parce que ?

– Parce que je n'aime pas le nom de mon père. Il est trop voyant.

– Dites toujours.

Pour la première fois, Damas garda le silence et serra les lèvres.

– Je ne l'aime pas, dit-il finalement. On m'appelle Damas.

140 – Eh bien, on va l'attendre, ce nom, dit Adamsberg.

Adamsberg partit marcher en laissant Damas à la garde de ses lieutenants. Il est parfois très facile de repérer un type qui ment, ou bien un
type qui dit la vérité. Et Damas disait la vérité en affirmant qu'il n'avait
tué personne. Adamsberg l'entendait dans sa voix, dans ses yeux, il le
145 lisait sur ses lèvres et sur son front. Mais il restait convaincu d'avoir le
semeur devant lui. C'était la première fois qu'il se sentait coupé en deux
moitiés inconciliables devant un suspect. Il rappela les hommes qui
fouillaient toujours la boutique et l'appartement. La perquisition était
un échec total. Adamsberg revint à la Brigade une heure plus tard,
150 consulta le fax adressé par Danglard et le recopia dans son carnet. Il fut
à peine étonné de trouver Damas endormi sur sa chaise, du sommeil
lourd d'un type qui n'a rien sur la conscience.

– Ça fait trois quarts d'heure qu'il dort, dit Noël.

Adamsberg lui posa une main sur l'épaule.

155 – Réveille-toi, Arnaud Damas Heller-Deville. Je vais te raconter ton
histoire.

Damas ouvrit les yeux, et les referma.

– Je la connais déjà.

– L'industriel de l'aéronautique, Heller-Deville, c'est ton père ?

160 – C'était, dit Damas. Grâce à Dieu, il s'est foutu en l'air dans son
avion privé il y a deux ans. Pas paix à son âme.

– Pourquoi ?

– Rien, dit Damas, dont les lèvres tremblaient légèrement. Vous

n'avez pas le droit de me questionner. Demandez-moi n'importe quoi
165 d'autre. N'importe quoi d'autre.

Adamsberg pensa aux paroles de Ferez, et laissa de côté.

— Tu as fait cinq ans de taule à Fleury et tu es sorti il y a deux ans et
demi, dit Adamsberg en lisant ses notes. Accusation d'homicide volontaire. Ta petite amie est passée par la fenêtre.

170 — Elle a sauté.

— C'est ce que tu as répété comme un automate au procès. Des voisins ont témoigné. Ils vous entendaient vous engueuler comme des
chiens depuis des semaines. Ils ont manqué plusieurs fois alerter les flics.
Motif de l'engueulade, Damas ?

175 — Elle était déséquilibrée. Elle criait tout le temps. Elle a sauté.

— Tu n'es pas au tribunal, Damas, et on ne refera jamais ton procès.
Tu peux changer de disque.

— Non.

— Tu l'as poussée ?

180 — Non.

— Heller-Deville, tu as tué ces quatre types et cette femme, la
semaine dernière ? Tu les as étranglés ?

— Non.

— Tu t'y connais en serrures ?

185 — J'ai appris.

— Ils t'ont fait du mal, ces types, cette fille ? Tu les as tués ? Comme
ta petite amie ?

— Non.

— Qu'est-ce qu'il faisait, ton père ?

190 — Du fric.

— À ta mère, qu'est-ce qu'il faisait ?

Une nouvelle fois, Damas serra les lèvres.

Le téléphone sonna et Adamsberg eut le juge d'instruction[1] en ligne.

– Il a parlé ? demanda le juge.

195   – Non. Il bloque, dit Adamsberg.

– Une ouverture en vue ?

– Aucune.

– La perquisition ?

– Néant.

200   – Dépêchez-vous, Adamsberg.

– Non. Je veux une mise en examen[2], monsieur le juge.

– Pas question. Vous n'avez pas un seul élément de preuve. Faites-le parler ou libérez-le.

– Viguier n'est pas son nom, sa carte est trafiquée. Il s'agit d'Arnaud
205 Damas Heller-Deville, cinq ans de taule pour homicide. Ça ne vous suffit pas comme présomption ?

– Encore moins. Je me souviens parfaitement de l'affaire Heller-Deville. On l'a condamné parce que les témoignages des voisins ont impressionné le jury. Mais sa version tenait aussi bien que celle de l'ac-
210 cusation. Pas question de lui coller une peste sur le dos sous prétexte qu'il a fait de la taule.

– Les serrures ont été ouvertes par un expert.

– Vous avez des taulards à ne plus savoir qu'en faire sur cette place, je me trompe ? Ducouëdic et Le Guern sont aussi bien placés qu'Heller-
215 Deville. Les rapports sur sa réinsertion sont tous excellents.

Le juge Ardet était un homme ferme en même temps que sensible et prudent, qualités rares qui, ce soir, n'arrangeaient pas Adamsberg.

---

1. Celui qui met une affaire en état d'être jugée.
2. Procédure d'arrestation par laquelle le juge d'instruction fait connaître à l'inculpé les faits qui lui sont pénalement reprochés.

— Si on relâche ce type, dit Adamsberg, je ne garantis plus rien. Il va tuer à nouveau ou nous filer entre les doigts.

220 — Pas de mise en examen, conclut le juge avec fermeté. Ou démerdez-vous pour obtenir des preuves avant demain dix-neuf heures trente. Des preuves, Adamsberg, pas des intuitions confuses. Des preuves. Des aveux, par exemple. Bonne nuit, commissaire.

Adamsberg raccrocha et garda le silence pendant longtemps, que personne n'osa interrompre. Il s'adossait au mur ou bien déambulait dans la pièce, la tête penchée, les bras croisés. Danglard voyait monter sous la peau de ses joues, de son front brun, la lueur étrange de sa concentration. Tout concentré fût-il, il ne trouverait pas une fissure par où faire craquer Arnaud Damas Heller-Deville. Parce que Damas avait peut-être tué son amie et trafiqué ses papiers, mais Damas n'était pas le semeur. Si ce type au regard vide savait le latin, il bouffait sa chemise. Adamsberg sortit pour téléphoner puis revint dans la pièce.

— Damas, reprit-il en tirant une chaise et en s'asseyant tout près de lui. Damas, tu sèmes la peste. Tu glisses ces annonces dans l'urne de Joss Le Guern depuis plus d'un mois. Tu élèves des puces de rat que tu libères sous la porte de tes victimes. Ces puces portent la peste, elles sont infectées et elles piquent. Les cadavres portent les traces de leurs morsures mortelles et les corps sont noirs. Morts de peste, tous les cinq.

— Oui, dit Damas. C'est ce qu'ont expliqué les journalistes.

240 — C'est toi qui peins les 4 noirs. C'est toi qui envoies les puces. C'est toi qui tues.

— Non.

— Il faut que tu comprennes une chose, Damas. Ces puces que tu transportes grimpent sur toi comme sur les autres. Tu ne te changes pas souvent et tu ne te laves pas souvent.

— Je me suis lavé les cheveux la semaine dernière, protesta Damas.

Une nouvelle fois, Adamsberg vacilla devant la candeur[1] des yeux du jeune homme. La même candeur que dans ceux de Marie-Belle, un peu simple.

250 — Ces puces pesteuses sont aussi sur toi. Mais tu es protégé, tu as le diamant. Elles ne peuvent donc rien contre toi. Mais si tu n'avais pas la pierre, Damas ?

Damas referma ses doigts sur la bague.

— Si tu n'y es pour rien, reprit Adamsberg, tu n'as pas à t'en faire. 255 Puisque alors, tu n'aurais pas de puces. Tu comprends ?

Adamsberg laissa passer un silence, guettant les légers changements sur le visage de l'homme.

— Donne-moi ta bague, Damas.

Damas ne bougea pas.

260 — Dix minutes seulement, insista Adamsberg. Je te la rendrai, je te le jure.

Adamsberg tendit la main et attendit.

— Ta bague, Damas, ôte-la.

Damas resta immobile, comme tous les autres hommes dans la pièce. 265 Danglard regarda ses traits se crisper. Quelque chose commençait à bouger.

— Donne-la, dit Adamsberg, la main toujours tendue. Que crains-tu ?

— Je ne peux pas la retirer. C'est un vœu. C'est la jeune fille qui a 270 sauté. C'était sa bague.

— Je te la rendrai. Donne, ôte-la.

— Non, dit Damas en glissant sa main gauche sous sa cuisse.

Adamsberg se leva et marcha.

---

1. Parfaite innocence.

– Tu as peur, Damas. Dès que la bague aura quitté ton doigt, tu sais que les puces te piqueront et que cette fois, elles transmettront. Et que tu mourras, comme les autres.

– Non. C'est un vœu.

Échec, pensa Danglard, qui laissa retomber ses épaules. Belle tentative, mais échec. Trop faible, cette histoire de diamant, calamiteux[1].

– Alors, déshabille-toi, dit Adamsberg.

– Quoi ?

– Ôte tes fringues, toutes. Danglard, apportez un sac.

Un homme, inconnu d'Adamsberg, passa la tête par la porte.

– Martin, se présenta l'homme. Service d'entomologie. Vous m'avez fait appeler.

– Ça va être à vous, Martin, dans une minute. Damas, déshabille-toi.

– Devant tous ces types ?

– Qu'est-ce que ça peut te foutre ? Sortez, dit-il à Noël, Voisenet et Favre. Vous le gênez.

– Pourquoi je devrais me déshabiller ? demanda Damas, hostile.

– Je veux tes habits et je veux voir ton corps. Alors déshabille-toi, merde.

Le front plissé, Damas s'exécuta avec lenteur.

– Mets ça dans le sac, dit Adamsberg.

Quand Damas fut nu, avec sa seule bague au doigt, Adamsberg ferma le sac et appela Martin.

– Urgent. Recherche de vos…

– *Nosopsyllus fasciatus.*

– Exactement.

---

1. Misérable.

– Ce soir ?

– Ce soir, à toute allure.

Adamsberg revint dans la pièce où Damas se tenait debout, tête basse.
Adamsberg lui leva un bras, puis l'autre.

305   – Écarte les jambes, trente centimètres.

Adamsberg tira sur la peau des hanches, d'un côté, de l'autre.

– Assieds-toi, c'est fini. Je vais te chercher une serviette.

Adamsberg revint des vestiaires avec un drap de bain vert que Damas
attrapa d'un geste rapide.

310   – Tu n'as pas froid ?

Damas fit non, de la tête.

– Tu es piqué, Damas, par des puces. Tu as deux boutons sous le bras
droit, un à l'aine gauche et trois à l'aine droite. Tu ne crains rien, tu as
ta bague.

315   Damas garda la tête penchée, serré dans sa grande serviette.

– Qu'est-ce que tu m'en dis ?

– Il y a des puces, au magasin.

– Des puces d'homme, tu veux dire ?

– Oui. L'arrière-boutique n'est pas très propre.

320   – Des puces de rat, tu le sais mieux que moi. On va attendre encore,
une petite heure, et on saura. Martin va nous appeler. C'est un grand
spécialiste, Martin, tu sais. Une puce de rat, il te trouve son prénom au
premier coup d'œil. Tu peux aller dormir, si tu veux. Je vais t'apporter
des couvertures.

325   Il prit Damas par le bras et le conduisit jusqu'à la cellule. L'homme
était toujours calme mais il avait perdu son indifférence étonnée. Il était
soucieux, tendu.

– La cellule est neuve, dit Adamsberg en lui tendant deux couvertures. Et la literie est propre.

330 Damas s'allongea sans un mot et Adamsberg referma la grille sur lui. Il revint vers son bureau, mal à l'aise. Il tenait le semeur, il avait eu raison, et il avait de la peine. Pourtant, ce type avait massacré cinq personnes en huit jours. Adamsberg s'obligea à s'en souvenir, à revoir les visages des victimes, la jeune femme poussée sous le camion.

335 On attendit un peu plus d'une heure en silence, Danglard n'osant pas encore se prononcer. Rien ne disait que les vêtements de Damas recèleraient les puces de la peste. Adamsberg crayonnait sur une feuille plaquée sur son genou, les traits un peu tirés. Il était une heure trente du matin. Martin appela à deux heures dix.

340 – Deux *Nosopsyllus fasciatus*, déclara-t-il sobrement. Vivantes.

– Merci, Martin. Article ultra-précieux. Ne les laissez pas filer sur le carrelage ou c'est tout notre dossier qui se barre avec elles.

– Avec eux, corrigea l'entomologue. Ce sont des mâles.

– Désolé, Martin. Je n'ai voulu offenser personne. Renvoyez les
345 habits à la Brigade, que le suspect puisse se rhabiller.

Cinq minutes plus tard, le juge, éveillé dans son premier sommeil, autorisait la mise en examen.

– Vous aviez raison, dit Danglard en se levant péniblement, les yeux battus, le corps las. Mais c'était à un cheveu.

350 – Un cheveu, c'est plus solide qu'on ne croit. Il suffit de tirer dessus doucement et régulièrement.

– Je vous signale que Damas n'a pas encore parlé.

– Il parlera. Il sait que c'est foutu, maintenant. Il est extrêmement malin.

355 – Impossible.

– Si, Danglard. Il joue au con. Et comme il est extrêmement malin, il joue très bien.

— Si ce type parle latin, je bouffe ma chemise, dit Danglard en s'en
allant.

360   — Bon appétit, Danglard.

Danglard éteignit son ordinateur, souleva le couffin où dormait le
chaton et salua les agents de nuit, le panier sous le bras. Dans le hall, il
croisa Adamsberg qui descendait un lit de camp du vestiaire, avec une
couverture.

365   — Merde, dit-il, vous dormez là ?

— Des fois qu'il parle, dit Adamsberg.

Danglard continua son chemin, sans commentaires. Qu'est-ce qu'il y
avait à commenter ? Il savait qu'Adamsberg n'avait pas très envie de
retrouver son appartement, où flottaient encore les fumées de l'accident.

370 Demain, ça irait mieux. Adamsberg était un type qui se reprenait à une
vitesse rare.

Adamsberg installa le lit de camp et posa la couverture en boule par-
dessus. Il avait le semeur, à dix pas de lui. L'homme des 4, l'homme des
« spéciales » terrifiantes, l'homme des puces de rat, l'homme de la peste,

375 l'homme qui étranglait et charbonnait ses victimes. Ce passage au charbon, ce dernier geste, son *énorme bévue*.

Il ôta sa veste, son pantalon et posa le portable sur la chaise. Appelle,
nom de Dieu.

XXXIII

On appuya sur la sonnette de nuit en la pressant plusieurs fois de suite, en signal d'urgence. Le brigadier Estalère libéra la porte cochère et reçut un homme en sueur, en complet-veston boutonné à la hâte et chemise ouverte sur une crinière de poils noirs.

5 — Grouillez-vous mon vieux, dit l'homme en se mettant rapidement à l'abri dans les locaux de la Brigade. Je veux faire une déposition. Sur l'assassin, sur l'homme de la peste.

Estalère n'osa pas alerter le commissaire principal et réveilla le capitaine Danglard.

10 — Merde, Estalère, dit Danglard depuis son lit, pourquoi vous m'appelez ? Secouez Adamsberg, il dort dans son bureau.

— Justement, capitaine. Si ce n'est pas important, j'ai peur de me faire savonner par le commissaire.

— Et vous avez moins peur de moi, Estalère ?

15 — Oui, capitaine.

— Vous avez tort. Depuis six semaines que vous le côtoyez, vous avez déjà vu Adamsberg gueuler ?

— Non, capitaine.

— Eh bien dans trente ans, vous n'aurez toujours pas vu. Mais moi si,
20 pas plus tard qu'en ce moment, brigadier. Réveillez-le, merde. Il n'a pas besoin de beaucoup de sommeil, de toute façon. Moi oui.

— Bien, capitaine.

— Une minute, Estalère. Qu'est-ce qu'il veut, ce type ?

— C'est un paniquard, il a peur que l'assassin ne l'assassine.

25 — Les paniquards, on a dit depuis longtemps qu'on laissait tomber. Ils sont cent mille dans la ville à présent. Foutez-le dehors et laissez dormir le commissaire.

– Il prétend qu'il est un cas spécial, précisa Estalère.

– Tous les paniquards se croient spéciaux. Sinon, ils ne panique-
30 raient pas.

– Non, il prétend qu'il vient d'être piqué par des puces.

– Quand ? demanda Danglard en s'asseyant sur son lit.

– Cette nuit.

– C'est bon, Estalère, réveillez-le. J'arrive aussi.

35 Adamsberg se passa le visage et le torse sous l'eau froide, commanda
un café à Estalère – la nouvelle machine avait été installée la veille –,
repoussa du pied le lit de camp au fond de son bureau.

– Amenez-moi ce type, brigadier, dit-il.

– Estalère, se présenta le jeune homme.

40 Adamsberg hocha la tête et reprit son mémento[1]. Maintenant que le
semeur était en cellule, il allait peut-être pouvoir s'occuper de cette
troupe d'inconnus qui peuplait sa Brigade. Il inscrivit : Visage rond,
Yeux verts, Craintif égale Estalère. Auquel il ajouta dans la foulée :
Entomologue, Puces, Pomme d'Adam égale Martin.

45 – Il s'appelle comment ? demanda-t-il.

– Roubaud Kévin, dit le brigadier.

– Quel âge ?

– La trentaine, estima Estalère.

– Il a été piqué cette nuit, c'est cela son histoire ?

50 – Oui, et il panique.

– Pas mal.

Estalère conduisit Roubaud Kévin jusqu'au bureau du commissaire,
tout en tenant une tasse de café dans la main gauche, sans sucre. Le
commissaire ne prenait pas de sucre.

---

1. Agenda.

55 Au contraire d'Adamsberg, Estalère aimait les petits détails de la vie, il aimait s'en souvenir et il aimait démontrer qu'il s'en souvenait.

   – Je ne vous ai pas mis de sucre, commissaire, dit-il en posant la tasse sur la table et Roubaud Kévin sur la chaise.

   – Merci, Estalère.

60 L'homme passait les doigts dans les poils denses de sa poitrine, agité, mal à l'aise. Il sentait la sueur et sa sueur sentait le vin.

   – Jamais eu de puces auparavant ? lui demanda Adamsberg.

   – Jamais.

   – Vous êtes certain que les piqûres datent de cette nuit ?

65 – Il n'y a pas deux heures et c'est cela qui m'a réveillé. Alors j'ai filé pour vous avertir.

   – Il y a des 4 sur les portes de votre immeuble, monsieur Roubaud ?

   – Deux. La gardienne en a fait un sur sa vitre, au feutre, et le type du cinquième gauche.

70 – Alors ce n'est pas lui. Et ce ne sont pas ses puces. Vous pouvez rentrer tranquille.

   – Vous rigolez ? dit l'homme en haussant le ton. J'exige une protection.

   – Le semeur peint toutes les portes, sauf une, avant de lâcher ses 75 puces, martela Adamsberg. Ce sont d'autres puces. Vous avez reçu quelqu'un, ces derniers jours ? Quelqu'un avec un animal ?

   – Oui, dit Roubaud, renfrogné. Un ami est passé il y a deux jours avec son clebs.

   – Alors voilà. Rentrez chez vous, monsieur Roubaud, et dormez. On 80 va tous se rendormir pour une petite heure, ça fera du bien à tout le monde.

   – Non. Je ne veux pas.

– Si vous êtes inquiet à ce point, dit Adamsberg en se levant, appelez la désinfection et puis merde.

85 – Ça ne servirait à rien. Le tueur m'a choisi, il me tuera, puces ou
pas puces. J'exige une protection.

Adamsberg revint à sa table, se recula vers son mur et examina plus
attentivement Kévin Roubaud. La trentaine, violent, soucieux, et
quelque chose de furtif dans ses gros yeux sombres un peu exorbités.

90 – Bien, dit Adamsberg. Il vous a choisi. Il n'y a pas un seul 4 digne
de ce nom dans votre immeuble, mais vous savez qu'il vous a choisi.

– Les puces, gronda Roubaud. C'est dans le journal. Toutes les victimes ont eu des puces.

– Et le chien de votre ami ?

95 – Non, ce n'est pas ça.

– Comment en êtes-vous si sûr ?

Le ton du commissaire se modifiait, Roubaud le sentit et il se ramassa
sur sa chaise.

– Dans le journal, répéta-t-il.

100 – Non, Roubaud, c'est autre chose.

Danglard venait d'arriver, il était six heures cinq du matin et
Adamsberg lui fit signe de s'installer. Le capitaine se déplaça en silence
et se plaça au clavier.

– Dites donc, dit Roubaud en reprenant de l'assurance, on me
105 menace, un cinglé essaie de me tuer et c'est moi qu'on emmerde ?

– Qu'est-ce que vous faites dans la vie ? demanda Adamsberg en
adoucissant le ton.

– Je travaille au rayon des linos dans un grand magasin d'ameuble-
ment, derrière la gare de l'Est.

110 – Vous êtes marié ?

– Je suis divorcé depuis deux ans.

— Des enfants ?

— Deux.

— Ils vivent avec vous ?

115 — Avec leur mère. J'ai droit de visite le week-end.

— Vous dînez dehors ? Chez vous ? Vous savez cuisiner ?

— Ça dépend, dit Roubaud, un peu décontenancé[1]. Des fois je me fais une soupe et un plat surgelé. Des fois je descends au café. C'est trop cher, les restaurants.

120 — Vous aimez la musique ?

— Oui, dit Roubaud, un peu perdu.

— Vous avez une chaîne, une télé ?

— Oui.

— Vous regardez le foot ?

125 — Oui, évidemment.

— Calé ?

— Assez.

— Nantes-Bordeaux, vous l'avez regardé ?

— Oui.

130 — Pas mal joué, non ? dit Adamsberg qui ne l'avait pas vu.

— Si on veut, dit Roubaud avec une grimace. Ça a tapé plutôt mou et ça s'est fini par un nul. On aurait pu le parier dès la première mi-temps.

— Vous avez suivi les informations, à la mi-temps ?

135 — Oui, dit Roubaud machinalement.

— Alors, dit Adamsberg en venant s'asseoir devant lui, vous savez qu'on a cueilli hier soir le semeur de peste.

— C'est ce qu'ils ont dit, murmura Roubaud, troublé.

---

1. Embarrassé.

— En ce cas, qu'est-ce qui vous fait peur ?

140 Le type se mordit les lèvres.

— Qu'est-ce qui vous fait peur ? répéta Adamsberg.

— Je ne suis pas sûr que ce soit lui, lâcha l'homme d'une voix hésitante.

— Oui ? Vous vous y connaissez, en tueurs ?

145 Roubaud avala complètement sa lèvre inférieure, les doigts enfoncés dans les poils de son torse.

— C'est moi qu'on menace et c'est moi qu'on emmerde ? répéta-t-il. J'aurais dû le savoir. Les flics, dès qu'on les sonne, ils vous collent au ballon, c'est tout ce qu'ils savent faire. J'aurais dû me démerder moi-même.

150 On veut aider la justice et voilà le résultat.

— Mais vous allez aider, Roubaud, et beaucoup même.

— Ouais ? Je crois que vous vous le fourrez profond, commissaire.

— Ne fais pas le fortiche[1], Roubaud, parce que t'es pas assez malin pour ça.

155 — Ouais ?

— Ouais. Mais si tu ne veux pas aider, tu vas rentrer chez toi, bien gentiment. Chez toi, Roubaud. Si tu essaies de filer, on te ramènera au domicile. Jusqu'à ce que mort s'ensuive.

— Depuis quand les flics me dictent où je dois aller ?

160 — Depuis que tu m'emmerdes. Mais vas-y, Roubaud, tu es libre. File. L'homme ne bougea pas.

— Tu as peur, hein ? Tu as peur qu'il ne t'étrangle au fil cranté comme les cinq autres ? Tu sais que tu ne pourras pas te défendre. Tu sais qu'il te rattrapera, où que tu sois, à Lyon, à Nice, à Berlin. Tu es la cible. Et

165 tu sais *pourquoi*.

---

1. L'astucieux, habile.

Adamsberg ouvrit son tiroir puis étala devant l'homme les photos des cinq victimes.

— Tu sais que tu vas les rejoindre, hein ? Tu les connais, tous, et c'est pour cela que t'as peur.

170   — Foutez-moi la paix, dit Roubaud en se tournant de côté.

— Alors file. Casse-toi.

Il s'écoula deux longues minutes.

— Ça va, se décida l'homme.

— Tu les connais ?

175   — Oui et non.

— Explique.

— Disons que je les ai rencontrés un soir, il y a longtemps, sept ou huit ans au moins. On a bu un coup.

— Ah oui. Vous avez bu un coup et c'est pour cela qu'on vous

180 dézingue[1] les uns après les autres.

L'homme transpirait, et l'odeur de sa sueur emplissait toute la pièce.

— Tu veux un café ? demanda Adamsberg.

— Je veux bien.

— Avec quelque chose à bouffer ?

185   — Je veux bien.

— Danglard, dites à Estalère d'apporter tout ça.

— Et des clopes, ajouta Roubaud.

— Raconte, répéta Adamsberg pendant que Roubaud se remontait au café très sucré, avec du lait. Vous étiez combien ?

190   — Sept, murmura Roubaud. On s'est retrouvés dans un rade[2], parole.

---

1. Tue (familier).
2. Bar (familier).

Adamsberg regarda aussitôt ses gros yeux noirs, et il vit qu'un peu de vérité était passé avec ce « parole ».

    – Qu'est-ce que vous avez fait ?

    – Rien.

195   – Roubaud, j'ai le semeur dans la cellule. Si tu veux, je te colle avec lui, je ferme les yeux et on n'en parle plus. Dans une demi-heure, tu es mort.

    – Disons qu'on a asticoté[1] un gars.

    – Pour quoi faire ?

200   – C'est loin. On était payés pour que ce type crache quelque chose, c'est tout. Il avait volé un bazar[2] et il devait le rendre. On l'a asticoté, c'était le contrat.

    – Le contrat ?

    – Ouais, on nous avait loués. Un petit boulot, quoi.

205   – Où l'avez-vous « asticoté » ?

    – Dans une salle de gym. On nous avait refilé l'adresse, le nom du type et le nom du rade où on devait se regrouper. Parce qu'on ne se connaissait pas avant.

    – Aucun de vous ?

210   – Non. On était sept, et personne ne se connaissait. Il nous avait tous piochés séparément. Un malin.

    – Où vous avait-on piochés ?

Roubaud haussa les épaules.

    – Dans des endroits où on trouve des gars qui veulent bien asticoter 215 les autres pour de la tune. C'est pas très sorcier. Moi, on m'a alpagué dans une boîte de merde de la rue Saint-Denis. Parole, je ne touche plus à ce genre de business depuis des lunes. Parole, commissaire.

---

1. Harcelé (familier).
2. Un objet de peu de valeur.

– Qui t'a alpagué?

– Je n'en sais rien, tout était par écrit. Une fille qui m'a remis le courrier. Du papier chic, propre. J'ai fait confiance.

– De la part de qui?

– Parole, je n'ai jamais su qui nous louait. Trop futé, le patron. Des fois qu'on aurait réclamé davantage.

– Alors vous vous êtes retrouvés tous les sept et vous avez été cueillir votre victime.

– Oui.

– C'était quand?

– Un 17 mars, un jeudi.

– Et vous l'avez embarqué dans cette salle de gym. Et ensuite?

– Je l'ai dit, merde, dit Roubaud en s'agitant sur sa chaise. On l'a asticoté.

– Efficace? Il a craché ce qu'il devait cracher?

– Oui. Il a fini par téléphoner. Il a refilé toutes les informations.

– De quoi s'agissait-il? Fric? Dope?

– Je n'ai pas compris, parole. Le patron a dû être satisfait, parce qu'on n'en a plus entendu parler.

– Bien payé?

– Ouais.

– Asticoté, hein? Et le type a tout craché? Tu ne dirais pas plutôt torturé?

– Asticoté.

– Et votre victime vous ferait payer huit ans plus tard?

– C'est ce que je crois.

– Pour un asticotage? Tu te fous de moi, Roubaud. Tu vas rentrer chez toi.

– C'est la vérité, dit Roubaud en s'accrochant à sa chaise. Pourquoi

qu'on les aurait torturés, merde ? Ils avaient rien dans le ventre, ils se faisaient dessus rien que de nous regarder.

– « Ils » ?

250 Roubaud avala de nouveau sa lèvre inférieure.

– Ils étaient plusieurs ? Grouille-toi, Roubaud, je sens que ça presse.

– Il y avait une fille aussi, murmura Roubaud. On n'a pas eu le
choix. Quand on est venus saisir le mec, il était avec sa copine, qu'est-
ce que ça change ? On les a embarqués tous les deux.

255 – Asticotée aussi, la fille ?

– Un petit peu. Pas moi, je le jure.

– Tu mens. Sors de ce bureau, je ne veux plus te voir. Cavale vers ton
destin, Kévin Roubaud, je m'en lave les mains.

– C'était pas moi, dit Roubaud en chuchotant, je le jure. Je ne suis
260 pas une brute. Un peu sur les bords si on me cherche mais pas comme
les autres. Moi, je rigolais juste, et j'assurais les arrières.

– Je te crois, dit Adamsberg, qui ne le croyait nullement. Tu rigolais
de quoi ?

– Eh bien, de ce qu'ils faisaient.

265 – Dépêche-toi, Roubaud, tu n'as plus que cinq minutes et je te vire.

Roubaud prit une bruyante inspiration.

– Ils l'ont désapé[1], continua-t-il à voix basse, ils lui ont versé de l'essence sur la… sur le…

– Sur le sexe, suggéra Adamsberg.

270 Roubaud acquiesça. Les gouttes de sueur roulaient sur ses joues et
venaient se perdre sur son torse.

– Ils ont allumé des briquets et ils lui ont tourné tout autour, en s'ap-

---

1. Déshabillé (argotique).

prochant de sa... de son truc. Le type, il hurlait, il mourait de trouille à l'idée que son machin parte en flammes.

275   – Asticoté, murmura Adamsberg. Après ?

– Après, ils l'ont retourné sur la table de gym, et puis ils l'ont clouté.

– Clouté ?

– Ben oui. Ça s'appelle décorer un gars. Ils lui ont enfoncé des punaises dans le corps, et puis ils lui ont collé une matraque dans les, 280 dans le, dans le cul.

– Formidable, dit Adamsberg entre ses dents. Et la jeune fille ? Ne me dis pas que vous n'avez pas touché à la fille.

– Pas moi, cria Roubaud, j'assurais les arrières. Juste je me marrais.

– Et aujourd'hui, tu te marres encore ?

285   Roubaud baissa la tête, les mains toujours accrochées à la chaise.

– La fille ? répéta Adamsberg.

– Violée par les cinq types, coup sur coup. Elle a fait une hémorragie. À la fin, elle était inerte. J'ai même cru qu'on avait fait la bourde, qu'elle était morte. En fait, elle était devenue folle, elle ne reconnaissait 290 plus personne.

– Cinq ? Je croyais que vous étiez sept.

– Je l'ai pas touchée.

– Mais le sixième gars ? Il n'a rien fait ?

– C'était une fille. Elle, dit Roubaud en montrant du doigt la photo 295 de Marianne Bardou. Elle était maquée avec un des gars. On voulait pas de gonzesses mais elle était accrochée, alors elle a suivi.

– Qu'est-ce qu'elle faisait ?

– C'est elle qui a étalé l'essence. Elle se marrait bien.

– Décidément.

300   – Oui, dit Roubaud.

– Et ensuite ?

– Après que le gars a eu fini de téléphoner, dans son vomi, on les a foutus dehors tous les deux, à poil avec leur fourbi, et on a tous été se pinter la gueule[1].

305   – Bonne soirée, commenta Adamsberg. Ça s'arrose.

– Parole, ça m'a refroidi. J'ai jamais retouché à ça, et j'ai jamais revu les types. J'ai reçu les tunes par la poste, comme convenu, et j'en ai plus entendu parler.

– Jusqu'à cette semaine.

310   – Oui.

– Où tu as reconnu les victimes.

– Seulement lui, lui, et la femme, dit Roubaud en désignant les photos de Viard, Clerc et Bardou. Je ne les avais vus qu'un soir.

– T'as percuté tout de suite ?

315   – Seulement après le meurtre de la femme. Je l'ai reconnue parce qu'elle avait plein de grains de beauté sur le visage. Alors j'ai regardé les photos des autres, et j'ai pigé.

– Qu'il était revenu.

– Oui.

320   – Tu sais pourquoi il a attendu tout ce temps ?

– Non, je le connais pas.

– Parce qu'il a fait cinq ans de taule après ça. Sa petite amie, la fille que vous avez rendue cinglée, s'est jetée par la fenêtre un mois plus tard. Digère ça, Roubaud, si tu n'en as pas déjà assez sur le râble[2].

325   Adamsberg se leva, ouvrit grand la fenêtre pour respirer, chasser l'odeur de la sueur et de l'horreur. Il resta penché un moment à la ram-

---

1. Se saouler (argotique).
2. Si tu n'en as pas déjà assez sur le dos..

barde, abaissant son regard vers les gens qui marchaient en dessous, dans la rue, et qui n'avaient pas entendu l'histoire. Sept heures quinze. Le semeur dormait toujours.

    — Pourquoi as-tu peur, puisqu'il est en taule? dit-il en se retournant.

    — Parce que c'est pas lui, souffla Roubaud. Vous vous êtes foutu le doigt dans l'œil jusqu'au coude. Le gars qu'on a torturé, c'était un grand malingre qu'on aurait fait sauter d'une pichenette, un minable, une lavette, un intellectuel de mes deux qu'aurait pas pu soulever une pince à linge. Le type qu'ils ont montré à la télé, c'est un costaud, un physique, rien à voir, vous pouvez me croire.

    — Sûr?

    — Certain. Ce mec avait une gueule d'alouette, je m'en souviens très bien. Il est toujours dehors, et il me guette. Je vous ai tout dit maintenant, je demande la protection. Mais parole, j'ai rien fait, j'assurais...

    — Les arrières, j'ai entendu, ne te fatigue pas. Mais tu ne crois pas qu'un homme a pu changer, en cinq ans de taule? Surtout s'il a décidé de se venger, comme une idée fixe? Tu ne crois pas que des muscles, ça se fabrique, à la différence d'une cervelle? Et que si toi, t'es resté aussi con, lui, il a pu se transformer, volontairement?

    — Pour quoi faire?

    — Pour nettoyer la honte, pour vivre et pour vous condamner.

    Adamsberg alla à l'armoire, en tira un sachet plastique qui contenait une grande enveloppe ivoire, et la balança doucement sous les yeux de Roubaud.

    — Tu connais ça?

    — Oui, dit Roubaud en plissant le front. Il y en avait une par terre quand j'ai quitté la maison tout à l'heure. Il n'y avait rien dedans, c'était vide et déjà ouvert.

355 — C'était lui, le semeur. C'est l'enveloppe qui t'a largué les puces missiles.

Roubaud serra ses deux bras sur son ventre.

— Tu as peur de la peste ?

— Pas trop, dit Roubaud. Je ne crois pas vraiment à ces conneries, 360 c'est du flan pour embobiner[1]. Je crois qu'il étrangle.

— Et tu as raison. Cette enveloppe, tu es certain qu'elle n'était pas là hier ?

— Certain.

Adamsberg se passa la main sur la joue, pensif.

365 — Viens le voir, dit-il en se dirigeant vers la porte.

Roubaud hésita.

— Tu te marres moins qu'avant, hein ? Quand c'était le bon temps ? Viens, tu ne risques rien, la bête est en cage.

Adamsberg traîna Roubaud jusqu'à la cellule de Damas. Celui-ci dor-370 mait encore du sommeil du juste, le visage de profil posé sur la couverture.

— Regarde-le bien, dit Adamsberg. Prends ton temps. N'oublie pas que ça fait presque huit ans que tu ne l'as pas vu et qu'alors, le gars n'était pas au mieux de sa forme.

375 Roubaud examina Damas à travers les barreaux, presque fasciné.

— Alors ? demanda Adamsberg.

— C'est possible, dit Roubaud. La bouche, c'est possible. Faudrait que je voie ses yeux.

Adamsberg ouvrit la cellule sous le regard presque paniqué de 380 Roubaud.

---

1. Ce n'est pas sérieux, pas vrai.

— Tu veux que je referme ? demanda Adamsberg. Ou tu veux que je te boucle en sa compagnie, pour que vous puissiez vous amuser ensemble comme quand vous étiez jeunes, en évoquant les bons souvenirs ?

— Déconnez pas, dit Roubaud sombrement. Il est peut-être dangereux.

385 — Toi aussi tu l'as été, dangereux.

Adamsberg s'enferma avec Damas et Roubaud le regarda comme on admire un dompteur qui pénètre dans l'arène. Le commissaire secoua Damas à l'épaule.

— Réveille-toi, Damas, tu as de la visite.

390 Damas s'assit en grommelant et regarda les murs de la cellule, stupéfait. Puis il se souvint et jeta ses cheveux en arrière.

— Qu'y a-t-il ? demanda-t-il. Je peux partir ?

— Mets-toi debout. Il y a un mec qui veut te regarder, une vieille relation.

395 Damas s'exécuta, roulé dans sa couverture, toujours docile, et Adamsberg observa alternativement les deux hommes. Le visage de Damas sembla se fermer légèrement. Roubaud écarquilla les yeux, puis s'éloigna.

— Alors ? demanda Adamsberg une fois dans son bureau. Ça te

400 revient ?

— C'est possible, dit Roubaud, mal convaincu. Mais si c'est lui, il a doublé de volume.

— Son visage ?

— C'est possible. Il n'avait pas les cheveux longs.

405 — Tu ne te mouilles pas, hein ? Parce que t'as peur ?

Roubaud hocha la tête.

— Tu n'as peut-être pas tort, dit Adamsberg. Ton vengeur n'opère probablement pas seul. Je te garde ici jusqu'à ce qu'on y voie plus clair.

— Merci, dit Roubaud.

410 — Donne-moi le nom de la prochaine victime.

— Ben moi.

— J'ai compris. Mais l'autre ? Vous étiez sept, moins cinq qui sont morts égale deux, moins toi égale un. Qui est-ce qui reste ?

— Un type efflanqué et laid comme une taupe, le plus mauvais de la 415 troupe, à mon avis. C'est lui qui a mis la matraque.

— Son nom ?

— On ne s'est pas dit les noms, ni les prénoms. Sur ce genre de coup, personne ne prend de risque.

— Âge ?

420 — Comme nous tous. Il avait dans les vingt, vingt-cinq.

— De Paris ?

— Je suppose.

Adamsberg déposa Roubaud dans une cellule, sans la fermer, puis passa la tête à travers les barreaux de celle de Damas, en lui tendant ses 425 vêtements.

— Le juge a décidé ta mise en examen.

— Bon, dit Damas, placide, assis sur sa banquette.

— Tu parles latin, Damas ?

— Non.

430 — Tu n'as toujours rien à me dire ? À propos de ces puces ?

— Non.

— Et à propos de six mecs qui t'ont passé à la question, un jeudi 17 mars ? Tu n'as rien à me dire ? Et d'une fille qui se marrait ?

Damas resta silencieux, les paumes de ses mains tournées vers lui, son 435 pouce effleurant le diamant.

— Qu'est-ce qu'ils t'ont pris, Damas ? À part ton amie, ton corps, ton honneur ? Qu'est-ce qu'ils cherchaient ?

Damas ne bougea pas.

– Bon, dit Adamsberg. Je t'envoie de quoi petit-déjeuner. Habille-
440 toi.

Adamsberg tira Danglard à l'écart.

– Ce fumier de Roubaud n'est pas affirmatif, dit Danglard. C'est
emmerdant pour vous.

– Damas a un complice à l'extérieur, Danglard. Les puces ont été
445 livrées chez Roubaud alors que Damas était déjà chez nous. Quelqu'un
a pris le relais dès l'annonce de son arrestation. Il a fait très vite, sans
prendre le temps de peindre les 4 de prévention.

– S'il y a complice, cela expliquerait sa tranquillité. Il a quelqu'un
pour poursuivre la besogne et il compte là-dessus.

450 – Envoyez des hommes interroger la sœur, Éva, et tous les habitués
de la place pour savoir s'il voyait des amis. Et surtout, je veux le relevé
de tous ses appels téléphoniques depuis deux mois. Ceux de la boutique
et ceux de l'appartement.

– Vous ne voulez pas nous accompagner ?

455 – Je ne suis plus en odeur de sainteté sur la place. Je suis le traître,
Danglard. Ils parleront plus facilement à des officiers qu'ils ne connaissent pas.

– Vu, dit Danglard. On aurait pu le chercher longtemps, ce point
commun. Une rencontre, un rade, un soir, des gars qui ne se connais-
460 saient même pas. Coup de chance que ce Roubaud ait paniqué.

– Il y a de quoi, Danglard.

Adamsberg sortit son portable et le regarda dans les yeux. À force de
l'adjurer en silence de sonner, de bouger, de faire quelque chose d'intéressant, il finissait par confondre l'appareil avec une projection de
465 Camille elle-même. Il lui parlait, il lui racontait la vie, comme si Camille

pouvait l'entendre aisément. Mais comme disait Bertin justement, ça ne donne pas que des satisfactions, ces trucs-là, et Camille ne sortait pas du portable comme le génie de la lampe. Et si ça se trouve, ça lui était égal. Il le déposa délicatement par terre, pour ne pas lui faire mal, et il se ral-
470 longea une heure et demie pour dormir.

Danglard l'éveilla avec le relevé des appels téléphoniques de Damas. Les interrogatoires sur la place ne donnaient pas grand-chose. Éva était soudée comme une huître, Marie-Belle fondait en sanglots à tout bout de champ, Decambrais faisait la gueule, Lizbeth insultait et Bertin s'ex-
475 primait par monosyllabes, toute défiance normande revenue. De tout cela, il ressortait quand même que Damas ne quittait pour ainsi dire pas la place et passait toutes ses soirées à écouter Lizbeth au cabaret, sans s'y lier avec personne. On ne lui connaissait pas d'ami et il passait le dimanche avec sa sœur.

480 Adamsberg dépouilla la liste des appels téléphoniques à la recherche d'un numéro récurrent[1]. Si complice il y avait, Damas était nécessairement en contact suivi avec lui, tant le calendrier complexe des 4, des puces et des meurtres était serré. Mais Damas téléphonait exceptionnellement peu. De chez lui, on notait des appels vers la boutique, sans
485 doute donnés par Marie-Belle à Damas, et de la boutique, une liste très réduite et de rares répétitions. Adamsberg contrôla les quatre numéros qui revenaient un peu régulièrement, tous des fournisseurs de planches, de roulements et de casques de sport. Adamsberg repoussa les relevés sur un coin de sa table.

490 Damas n'était pas un con. Damas était un surdoué qui jouait à vider son regard. Ça aussi, il l'avait préparé en taule, et après. Tout préparé depuis sept années. S'il avait un complice, il n'allait pas risquer de le

---

1. Qui est répété, qui revient.

faire découvrir en le contactant de chez lui. Adamsberg appela l'agence du 14ᵉ arrondissement pour demander le relevé des appels passés depuis la cabine publique de la rue de la Gaîté. Le fax sortit de son appareil vingt minutes plus tard. Depuis l'expansion des portables, l'usage des cabines était tombé en chute libre et Adamsberg eut à éplucher une liste assez légère. Il y releva onze numéros à répétition.

– Je vous les décode, si vous voulez, proposa Danglard.

– Celui-là d'abord, dit Adamsberg en posant le doigt sur un numéro. Celui-là, dans le 92, les Hauts-de-Seine.

– Je peux savoir ? demanda Danglard en partant interroger son écran.

– Banlieue nord, c'est la nôtre. Avec de la chance, on tombe à Clichy.

– Ça ne serait pas plus prudent de contrôler les autres ?

– Ils ne vont pas s'envoler.

Danglard pianota quelques instants en silence.

– Clichy, annonça-t-il.

– Dans le mille. Le foyer de la peste de 1920. C'est dans sa famille, c'est son fantôme. Et c'est là qu'il vivait, probable. Vite, Danglard, le nom, l'adresse.

– Clémentine Courbet, 22, rue Hauptoul.

– Cherchez à l'Identité.

Danglard travailla le clavier pendant qu'Adamsberg marchait dans la salle, en cherchant à éviter le chaton qui jouait avec un fil qui pendait du bas de son pantalon.

– Clémentine Courbet, née Journot, à Clichy, épouse Jean Courbet.

– Quoi d'autre ?

– Laissez tomber, commissaire. Elle a quatre-vingt-six ans. C'est une vieille dame, laissez tomber.

Adamsberg fit la moue.

– Quoi d'autre ? insista Adamsberg.

– Elle a eu une fille, née en 42 à Clichy, énonça mécaniquement Danglard, Roseline Courbet.

525 – Tenez bon sur cette Roseline.

Adamsberg ramassa la boule et la colla dans le panier. Elle en ressortit aussitôt.

– Roseline, née Courbet, épouse Heller-Deville, Antoine.

Danglard regarda Adamsberg sans rien dire.

530 – Ils ont eu un fils ? Arnaud ?

– Arnaud Damas, confirma Danglard.

– Sa grand-mère, dit Adamsberg. Il appelle sa grand-mère en douce de la cabine publique. Les parents de cette grand-mère, Danglard ?

– Morts. On ne va pas remonter jusqu'au Moyen Âge.

535 – Leurs noms ?

Les touches du clavier cliquetèrent rapidement.

– Émile Journot et Célestine Davelle, nés à Clichy, cité Hauptoul.

– Les voilà, murmura Adamsberg, les vainqueurs de la peste. La grand-mère de Damas avait six ans pendant l'épidémie.

540 Il décrocha le poste de Danglard et composa le numéro de Vandoosler.

– Marc Vandoosler ? Ici Adamsberg.

– Une seconde, commissaire, dit Marc, je pose mon fer.

– La cité Hauptoul, à Clichy, ça vous dit quelque chose ?

545 – Hauptoul, c'était le cœur de l'épidémie, les baraquements des chiffonniers. Vous avez une spéciale qui en parle ?

– Non, une adresse.

– La cité est rasée depuis longtemps, remplacée par des ruelles et des maisons pauvres.

550   – Merci, Vandoosler.

Adamsberg raccrocha lentement.

– Deux hommes, Danglard. On fonce là-bas.

– À quatre ? Pour une vieille femme ?

– À quatre. On passe chez le juge prendre un mandat.

555   – Quand est-ce qu'on bouffe ?

– En route.

BIEN LIRE

Pourquoi le commissaire évoque-t-il ses activités quotidiennes avec Roubaud ?

Qu'a décidé le juge d'instruction ?

Pourquoi l'adresse de la grand-mère de Damas est-elle importante ?

XXXIV

Ils remontèrent une vieille allée bordée d'ordures qui conduisait à une petite maison décrépite[1], flanquée d'une aile construite en planches disjointes. Il pleuvait délicatement sur le toit de tuiles. L'été avait été pourri, et septembre aussi.

5   – Cheminée, dit Adamsberg en montrant le toit. Bois. Pommier.

Il frappa à la porte et une vieille femme ouvrit, grande et forte, le visage lourd et plissé, les cheveux enfermés dans un fichu à fleurs. Ses yeux très sombres se portèrent sur les quatre agents, en silence. Puis elle ôta la cigarette qui pendait à sa bouche.

10   – Les flics, dit-elle.

Ce n'était pas une question mais un diagnostic ferme.

– Les flics, confirma Adamsberg en entrant. Clémentine Courbet ?

– Soi-même, répondit Clémentine.

La vieille femme les fit entrer dans son salon, retapa la banquette 15 avant de les faire asseoir.

– Y a des femmes, maintenant, dans la police ? dit-elle avec un regard méprisant vers le lieutenant Hélène Froissy. Ben je vous fais pas mes compliments. Vous ne croyez pas qu'il y a assez de types qui jouent aux armes à feu sans vouloir les imiter, non ? Vous auriez pas d'autres 20 idées, des foyes ?

Clémentine prononçait « des foyes », à la paysanne.

Elle s'éloigna en soupirant dans sa cuisine et revint en portant un plateau chargé de verres et une assiette de gâteaux.

– L'imagination, c'est ça qui fait toujours défaut, conclut-elle en

---

1. Délabrée.

₂₅ posant son plateau sur une petite table à napperon, devant la banquette à fleurs. Vin cuit, galettes à la peau de lait, ça vous dit ?

Adamsberg la regardait, surpris, presque séduit par son lourd visage abîmé. Kernorkian fit comprendre au commissaire qu'il ne cracherait pas sur les galettes, le sandwich avalé en voiture ne lui tenant pas au
₃₀ corps.

– À la bonne heure, dit Clémentine. Mais la peau de lait, on n'en trouve plus. Le lait, c'est devenu de la flotte. Je remplace par de la crème, je suis obligée.

Clémentine remplit les cinq verres, avala une petite lampée de vin
₃₅ cuit et les regarda.

– Trêve de conneries, dit-elle en allumant une cigarette. C'est pour quoi ?

– Arnaud Damas Heller-Deville, commença Adamsberg, en prenant une petite galette.

₄₀ – Arnaud Damas Viguier, pardon, dit Clémentine. Il préfère. On prononce pas le nom d'Heller-Deville sous ce toit. Si ça vous démange, allez le dire dehors.

– C'est votre petit-fils ?

– Dites donc, le beau ténébreux, dit Clémentine en tendant le men-
₄₅ ton vers Adamsberg, faut pas s'aviser de me prendre pour une bour-rique. Si vous le saviez pas, vous seriez pas là, non ? Comment elles sont, ces galettes ? Bonnes ou pas bonnes ?

– Bonnes, affirma Adamsberg.

– Excellentes, assura Danglard, et il le pensait réellement. À vrai
₅₀ dire, il n'avait pas goûté de galettes aussi bonnes depuis au moins qua-rante ans et cette impression l'emplissait d'une joie hors de propos.

– Trêve de conneries, dit la vieille femme, toujours debout, jaugeant les quatre flics. Vous me donnez le temps d'ôter mon tablier, de fermer le gaz et de prévenir la voisine, et je vous suis.

55   – Clémentine Courbet, dit Adamsberg, j'ai un mandat de perquisition. On visite la maison d'abord.

– C'est quoi, votre nom ?

– Commissaire principal Jean-Baptiste Adamsberg.

– Jean-Baptiste Adamsberg, j'ai pas pour habitude d'exposer la vie
60   des gens qui ne m'ont pas causé de tort, flics ou pas flics. Les rats sont au grenier, dit-elle en désignant le plafond du doigt, trois cent vingt-deux rats, plus onze cadavres couverts de puces affamées dont je vous conseille pas d'approcher ou je garantis plus de votre existence. Si vous voulez fourrer votre nez là-haut, faudra désinfecter d'abord. Vous cassez
65   pas le tronc : l'élevage est là-haut et la machine d'Arnaud, avec quoye il tapa ses messages, est dans la petite pièce. Les enveloppes avec. Quoi d'autre qui vous intéresse ?

– La bibliothèque, dit Danglard.

– Au grenier aussi. Faut passer devant les rats d'abord. Quatre cents
70   volumes, ça vous dit quelque chose ?

– Sur la peste ?

– Sur quoi d'autre ?

– Clémentine, dit doucement Adamsberg en reprenant une galette, vous ne voulez pas vous asseoir ?

75   Clémentine encastra son gros corps dans un fauteuil à fleurs et croisa les bras.

– Pourquoi nous dites-vous tout cela ? demanda Adamsberg. Pourquoi vous ne niez pas ?

– Quoi, les pesteux ?

80   – Les cinq victimes, oui.

– Victimes mon cul, dit Clémentine. Bourreaux.

– Des bourreaux, confirma Adamsberg. Des tortionnaires.

– Ils peuvent claquer. Plus ils claquent, plus Arnaud revit. Ils lui ont tout pris, ils l'ont réduit plus bas que terre. Il faut bien qu'Arnaud revive. Et ça, c'est pas possible tant que cette chienlit reste sur terre.

– Elle ne meurt pas toute seule, cette chienlit.

– Ce serait trop beau. La chienlit, c'est plus vivace que le chardon.

– Il a fallu aider, Clémentine ?

– Pas qu'un peu.

– Pourquoi la peste ?

– Les Journot sont maîtres de la peste, dit Clémentine d'un ton brusque. Faut pas s'attaquer à un Journot, c'est tout.

– Sinon ?

– Sinon, les Journot lui envoyent la peste. Ils sont maîtres du grand fléau.

– Clémentine, pourquoi nous dites-vous tout cela ? répéta Adamsberg.

– Au lieu de quoye ?

– Au lieu de vous taire.

– Vous m'avez trouvée, non ? Et le petit est coffré depuis hier. Alors trêve de conneries, on y va et puis c'est tout. Qu'est-ce que ça change ?

– Tout, dit Adamsberg.

– Rien, dit Clémentine, en souriant durement. Le boulot est terminé. Vous pigez, commissaire ? Terminé. L'ennemi est dans la place. Les trois prochains crèveront quoi qu'il arrive d'ici huit jours, que je soye ici ou que je soye ailleurs. C'est trop tard pour eux. Le boulot est terminé. Ils seront morts tous les huit.

– Huit ?

– Les six tortionnaires, la fille cruelle et le commanditaire. Chez moi ça fait huit. Vous êtes au courant ou vous êtes pas au courant ?

– Damas n'a pas parlé.

– Normal. Il ne pouvait pas parler avant d'être sûr que le boulot soye terminé. C'est comme ça qu'on avait convenu, si l'un ou l'autre se faisait poisser[1]. Comment vous l'avez trouvé ?

115　– Par son diamant.

– Il le cache.

– Je l'ai vu.

– Ah, dit Clémentine. Vous avez des connaissances, des connaissances sur le fléau de Dieu. On comptait pas là-dessus.

120　– J'ai essayé d'apprendre vite.

– Mais trop tard. Le boulot est terminé. L'ennemi est dans la place.

– Les puces ?

– Ouais. Elles sont déjà sur eux. Ils sont déjà des infects.

– Leurs noms, Clémentine ?

125　– Vous pouvez courir. Pour que vous alliez les sauver ? C'est leur sort et il s'accomplit. Fallait pas détruire un Journot. Ils l'ont détruit, commissaire, lui et la fille qu'il aimait, qu'a sauté par la fenêtre, la pauvre gosse.

Adamsberg hocha la tête.

130　– C'est vous, Clémentine, qui l'avez persuadé de se venger ?

– On en a parlé presque tous les jours, en prison. Il est l'héritier de son arrière-grand-père, et de la bague. Il fallait qu'Arnaud relève la tête, comme Émile, pendant l'épidémie.

– La prison ne vous fait pas peur ? Pour vous ? Pour Damas ?

135　– La prison ? dit Clémentine en frappant ses cuisses avec ses mains. Vous plaisantez, commissaire ? Arnaud et moi, on a tué personne. Minute.

---

1. Arrêter (familier).

– Alors qui ?

– Les puces.

140   – Lâcher des puces infectées, c'est comme tirer sur un homme.

– Elles étaient pas forcées de piquer, minute. C'est le fléau de Dieu, il tombe où bon lui plaît. Si quelqu'un a tué, c'est Dieu. Vous ne comptez pas l'embarquer, Dieu, des foyes ?

Adamsberg observa le visage de Clémentine Courbet, aussi serein que 145   celui de son petit-fils. Il comprit d'où venait la tranquillité quasi imperturbable de Damas. L'un comme l'autre se sentaient profondément innocents des cinq meurtres qu'ils venaient de commettre, et des trois qu'ils programmaient encore.

– Trêve de conneries, dit Clémentine. Maintenant qu'on a causé, je 150   vous suis ou bien je reste ?

– Je vais vous demander de nous accompagner, Clémentine Courbet, dit Adamsberg en se levant. Pour faire votre déposition. Vous êtes en garde à vue.

– Ben ça m'arrange, dit Clémentine en se levant à son tour. Comme 155   ça, je vais voir le petit.

Pendant que Clémentine débarrassait la table, couvrait le feu, coupait le gaz, Kernorkian fit comprendre à Adamsberg qu'il n'était pas chaud pour aller perquisitionner au grenier.

– Elles ne sont pas infectées, brigadier, dit Adamsberg. Bon Dieu, où 160   voulez-vous que cette femme ait trouvé des rats pesteux ? Elle rêve, Kernorkian, c'est dans sa tête.

– Ce n'est pas ce qu'elle dit, objecta Kernorkian d'un air sombre.

– Elle les manipule tous les jours. Elle n'a pas la peste.

– Les Journot sont protégés, commissaire.

165   – Les Journot ont un fantôme et il ne vous fera rien, vous avez ma parole. Il n'attaque que ceux qui ont cherché à détruire un Journot.

– Un vengeur de famille, en quelque sorte ?

– Exactement. Prélevez aussi le charbon de bois et adressez-le au labo, mention urgent.

170 L'arrivée de la vieille femme à la Brigade produisit une certaine sensation. Elle avait emporté une grande boîte pleine de galettes qu'elle montra gaiement à Damas en s'arrêtant devant lui. Damas sourit.

– Pas d'inquiétude, Arnaud, lui dit-elle sans chercher à baisser la voix. Le boulot est terminé. Tous, ils les ont tous.

175 Damas sourit plus encore, saisit la boîte qu'elle lui tendait à travers les barreaux et retourna s'asseoir calmement sur sa banquette.

– Préparez-lui la cellule auprès de celle de Damas, demanda Adamsberg. Descendez un matelas du vestiaire et installez ça aussi confortablement que vous pourrez. Elle a quatre-vingt-six ans.

180 Clémentine, dit-il en revenant à la vieille femme, trêve de conneries, on l'attaque maintenant, cette déposition, ou vous vous sentez fatiguée ?

– On l'attaque, dit fermement Clémentine.

Vers six heures du soir, Adamsberg partit marcher, la tête lourde des révélations de Clémentine Journot, épouse Courbet. Il l'avait écoutée 185 pendant deux heures puis il avait confronté la grand-mère et le petit-fils. Pas une seule fois leur confiance en la mort prochaine des trois derniers tortionnaires n'avait été ébranlée. Même quand Adamsberg leur avait démontré que le temps écoulé entre le lâcher de puces et la mort des victimes était trop bref, bien trop bref pour qu'on puisse attribuer les décès 190 à des puces pesteuses. *Ce fléau est toujours prêt et aux ordres de Dieu qui l'envoye et le fait partir quand il luy plaît*, répondait Clémentine, récitant impeccablement la spéciale du 19 septembre. Même quand Adamsberg

leur avait montré les résultats d'analyses négatifs prouvant l'innocuité[1]
totale de leurs puces. Même quand il leur avait mis sous les yeux les pho-
195 tos des strangulations. La foi qu'ils plaçaient dans leurs insectes était restée inébranlable et surtout, leur certitude que trois hommes allaient
mourir sous peu, l'un à Paris, l'autre à Troyes, le dernier à Châtellerault.

Il déambula dans les rues pendant plus d'une heure et s'arrêta face à la
prison de la Santé. Un prisonnier, là-haut, avait sorti un pied à travers les
200 barreaux. Il y avait toujours un gars pour sortir son pied et l'agiter dans
l'air du boulevard Arago. Pas une main, un pied. Pas chaussé, nu. Un type
qui, comme lui, voulait marcher dehors. Il considéra ce pied, imagina
celui de Clémentine, puis celui de Damas, se tortillant sous le ciel. Il ne
les croyait pas si fous, hormis dans ce couloir où les entraînait leur fan-
205 tôme. Quand le pied réintégra brusquement sa cellule, Adamsberg comprit qu'un troisième élément était encore hors les murs, prêt à achever
l'œuvre commencée, à Paris, à Troyes, à Châtellerault, avec le lacet cranté.

1. L'absence de nuisibilité.

BIEN LIRE

Connaît-on déjà la personne à laquelle
rend visite le commissaire ?
Comment jugez-vous sa réaction ?
Adamsberg se fait traiter de « beau
ténébreux ». Trouvez-vous cette expression
justifiée ?

XXXV

Adamsberg obliqua vers Montparnasse et déboucha sur la place Edgar-Quinet. Dans un quart d'heure, Bertin allait donner son coup de tonnerre du soir.

Il poussa la porte du *Viking* en se demandant si le Normand allait oser le saisir au col comme il avait fait à son client de la veille. Mais Bertin ne bougea pas tandis qu'Adamsberg se glissait sous la proue du drakkar et prenait place à sa table. Il ne bougea pas mais ne salua pas non plus, et sortit dès qu'Adamsberg se fut assis. Adamsberg comprit qu'en l'espace de deux minutes, toute la place serait informée que le flic qui avait ramassé Damas était au café, et qu'il aurait bientôt toute une troupe sur le dos. C'était ce qu'il était venu chercher. Peut-être même que ce soir, par exception, le dîner Decambrais se tiendrait au *Viking*. Il posa son portable sur la table, et attendit.

Cinq minutes plus tard, un groupe hostile poussa la porte du café, mené par Decambrais, suivi de Lizbeth, Castillon, Le Guern, Éva et plusieurs autres. Seul le Guern avait l'air assez indifférent à la situation. Les nouvelles renversantes ne le renversaient plus depuis longtemps.

— Asseyez-vous, ordonna presque Adamsberg, levant la tête pour faire face aux visages agressifs qui l'encadraient. Où est la petite ? dit-il en cherchant Marie-Belle.

— Elle est malade, dit sourdement Éva. Elle est couchée. À cause de vous.

— Asseyez-vous aussi, Éva, dit Adamsberg.

La jeune femme avait changé de visage en un jour et Adamsberg y lut une quantité de haine insoupçonnée, qui lui faisait perdre la grâce démodée de sa mélancolie. Hier encore elle était touchante, et ce soir, menaçante.

– Sortez Damas de là, commissaire, dit Decambrais, rompant le silence. Vous êtes à côté de la plaque, vous allez vous foutre dedans. Damas est un pacifique, un tendre. Il n'a jamais tué personne, jamais.

Adamsberg ne répondit pas et s'éloigna vers les toilettes pour appeler Danglard. Deux hommes en surveillance au domicile de Marie-Belle, rue de la Convention. Puis il reprit place à la table, face au vieux lettré qui posait sur lui un regard hautain.

– Cinq minutes, Decambrais, dit-il en levant la main, les doigts écartés. Je raconte une histoire. Et je m'en fous si j'emmerde tout le monde, je raconte. Et quand je raconte, je raconte à mon rythme et avec mes mots. Parfois, j'endors mon adjoint.

Decambrais releva le menton, et se tut.

– En 1918, dit Adamsberg, Émile Journot, chiffonnier de son état, revient sain et sauf de la guerre de 14.

– On s'en balance, dit Lizbeth.

– Tais-toi, Lizbeth, il raconte. Laisse-lui sa chance.

– Quatre ans de front sans une blessure, continua Adamsberg, autant dire un miraculé. En 1915, le chiffonnier sauve la vie de son capitaine en allant le rechercher blessé dans le no man's land. Le capitaine, avant d'être évacué sur l'arrière et en témoignage de gratitude, donne sa bague au sans-grade Journot.

– Commissaire, dit Lizbeth, on n'est pas là pour se raconter des bonnes histoires du bon vieux temps. Noyez pas le poisson. On est là pour parler de Damas.

Adamsberg regarda Lizbeth. Elle était pâle et c'était la première fois qu'il voyait une peau noire pâle. Son teint avait viré au gris.

– Mais l'histoire de Damas est une vieille histoire du bon vieux temps, Lizbeth, dit Adamsberg. Je reprends. Le sans-grade Journot n'a pas perdu sa journée. La bague du capitaine porte un diamant, plus gros

qu'une lentille. Durant toute la guerre, Émile Journot la garde à son doigt, le chaton tourné vers l'intérieur et couvert de boue, pour ne pas qu'on lui fauche. Démobilisé en 18, il retourne dans sa misère à Clichy
60 mais il ne vend pas la bague. Pour Émile Journot, la bague est salvatrice[1], et sacrée. Deux ans plus tard, une peste éclate dans sa cité où elle ravage une ruelle entière. Mais la famille Journot, Émile, sa femme et leur fille Clémentine, six ans, est épargnée. On murmure, on accuse. Émile apprend du médecin qui visite la cité dévastée que le diamant
65 protège du fléau.

— C'est vrai, cette connerie ? dit Bertin depuis son bar.

— C'est vrai dans les livres, dit Decambrais. Avancez, Adamsberg. Ça traîne.

— Je vous ai prévenus. Si vous voulez des nouvelles de Damas, vous
70 m'écoutez traîner jusqu'au bout.

— Des nouvelles, c'est toujours des nouvelles, dit Joss, anciennes ou neuves, longues ou brèves.

— Merci, Le Guern, dit Adamsberg. Émile Journot est aussitôt accusé de diriger la peste, de la semer peut-être.
75 — On en a rien à battre, de cet Émile, dit Lizbeth.

— C'est l'arrière-grand-père de Damas, Lizbeth, dit Adamsberg, un peu ferme. Menacée de lynchage, la famille Journot fuit la cité Hauptoul en pleine nuit, la petite sur le dos de son père, traversant les décharges où agonisent les rats pesteux. Le diamant les protège, ils se
80 réfugient sains et saufs chez un cousin à Montreuil et ne regagnent leur ancien quartier que le drame achevé. Leur réputation est faite. Les Journot, autrefois honnis, font figure de héros, de dominants, de maîtres de la peste. Leur histoire miraculeuse devient leur gloire de chif-

---

1. Sauve.

fonniers et leur devise. Émile s'entiche définitivement de sa bague et de
85 toutes les histoires de peste. Sa fille Clémentine hérite à sa mort de la
bague, de la gloire, et des histoires. Elle se marie et élève fièrement sa
fille Roseline dans le culte du pouvoir Journot. Cette fille épouse Heller-
Deville.

– On s'éloigne, on s'éloigne, marmonna Lizbeth.

90 – On se rapproche, dit Adamsberg.

– Heller-Deville ? L'industriel de l'aéronautique ? demanda
Decambrais, un peu raide.

– Il va le devenir. À l'époque, c'est un gars de vingt-trois ans, ambi-
tieux, intelligent, violent, et il veut bouffer le monde. Et c'est le père de
95 Damas.

– Damas s'appelle Viguier, dit Bertin.

– Ce n'est pas son nom. Damas s'appelle Heller-Deville. Il grandit
entre un père brutal et une mère en larmes. Heller-Deville cogne sa
femme et frappe son fils et, sept ans après la naissance du garçon, il
100 abandonne plus ou moins la famille.

Adamsberg jeta un coup d'œil à Éva, qui baissa brusquement la tête.

– Et la petite ? demanda Lizbeth, qui commençait à s'accrocher.

– Ils ne parlent pas de Marie-Belle. Elle est née bien après Damas.
Damas se réfugie chaque fois qu'il peut chez sa grand-mère Clémentine,
105 à Clichy. Elle console l'enfant, l'encourage et le fortifie en lui ressassant
les glorieux hauts faits de sa branche Journot. Après les baffes et l'abandon du père, la célébrité de la famille Journot devient l'unique force de
Damas. La grand-mère lui confie solennellement la bague quand il
atteint ses dix ans et, avec ce diamant, le pouvoir de commander au
110 fléau de Dieu. Ce qui était encore un jeu de guerre pour le garçon
s'ancre dans son esprit et devient un formidable instrument de vengeance, encore symbolique. En ratissant les marchés de Saint-Ouen et

de Clignancourt, la grand-mère a accumulé une quantité d'ouvrages
impressionnante sur la peste, celle de 1920, la sienne, et sur toutes les
115 autres, qui viennent nourrir l'épopée familiale. Je vous laisse imaginer.
Plus tard, Damas est assez grand pour trouver consolation tout seul dans
ces atroces récits de la peste noire. Ils ne lui font pas peur, bien au
contraire. Il a le diamant du grand Émile, héros de 14-18, et héros de la
peste. Ces récits le soulagent, ils sont sa vengeance naturelle contre une
120 enfance sinistrée. Sa bouée de sauvetage. Vous y êtes ?

   – On ne voit pas le rapport, dit Bertin. Ça ne prouve rien.

   – Damas a dix-huit ans. C'est un jeune homme chétif, mal foutu mal
poussé. Il devient physicien, pour surpasser son père probablement. Il est
lettré, latiniste, fin pestologue, scientifique cultivé et surdoué, et il a un
125 fantôme dans la tête. Il s'acharne et se lance dans la branche aéronautique.
À vingt-quatre ans, il découvre un procédé de fabrication qui divise par
cent les risques de faille dans un acier alvéolé[1] léger comme une éponge,
je n'ai pas tout suivi. Je ne peux pas vous dire pourquoi mais cet acier présente un intérêt extrême pour la construction aéronautique.

130   – Damas a découvert un truc ? dit Joss, stupéfait. À vingt-quatre
ans ?

   – Parfaitement. Et il a l'intention de le monnayer très cher. Un type
décide de ne rien monnayer et d'arracher tout bonnement cet acier à
Damas, ni vu ni connu. Il lance sur lui six hommes, six chiens sauvages,
135 qui l'humilient, le torturent et violent sa petite amie. Damas crache le
morceau, perdant en un soir son orgueil, son amour et sa découverte. Et
sa gloire. Un mois plus tard, son amie se jette par la fenêtre. Il y a
presque huit ans, on a jugé l'affaire Arnaud Heller-Deville. Accusé

---

1. Creusé et de forme hexagonale.

d'avoir défenestré la jeune fille, il prend cinq ans qu'il finit de purger il
140 y a un peu plus de deux ans.

— Pourquoi Damas n'a-t-il rien dit au procès ? Pourquoi s'est-il laissé
entauler[1] ?

— Parce que si les flics identifiaient les tortionnaires, Damas perdait
les coudées franches. Or Damas voulait se venger, à toute force. À
145 l'époque, il n'était pas de taille à lutter contre eux. Mais cinq ans plus
tard, c'est tout autre chose. Damas le malingre sort de taule avec quinze
kilos de muscles, déterminé à ne plus jamais entendre parler d'acier de
sa vie entière et obnubilé[2] par cette revanche. En prison, on s'obnubile
facilement. C'est presque le seul recours qu'on a : s'obnubiler. Il sort et
150 il a huit personnes à tuer : les six tortionnaires, la fille qui les accompagnait et le commanditaire. Pendant ces cinq années, la vieille
Clémentine a patiemment remonté leur piste, en suivant les indications de Damas. Cette fois, ils sont prêts. Pour tuer, Damas se tourne
bien sûr vers le pouvoir familial. Quoi d'autre ? Cinq viennent d'y pas-
155 ser cette semaine. Trois demeurent.

— Ce n'est pas possible, dit Decambrais.

— Damas et sa grand-mère ont tout avoué, dit Adamsberg en le
regardant dans les yeux. Sept ans de préparation. Les rats, les puces et
les vieux bouquins sont chez la grand-mère, toujours à Clichy. Les enve-
160 loppes ivoire aussi. L'imprimante. Tout le matériel.

Decambrais secoua la tête.

— Damas ne peut pas tuer, répéta-t-il. Ou je rends mon tablier de
conseiller en choses de la vie.

— Allez-y, je fais collection. Danglard a déjà bouffé sa chemise.

1. Emprisonner (argotique).
2. Obsédé.

165 Damas a avoué, Decambrais. Tout. Sauf le nom des trois victimes res-
tantes, dont il attend la mort imminente avec jubilation.

— Il a dit les avoir tuées ? Lui-même ?

— Non, reconnut Adamsberg. Il a dit que les puces pesteuses les
avaient tuées.

170 — Si l'histoire est vraie, dit Lizbeth, je vais pas lui donner tort.

— Allez le voir, Decambrais, si vous voulez, lui et sa « Mané », comme
il l'appelle. Il vous confirmera tout ce que je viens de vous raconter.
Allez-y, Decambrais. Allez l'entendre.

Un silence lourd s'établit autour de la table. Bertin avait oublié de
175 sonner le tonnerre. Affolé, à huit heures vingt-cinq, il frappa du poing
la lourde plaque de cuivre. Le son gronda, sinistre, comme une conclusion appropriée à l'atroce histoire du bon vieux temps d'Arnaud Damas
Heller-Deville.

Une heure plus tard, l'information était à peu près passée, par mor-
180 ceaux indigestes, et Adamsberg traînait sur la place, avec un Decambrais
nourri et calmé.

— C'est comme ça, Decambrais, disait Adamsberg. On n'y peut rien.
Moi aussi, je regrette.

— Il y a quelque chose qui cloche, dit Decambrais.

185 — C'est vrai. Il y a quelque chose qui cloche. Le charbon.

— Ah, vous le savez ?

— Une *énorme bévue* pour un fin pestologue, murmura Adamsberg.
Et je ne suis pas certain non plus, Decambrais, que les trois types qui
restent à tuer vont s'en sortir.

190 — Damas et Clémentine sont en cage.

— Même.

XXXVI

Adamsberg quitta la place à dix heures avec la sensation d'avoir manqué une case, et il savait laquelle. Il aurait voulu voir Marie-Belle dans la troupe.

Une affaire de famille, avait confirmé Ferez.

5 L'absence de Marie-Belle avait déséquilibré la tablée du *Viking*. Il fallait qu'il lui parle. Elle était le seul point de dissension[1] apparu dans le couple Damas-Mané. Lorsque Adamsberg avait prononcé le nom de la jeune fille, Damas avait voulu répondre et la vieille Clémentine s'était retournée rageusement en lui commandant d'oublier cette « fille de pute ». La vieille

10 femme avait ensuite grommelé entre ses dents et il avait cru saisir quelque chose comme « la grosse de Romorantin ». Damas avait eu l'air assez malheureux et s'était efforcé de changer de sujet, adressant à Adamsberg un regard intense qui semblait le supplier de ne plus s'occuper de sa sœur. C'était bien pour cela qu'Adamsberg s'en occupait.

15 Il n'était pas onze heures quand il déboucha rue de la Convention. Il repéra deux de ses hommes affaissés dans une voiture banalisée, non loin de l'immeuble. Là-haut, au quatrième étage, la lumière était allumée. Il pouvait donc sonner chez Marie-Belle sans risque de l'éveiller. Mais Lizbeth disait qu'elle était malade. Il hésitait. Il se retrouvait devant

20 Marie-Belle aussi coupé en deux qu'il l'était devant Damas et Clémentine, une partie de lui-même affaiblie par leur conviction d'innocence, une partie déterminée à avoir la peau du semeur, aussi multiple soit-elle.

Il leva la tête vers la façade. Immeuble haussmannien en pierre de

---

1. Désaccord.

₂₅ taille haut de gamme, balcons sculptés. L'appartement couvrait les six fenêtres de l'étage. Grosse fortune Heller-Deville, très grosse fortune. Adamsberg se demanda pourquoi, si tant est qu'il avait besoin de travailler, Damas n'avait pas ouvert une boutique luxueuse au lieu de ce rez-de-chaussée sombre et encombré du *Roll-Rider*.

₃₀ Alors qu'il attendait dans l'ombre, indécis, il vit la porte cochère s'ouvrir. Marie-Belle sortit au bras d'un homme assez petit, et fit quelques pas avec lui sur le trottoir désert. Elle lui parlait, agitée, impatiente. Son amant, pensa Adamsberg. Une querelle d'amoureux, à cause de Damas. Il s'approcha doucement. Il les distinguait bien dans la lumière des réver-
₃₅ bères, deux têtes blondes et fines. L'homme se retourna pour répondre à Marie-Belle et Adamsberg l'aperçut de face. Un assez joli type, un peu fade, sans sourcils, mais délicat. Marie-Belle lui serra fort le bras puis l'embrassa sur les deux joues avant de le quitter.

Adamsberg regarda la porte de l'immeuble se refermer sur elle et le
₄₀ jeune homme s'en aller au long du trottoir. Non, pas son amant. On n'embrasse pas son amant sur les joues, si rapidement. Quelqu'un d'autre alors, un ami. Adamsberg suivit des yeux la silhouette du jeune homme qui s'éloignait puis traversa pour monter chez Marie-Belle. Elle n'était pas malade. Elle était en rendez-vous. Avec on ne sait qui.

₄₅ Avec son frère.

Adamsberg s'immobilisa, la main sur la porte de l'immeuble. Son frère. Son jeune frère. Les mêmes cheveux blonds, les mêmes sourcils faibles, le même sourire pincé. Marie-Belle en mou, en terne. Le jeune frère de Romorantin qui avait si peur de Paris. Mais qui était à Paris.
₅₀ Adamsberg réalisa à cette seconde qu'il n'avait pas noté un seul appel vers Romorantin, Loir-et-Cher, sur les relevés de Damas. Or sa sœur était censée l'appeler régulièrement. Le petit n'était pas débrouillard, le petit voulait des nouvelles.

Mais le petit était à Paris. Le troisième descendant Journot.

55 Adamsberg prit la rue de la Convention au pas de course. Elle était longue et il voyait le jeune Heller-Deville de loin. À trente mètres de lui, il ralentit le pas et le suivit dans l'ombre. Le jeune homme jetait de fréquents regards sur la chaussée, comme cherchant un taxi. Adamsberg s'enfonça sous un porche pour appeler une voiture. Puis il rangea l'ap-
60 pareil dans sa poche intérieure, le reprit et le regarda. Dans l'œil mort du téléphone, il comprit que Camille n'appellerait pas. Cinq ans, dix ans, toujours peut-être. Bien, tant pis, c'était égal.

Il chassa cette pensée et reprit Heller-Deville en chasse.

Heller-Deville le jeune, le deuxième homme, celui qui allait achever
65 l'œuvre de peste à présent que l'aîné et la Mané étaient en détention. Et ni Damas ni Clémentine ne doutaient une seconde que le relais était pris. La puissance de l'épopée familiale opérait. On savait se serrer les coudes, chez les descendants Journot, et on ne tolérait pas la souillure. On était les maîtres et non pas les martyrs. Et on lavait l'affront dans le
70 sang de la peste. Marie-Belle venait de passer la main au benjamin des Journot. Damas en avait tué cinq, celui-là en tuerait trois.

Pas question de le perdre, pas question de l'effrayer. La filature se compliquait du fait que le jeune homme se retournait sans cesse vers la chaussée et Adamsberg aussi, de crainte de voir déboucher un taxi, qu'il
75 n'était pas certain de pouvoir bloquer sans donner l'alerte. Adamsberg repéra une voiture qui s'avançait lentement en codes, une voiture beige qu'il reconnut aussitôt pour un véhicule de la Brigade. Elle roula jusqu'à sa hauteur et Adamsberg fit discrètement signe au conducteur de ralentir, sans tourner la tête.

80 Quatre minutes plus tard, parvenu au carrefour Félix-Faure, le jeune Heller-Deville leva le bras et un taxi s'arrêta le long du trottoir. Adamsberg, trente mètres derrière lui, sauta dans la voiture beige.

– Derrière le taxi, souffla-t-il en fermant doucement la portière.

– J'avais compris, répondit le lieutenant Violette Retancourt, la
85 femme lourde et massive qui l'avait interpellé brutalement lors de la première réunion d'urgence.

À ses côtés, Adamsberg reconnut le jeune Estalère aux yeux verts.

– Retancourt, annonça la femme.

– Estalère, dit le jeune homme.

90 – Suivez-le doucement, pas de fausse manœuvre, Retancourt. Je
tiens à ce type comme à la prunelle de mes yeux.

– Qui est-ce ?

– Le deuxième homme, un arrière-petit-fils Journot, un petit maître.
C'est lui qui s'apprête à châtier un tortionnaire à Troyes, un autre à
95 Châtellerault, et Kévin Roubaud à Paris, dès qu'on l'aura relâché.

– Des fumiers, dit Retancourt. Je ne vais pas les pleurer.

– On ne peut pas les regarder se faire étrangler en jouant aux cartes,
lieutenant, dit Adamsberg.

– Pourquoi pas ? dit Retancourt.

100 – Ils ne s'en tireront pas, croyez-moi. Si je ne me trompe pas, les
Journot-Heller-Deville opèrent dans un sens ascendant, du moindre au
pire. J'ai l'impression qu'ils ont commencé leur massacre par un des
moins cruels de la bande et qu'ils vont l'achever avec le roi des salopards.
Parce que peu à peu, les membres du commando ont compris, comme
105 Sylvain Marmot, comme Kévin Roubaud, que leur ancienne victime
était revenue. Les trois derniers savent, ils attendent, et ils crèvent de
peur. Cela ajoute à la vengeance. Tournez à gauche, Retancourt.

– J'ai vu.

– Logiquement, le dernier de la liste devrait donc être le comman-
110 ditaire du supplice. Un physicien, secteur industrie aéronautique, nécessairement, capable de piger tout l'intérêt du procédé découvert par

Damas. Il ne doit pas en exister des milliers à Troyes ou à Châtellerault. J'ai lancé Danglard là-dessus. Celui-là, on a des chances de le trouver.

— Il n'y a qu'à laisser le jeune homme nous conduire jusqu'à lui.

115 — C'est risqué, Retancourt, le jeu de la chèvre. Tant qu'on dispose d'autres moyens, je préfère l'éviter.

— Où est-ce qu'il nous mène, le jeune ? On file droit au nord.

— Chez lui, dans un hôtel ou une chambre louée. Il a pris ses ordres et il va dormir. La nuit sera calme. Il ne va pas se faire conduire en taxi

120 à Troyes ou à Châtellerault. Tout ce qui nous intéresse ce soir, c'est l'adresse de sa planque. Mais il va décoller dès demain. Il doit agir au plus vite.

— Et la sœur ?

— On sait où elle est, la sœur, et on la surveille. Damas lui a confié

125 tous les détails pour qu'elle puisse les repasser au petit frère en cas d'accroc. Ce qui compte pour eux, lieutenant, c'est de terminer le boulot. Ils n'ont que ça à la bouche. Terminer le boulot. Parce qu'un Journot ne connaît pas l'échec, depuis 1914, et il ne doit pas le connaître.

Estalère siffla entre ses dents.

130 — Alors moi, dit-il, je ne suis pas un Journot. J'en suis sûr, maintenant.

— Moi non plus, dit Adamsberg.

— On approche de la gare du Nord, dit Retancourt. Et s'il prenait le train dès ce soir ?

135 — Il est trop tard. Et il n'a même pas un sac avec lui.

— Il peut voyager léger.

— Et la peinture noire, lieutenant ? Les outils de serrurier ? L'enveloppe à puces ? Le gaz lacrymogène ? Le lacet ? Le charbon de bois ? Il ne peut pas glisser tout cela dans sa poche arrière.

140 — Ça veut dire que le jeune frère en tâte aussi en serrurerie.

– Sûrement. À moins qu'il n'attire sa victime au-dehors, comme pour Viard et Clerc.

– Pas si simple, dit Estalère, si les victimes sont à présent sur leurs gardes. Et d'après vous, elles le sont.

145 – Et la sœur ? dit Retancourt. C'est drôlement plus facile pour une fille d'attirer un mec dehors. Elle est jolie ?

– Oui. Mais je crois que Marie-Belle ne fait qu'être informée et informer à son tour. Je ne suis pas sûr qu'elle sache tout. Elle est naïve et très bavarde et il est probable que Damas s'en méfie, ou bien qu'il la 150 protège.

– Une affaire d'hommes, en quelque sorte ? dit Retancourt assez rudement. Une affaire de surhommes ?

– C'est tout le problème. Freinez, Retancourt. Éteignez vos feux.

Le taxi avait déposé le jeune homme le long du canal Saint-Martin, 155 sur une portion déserte du quai de Jemmapes.

– Un coin tranquille, c'est le moins qu'on puisse dire, murmura Adamsberg.

– Il attend que le taxi s'en aille avant d'aller chez lui, commenta Retancourt. Prudent, le surhomme. À mon avis, il n'a pas donné 160 l'adresse exacte. Il va marcher.

– Suivez feux éteints, lieutenant, dit Adamsberg, alors que le jeune homme se remettait en route. Suivez. Stop.

– Merde, j'ai vu, dit Retancourt.

Estalère jeta un regard affolé à Violette Retancourt. Bon sang, on ne 165 disait pas merde au chef de groupe.

– Pardon, grommela Retancourt, ça m'a échappé. C'est juste que j'ai vu. Je vois très bien dans le noir. Le jeune homme ne bouge plus. Il attend près du canal. Qu'est-ce qu'il glande ? Il dort là ou quoi ?

Adamsberg prit quelques instants pour analyser les lieux, en se pen-
170 chant entre les deux lieutenants.

– Je sors, dit-il. Je me mets au plus près, derrière le panneau publi-
citaire.

– Où il y a cette tasse de café ? demanda Retancourt. *Et mourir de
plaisir* ? Ce n'est pas encourageant, comme planque.

175 – C'est vrai que vous avez de bons yeux, lieutenant.

– Quand je veux. Je peux même vous dire qu'il y a un tas de gra-
villons tout autour. Ça va faire du bruit. Le surhomme allume un clope.
Je crois qu'il attend quelqu'un.

– Ou qu'il prend le frais, ou qu'il réfléchit. Placez-vous tous les deux
180 à quarante pas derrière moi, à moins dix et à dix.

Adamsberg descendit de voiture silencieusement et s'approcha de la
fine silhouette qui attendait au bord de l'eau. À trente mètres, il ôta ses
chaussures, traversa pas à pas la plaque de graviers et se colla derrière *Et
mourir de plaisir*. On distinguait mal le canal dans ce secteur presque noir.
185 Adamsberg leva la tête et constata que les trois réverbères les plus proches
étaient cassés, les verres brisés. Peut-être que le gars n'allait pas simplement
prendre le frais. Le jeune homme jeta sa cigarette à l'eau puis fit craquer
ses doigts en tirant dessus, une main, puis l'autre, en surveillant le quai sur
son côté gauche. Adamsberg guetta dans la même direction. Une ombre
190 s'approcha au loin, grande, maigre, et hésitante. Un homme, un vieux,
qui faisait attention où il mettait les pieds. Un quatrième Journot ? Un
oncle ? Un grand-oncle ?

En parvenant à la hauteur du jeune homme, le vieux s'arrêta dans
l'obscurité, indécis.

195 – C'est vous ? demanda-t-il.

Il reçut un puissant direct à la mâchoire suivi d'un coup au plexus et
s'effondra comme un château de cartes.

Adamsberg traversa en courant l'espace qui le séparait du quai, alors que le jeune homme balançait le corps inanimé dans le canal. Le pas de
200 la course d'Adamsberg le fit se retourner et il prit la fuite en une fraction de seconde.

– Estalère ! Sur lui ! cria Adamsberg avant de plonger droit dans le canal, où le corps du vieux flottait sur le ventre, sans se débattre. En quelques brasses, Adamsberg le tira vers la berge, où Estalère lui tendait
205 la main.

– Merde, Estalère ! cria Adamsberg. Le type ! Foncez sur le type !

– Retancourt est dessus, expliqua Estalère comme s'il avait lâché ses chiens.

Il aida Adamsberg à remonter sur le quai et à hisser le corps lourd et
210 glissant.

– Bouche-à-bouche, ordonna Adamsberg en s'élançant sur le quai.

Au loin, il voyait filer la silhouette du jeune homme, rapide comme un daim. Derrière lui suivait à pas lourds la grosse ombre de Retancourt, aussi impuissante qu'un tank au cul d'une mouette. Puis la grosse ombre
215 sembla resserrer l'écart et même se rapprocher nettement de sa proie. Adamsberg ralentit l'allure, stupéfait. Une vingtaine de foulées plus tard, il entendit un choc, un bruit sourd et un cri de douleur. Plus personne ne courait au loin.

– Retancourt ? appela-t-il.

220 – Prenez votre temps, lui répondit la voix grave de la femme. Il est bien calé.

Deux minutes plus tard, Adamsberg découvrait le lieutenant Retancourt commodément installée sur la poitrine du fuyard, lui écrasant toutes les côtes hautes. Le jeune homme peinait à respirer, se tor-
225 dant en tous sens pour tenter de s'extirper de sous cette sorte de bombe

qui lui était tombée dessus. Retancourt n'avait pas pris la peine de sortir son pistolet.

— Vous courez vite, lieutenant. Je n'aurais pas parié sur vous.

— Parce que j'ai un gros cul ?

230 — Non, mentit Adamsberg.

— Vous avez tort. Ça me freine.

— Pas tellement.

— Disons que j'ai de l'énergie, répondit Retancourt. Je la transforme en ce que je veux.

235 — Par exemple ?

— Par exemple en ce moment, je fais masse.

— Vous avez une lampe ? La mienne est trempée.

Retancourt lui tendit sa torche et Adamsberg éclaira le visage de son prisonnier. Puis il lui passa les menottes, un anneau attaché au poignet
240 de Retancourt. Autant dire à un arbre.

— Jeune descendant Journot, dit-il, la vengeance s'arrête là, sur ce quai de Jemmapes.

L'homme tourna les yeux vers lui, haineux et ébahi.

— Vous faites erreur sur la personne, dit-il en grimaçant. Le vieux a
245 voulu m'attaquer, je me suis défendu.

— J'étais derrière toi. Tu lui as balancé ton poing dans la gueule.

— Parce qu'il avait sorti un flingue ! Il m'a dit : « C'est vous ? », et en même temps, il a sorti un flingue ! Je l'ai frappé. Je ne sais pas ce qu'il me voulait, ce type ! Je vous en prie, vous ne pourriez pas dire à cette
250 bonne femme de se pousser ? J'étouffe.

— Posez-vous sur ses jambes, Retancourt.

Adamsberg le fouilla à la recherche de papiers. Il trouva le portefeuille à l'intérieur du blouson et le vida, braquant sa lampe sur le sol.

– Lâchez-moi ! cria le type. Il m'a attaqué !

255   – Tais-toi. Ça commence à bien faire.

– Y a erreur sur la personne ! Je connais pas de Journot !

Adamsberg fronça les sourcils et éclaira la carte d'identité.

– Tu ne t'appelles pas Heller-Deville non plus ? demanda-t-il, surpris.

260   – Non ! Vous voyez bien qu'il y a erreur ! Le type m'attaquait !

– Mettez-le debout, Retancourt, dit Adamsberg. Emmenez-le à la
voiture.

Adamsberg se releva, ses habits dégoulinants d'eau sale, et revint vers
Estalère, soucieux. Le jeune homme s'appelait Antoine Hurfin, il était
265 né à Vétigny, dans le Loir-et-Cher. Un simple ami de Marie-Belle ?
Attaqué par le vieux ?

Estalère semblait avoir ramené à la vie le corps du vieil homme qu'il
maintenait assis contre lui, en le tenant par l'épaule.

– Estalère, demanda Adamsberg en s'approchant, pourquoi n'avez-
270 vous pas couru quand je vous l'ai demandé ?

– Pardon, commissaire, j'ai contrevenu. Mais Retancourt court trois
fois plus vite que moi. Le type était déjà hors de portée, j'ai pensé qu'elle
était notre seule chance.

– C'est curieux que ses parents l'aient appelée Violette.

275   – Vous savez, commissaire, un bébé, ce n'est pas gros, on ne peut pas
se douter que ça va se transformer en char d'assaut polyvalent[1]. Mais elle
est très douce, comme femme, ajouta-t-il aussitôt pour corriger. Très
gentille.

– Oui ?

280   – Faut la connaître, évidemment.

---

1. Qui possède des capacités variées.

– Comment va-t-il ?

– Il respire, mais il avait déjà de l'eau dans les bronches. Il est amoché encore, épuisé, le cœur peut-être. J'ai appelé les secours, j'ai bien fait ?

Adamsberg s'agenouilla et pointa sa torche sur le visage de l'homme, qui reposait sur l'épaule d'Estalère.

– Merde. Decambrais.

Adamsberg lui prit le menton, le secoua doucement.

– Decambrais, c'est Adamsberg. Ouvrez les yeux, mon vieux.

Decambrais sembla faire un effort et souleva les paupières.

– Ce n'était pas Damas, dit-il faiblement. Le charbon.

L'ambulance freina à leur hauteur et deux hommes descendirent en portant une civière.

– Où l'emmenez-vous ? demanda Adamsberg.

– À Saint-Louis, dit l'un des infirmiers en chargeant le vieil homme.

Adamsberg les regarda installer Decambrais sur la civière et l'emporter vers la voiture. Il sortit son téléphone de sa poche, et secoua la tête.

– Portable noyé, dit-il à Estalère. Passez-moi le vôtre.

Adamsberg réalisa que, si Camille le voulait, elle ne pouvait plus l'appeler. Portable noyé. Mais cela n'avait pas d'importance, puisque Camille ne le voulait pas. Très bien. N'appelle plus. Et va, Camille, va.

Adamsberg composa le numéro de la maison Decambrais et eut Éva en ligne, qui ne dormait pas encore.

– Éva, passez-moi Lizbeth, c'est urgent.

– Lizbeth est au cabaret, répondit Éva sèchement. Elle chante.

– Alors passez-moi le numéro du cabaret.

– On ne peut pas déranger Lizbeth quand elle est sur scène.

– C'est un ordre, Éva.

Adamsberg attendit une minute en silence, en se demandant s'il ne

devenait pas un peu flic. Il comprenait bien qu'Éva ait eu besoin de
310 punir la terre entière mais ce n'était tout simplement pas le moment.

Il mit dix minutes à obtenir Lizbeth.

– J'allais quitter, commissaire. Si c'est pour m'annoncer que vous
relâchez Damas, je vous écoute. Sinon, c'est peine perdue.

– C'est pour vous annoncer que Decambrais a été attaqué. On l'em-
315 mène à l'hôpital Saint-Louis. Non, Lizbeth, ça va aller, je crois. Non, par
un jeune type. Je ne sais pas, on va l'interroger. Soyez gentille, préparez-
lui un sac, n'oubliez pas de fourrer un ou deux bouquins dedans et allez
le voir. Il va avoir besoin de vous.

– C'est de votre faute. Pourquoi vous l'avez fait venir ?

320 – Où, Lizbeth ?

– Quand vous l'avez appelé. Vous n'avez pas assez d'hommes dans la
police ? Il est pas réserviste, Decambrais.

– Je ne l'ai pas appelé, Lizbeth.

– C'était un de vos collègues, affirma Lizbeth. Il appelait de votre
325 part. Je ne suis pas folle, c'est moi qui ai transmis le message avec le rendez-vous.

– Quai de Jemmapes ?

– En face du 57, à onze heures trente.

Adamsberg hocha la tête dans l'ombre.

330 – Lizbeth, que Decambrais ne bouge pas de sa chambre. Sous aucun
prétexte, quel que soit l'appel.

– C'était pas vous, hein ?

– Non, Lizbeth. Restez près de lui. Je vous envoie un agent en renfort.

335 Adamsberg raccrocha pour appeler la Brigade.

– Brigadier Gardon, annonça la voix.

– Gardon, un homme à l'hôpital Saint-Louis, à la garde de la chambre d'Hervé Ducouëdic. Et deux hommes au relais rue de la Convention, au domicile de Marie-Belle. Non, même chose, qu'ils se contentent de serrer l'immeuble. Quand elle sortira demain matin, qu'on me l'amène.

– Garde à vue, commissaire ?

– Non, témoignage. La vieille dame, ça va bien ?

– Elle a discuté un moment avec son petit-fils, par la grille de sa cellule. Et maintenant, elle dort.

– Discuté de quoi, Gardon ?

– Joué, à vrai dire. Ils ont joué au portrait chinois. Ce jeu de caractères, vous savez. Et si c'était une couleur ? Et si c'était un animal ? Et si c'était un bruit ? Et on doit deviner la personne choisie. Pas facile.

– On ne peut pas dire que leur sort les inquiète.

– Toujours pas. La vieille dame aurait plutôt tendance à détendre l'atmosphère à la Brigade. Heller-Deville est un mec bien, il a partagé ses galettes. Normalement, la Mané les fait à la peau de lait, mais elle n'en…

– Je sais, Gardon. Elle met de la crème. Est-ce qu'on a reçu les résultats pour le charbon de bois de Clémentine ?

– Il y a une heure. Navré, c'est négatif. Pas trace de pommier. C'est du frêne, de l'orme et du robinier, du tout-venant du commerce.

– Merde.

– Je sais, commissaire.

Adamsberg regagna la voiture, ses vêtements trempés collant à son corps, parcouru d'un léger frisson. Estalère avait pris le volant, Retancourt était à l'arrière, menottée au prisonnier. Il se pencha par la portière.

365 — C'est vous, Estalère, qui avez ramassé mes chaussures ? demanda-t-il. Je n'en trouve pas trace.

— Non, commissaire, je ne les ai pas vues.

— Tant pis, dit Adamsberg en montant à l'avant. On ne va pas y passer la nuit.

370 Estalère démarra. Le jeune homme avait cessé de protester de son innocence, comme découragé par la masse impassible de Retancourt.

— Posez-moi chez moi, dit Adamsberg. Dites à l'équipe de nuit de commencer l'interrogatoire d'Antoine Hurfin Heller-Deville Journot ou je ne sais quel est son nom.

375 — Hurfin, gronda le jeune homme. Antoine Hurfin.

— Vérification d'identité, enquête au domicile, alibis et toute la suite. Moi, je vais m'occuper de ce foutu charbon de bois.

— Où ? demanda Retancourt.

— Sur mon lit.

380 Allongé dans le noir, Adamsberg ferma les yeux. Trois pics émergeaient de sa fatigue et de la nuée des événements du jour. Les galettes de Clémentine, le téléphone noyé, le charbon de bois. Il chassa les galettes hors de sa pensée, sans intérêt pour l'enquête, mais point d'orgue de la tranquillité d'âme du semeur et de son aïeule. Son portable 385 noyé vint le visiter, comme un espoir englouti, une épave, un naufrage qui aurait pu figurer dans les Pages d'Histoire pour tous de Joss Le Guern.

Téléphone portable Adamsberg, autonomie batterie trois jours, parti sur l'est de la rue Delambre, touche au canal Saint-Martin et coule sur son 390 *ancre. Équipage perdu. Femme à son bord, Camille Forestier, perdue.*

Entendu. N'appelle pas, Camille. Va. Tout est égal.

Restait le charbon de bois.

On en revenait là. Presque au tout début.

Damas était un fin pestologue et il avait commis une *énorme bévue*.
395 Et ces deux propositions étaient inconciliables. Soit Damas n'y connaissait à peu près rien en matière de peste et il commettait l'erreur de chacun en noircissant la peau de ses victimes. Soit Damas y connaissait quelque chose et il n'aurait jamais osé pareille faute. Pas un type comme Damas. Pas un type si révérencieux[1] à l'égard des textes anciens qu'il
400 signalait toutes les coupures qu'il leur infligeait. Rien n'obligeait Damas à introduire ces *points de suspension* qui compliquaient la lecture des spéciales du Crieur. Tout était là, au fond, dans ces petits points, déposés comme les signes aveuglants d'une dévotion[2] d'érudit au texte original. Une dévotion de pestologue. On ne triture pas[3] le texte d'un Ancien, on
405 ne le concasse[4] pas à sa convenance comme une vulgaire mixture. On l'honore et on le respecte, on a pour lui des égards de croyant, on ne blasphème pas[5]. Un type qui pose des *points de suspension* ne noircit pas les corps au charbon, ne commet pas une *énorme bévue*. Ce serait une offense, une insulte au fléau de Dieu tombé entre ses mains d'idolâtre.
410 Qui se croit maître d'une croyance s'en fait le dévot. Damas usait de la puissance Journot, mais il était le dernier des hommes à pouvoir s'en jouer.

Adamsberg se leva et tourna dans ses deux pièces. Damas n'avait pas trituré l'Histoire. Damas avait posé les points de suspension. Donc
415 Damas n'avait pas charbonné les corps.

Donc Damas n'avait pas tué. Le charbon recouvrait nettement les

---

1. Respectueux.
2. Un attachement fervent.
3. N'analyse pas trop profondément un texte.
4. Réduit.
5. On ne dit pas des paroles qui insultent la religion.

marques de strangulation. C'était le dernier geste du tueur, et ce n'était pas Damas qui l'avait fait. Ni charbonné ni étranglé. Ni déshabillé. Ni ouvert de porte.

420 Adamsberg s'immobilisa près de son téléphone. Damas n'avait fait qu'exécuter ce en quoi il croyait. Il était maître du fléau et il avait semé des annonces, peint des 4 et libéré des puces pesteuses. Annonces garantissant le retour d'une véritable peste, le déchargeant de son fardeau. Annonces affolant l'opinion, le créditant de sa toute-puissance revenue. 425 Annonces semant la confusion, lui laissant les mains libres. Signe du 4 limitant les dégâts qu'il croyait commettre, apaisant la conscience de ce tueur imaginaire et scrupuleux. Un maître ne commet pas d'approximation dans le choix de ses victimes. Les 4 étaient nécessaires pour endiguer le lâcher des insectes, pour viser juste et non pas grossièrement. Pas 430 question pour Damas de bousiller toute la population d'un immeuble quand il ne voulait en abattre qu'un seul. C'eût été une impardonnable maladresse pour un fils de Journot.

Voilà ce qu'avait fait Damas. Il y avait cru. Il avait lâché son pouvoir sur ceux qui l'avaient aboli, pour renaître. Il avait glissé sous cinq portes 435 des puces impuissantes. Clémentine avait « terminé le boulot » et lâché les insectes chez les trois derniers tortionnaires. Là s'arrêtaient les crimes inopérants du crédule semeur de peste.

Mais quelqu'un tuait derrière Damas. Quelqu'un qui se glissait dans son fantôme et opérait réellement à sa place. Quelqu'un de pratique, qui 440 ne croyait pas une seconde à la peste et n'y connaissait rien. Qui pensait que la peau des pestiférés était noire. Quelqu'un qui commettait une *énorme bévue*. Quelqu'un qui poussait Damas dans le piège profond qu'il s'était creusé, jusque vers son terme inéluctable. Une opération simple. Damas pensait tuer, un autre le faisait à sa place. Les charges

445 étaient écrasantes pour Damas, serrées d'un bout à l'autre de la chaîne, depuis les puces de rat jusqu'au charbon de bois, qui le conduiraient droit à la perpétuité. Qui irait arguer[1] que Damas n'était pas coupable, en s'appuyant sur quelques misérables points de suspension ? Autant dire une brindille luttant contre une déferlante de preuves. Il n'y aurait 450 pas un seul juré pour se pencher sur ces trois petits points.

Decambrais avait pigé. Il avait buté sur l'incompatibilité de la science maniaque du semeur et de la grossière erreur finale. Il avait buté sur le charbon de bois et il allait aboutir à la seule issue possible : *deux hommes*. Un semeur, et un tueur. Et Decambrais parlait trop, le soir, au *Viking*. 455 Le tueur avait compris. Il avait mesuré les conséquences de sa gaffe. C'était une question d'heures avant que l'érudit ne parvienne au terme de son raisonnement et ne s'en ouvre aux flics. Le danger était imminent et le vieux devait se taire. Il n'était plus temps de travailler en finesse. Restaient l'accident, la noyade, le crapuleux hasard.

460 Hurfin. Un type qui haïssait assez Damas pour désirer sa chute. Un type qui s'était approché de Marie-Belle pour ramasser les informations chez la sœur candide. Une petite gueule sèche et faible, un homme qu'on aurait cru plutôt docile mais qui ne connaissait ni peur ni hésitation et vous larguait un vieillard à la flotte en un rien de temps. Un vio- 465 lent, un assassin rapide. Pourquoi ne pas tuer directement Damas, en ce cas ? Plutôt qu'en tuer cinq autres ?

Adamsberg alla à sa fenêtre et colla son front contre la vitre, obser- vant le noir de la rue.

Et s'il s'arrangeait pour changer de portable, tout en récupérant le 470 même numéro ?

---

1. Déduire.

Il fouilla dans sa veste trempée, en sortit le téléphone et le démonta pour en faire sécher les organes internes. On ne savait jamais.

Et si le tueur ne *pouvait pas* tuer Damas, tout simplement ? Parce que le crime lui retomberait sur le dos dans l'instant ? Tout comme le meurtre d'une femme riche retombe sur le dos du mari pauvre ? Seule possibilité, Hurfin était donc le mari de Damas. Le mari pauvre d'un Damas riche.

La fortune Heller-Deville.

Adamsberg appela la Brigade depuis son poste fixe.

— Qu'est-ce qu'il raconte ? demanda-t-il.

— Que le vieux l'a agressé et qu'il s'est défendu. Il devient mauvais, très mauvais.

— Ne le lâchez pas. C'est Gardon en ligne ?

— Lieutenant Mordent, commissaire.

— C'est lui, Mordent. Il a étranglé les quatre types et la femme.

— Ce n'est pas ce qu'il dit.

— C'est ce qu'il a fait. Il a des alibis ?

— Il était chez lui, à Romorantin.

— Creusez là-dessus à fond, Mordent, creusez sur Romorantin. Cherchez la jonction entre Hurfin et la fortune Heller-Deville. Mordent, une minute. Rappelez-moi son prénom.

— Antoine.

— Le père Heller-Deville s'appelait Antoine. Réveillez Danglard, envoyez-le à Romorantin en vitesse. Il faut qu'il démarre l'enquête dès l'aube. Danglard est un expert en logique familiale, particulièrement sur son versant dévasté. Dites-lui de chercher si Antoine Hurfin n'est pas un fils d'Heller-Deville. Un fils non reconnu.

— Pourquoi on cherche ça ?

— Parce que c'est ce qu'il est, Mordent.

500 Au réveil, Adamsberg porta les yeux sur son portable éventré, nu et sec. Il composa le numéro des services techniques à la disposition des emmerdeurs jour et nuit et réclama un nouvel appareil, nanti de son ancien numéro noyé.

– C'est impossible, lui répondit une femme fatiguée.

505 – C'est possible. Le machin électronique est sec. Il n'y a qu'à le transvaser dans un autre appareil.

– C'est impossible, monsieur. Ce n'est pas du linge de maison, c'est une carte à puces qu'on ne peut pas…

– Je connais tout sur les puces, coupa Adamsberg. Elles sont vivaces[1].
510 Je désire que vous transportiez celle-ci dans un autre habitat.

– Pourquoi ne prenez-vous pas tout simplement un autre numéro ?

– Parce que j'attends un coup de fil urgent d'ici dix ou quinze ans. Police criminelle, ajouta Adamsberg.

– En ce cas, dit la femme, impressionnée.

515 – Je vous fais porter l'engin dans l'heure.

Il raccrocha, avec l'espoir que sa puce personnelle se révèle plus opérante que celles de Damas.

---

1. Tenaces.

BIEN LIRE

**Qui le commissaire veut-il à tout prix rencontrer ?
Pourquoi ? Qui recherche-t-il également ?
Qui, en fait, a été arrêté ?
Pourquoi la scène avec le lieutenant Retancourt est-elle comique ?
Que conclut le commissaire à la fin du chapitre ?
Pourquoi ?**

XXXVII

Danglard appela alors qu'Adamsberg finissait de s'habiller, ayant enfilé un pantalon et un tee-shirt à peu près identiques à ceux de la veille. Adamsberg tendait à mettre au point une tenue universelle, éliminant toute question de choix et d'appariement, afin de s'emmerder le moins possible la vie avec ces histoires d'habits. En revanche, il n'avait pas réussi à trouver une autre paire de chaussures dans son armoire, hormis de lourds godillots[1] de montagne inadaptés à la marche à Paris, et il s'était rabattu sur des sandales en cuir qu'il terminait d'enfiler pieds nus.

– Je suis à Romorantin, dit Danglard, et j'ai sommeil.

– Vous dormirez quatre jours de suite quand vous aurez fini de fouiller cette ville. On approche du point névralgique[2]. Ne lâchez pas la piste Antoine Hurfin.

– J'en ai terminé avec Hurfin. Je dors et je reprends la route pour Paris.

– Plus tard, Danglard. Avalez trois cafés et suivez.

– J'ai suivi et j'ai terminé. Il m'a suffi d'interroger la mère, elle ne fait aucun mystère du fait, au contraire. Antoine Hurfin est le fils d'Heller-Deville, né huit ans après Damas, enfant non reconnu. Heller-Deville lui a…

– Leurs conditions de vie, Danglard ? Pauvres ?

– Disons démunis. Antoine travaille chez un serrurier, il loge dans une petite chambre au-dessus de la boutique. Heller-Deville lui a…

– Parfait. Sautez dans votre voiture, vous me raconterez les détails à l'arrivée. Vous avez pu avancer sur le physicien tortionnaire ?

---

1. De grosses chaussures de marche.
2. Sensible.

25 – Je l'ai coincé sur mon écran hier à minuit. C'est Châtellerault. Les aciers Messelet, très grosse boîte installée dans la zone industrielle, fournisseuse numéro un pour les flottes aériennes, marché mondial.

– Grosse prise, Danglard. Messelet en est le propriétaire ?

– Oui, Rodolphe Messelet, ingénieur en sciences physiques, profes-
30 seur à l'université, directeur de laboratoire, chef d'entreprise, et détenteur exclusif de neuf brevets d'invention.

– Dont un acier ultraléger quasiment infissible[1] ?

– Non fissible, corrigea Danglard. Oui, entre autres. Il a déposé ce brevet il y a sept ans et sept mois.

35 – C'est lui, Danglard, le commanditaire du supplice et du vol.

– Évidemment c'est lui. Mais c'est aussi un roitelet[2] de la province et un intouchable de l'industrie française.

– On le touchera.

– Je ne pense pas que l'Intérieur va nous épauler sur ce coup-là, com-
40 missaire. Beaucoup trop de fric et de réputation nationale en jeu.

– On n'a besoin de prévenir personne, et encore moins Brézillon. Une fuite dans la presse et la tache d'huile gagnera cette ordure dans les deux jours. Il n'aura plus qu'à déraper et se rétamer. On le ramassera en cour de justice.

45 – Parfait, dit Danglard. Pour la mère d'Hurfin…

– Plus tard, Danglard, son fils m'attend.

Les officiers de nuit avaient laissé leur rapport sur la table. Antoine Hurfin, vingt-trois ans, né à Vétigny et domicilié à Romorantin, Loir-et-Cher, s'était tenu obstinément à ses premières déclarations et avait

---

1.Qui ne résiste pas à la fission nucléaire.
2. Roi peu puissant.

50 téléphoné à un avocat qui lui avait aussitôt conseillé de la boucler. Depuis, Antoine Hurfin était resté muet.

Adamsberg se planta devant sa cellule. Le jeune homme était assis sur la couchette, serrant les maxillaires[1], faisant jouer une infinité de petits muscles sur son visage osseux, et craquer les articulations de ses doigts 55 maigres.

– Antoine, dit Adamsberg, tu es le fils d'Antoine. Tu es un Heller-Deville privé de tout. Privé de reconnaissance, privé de père, privé de fric. Mais probablement nanti de coups, de baffes et de désolations. Toi aussi, tu frappes, tu cognes. Sur Damas, l'autre fils, le reconnu, le for-60 tuné. Ton demi-frère. Qui en a bavé autant que toi, si tu ne t'en doutes pas. Même père, mêmes baffes.

Hurfin garda le silence et jeta un regard à la fois haineux et vulnérable en direction du flic.

– Ton avocat t'a dit de la fermer, et tu obéis. Tu es discipliné et 65 docile, Antoine. C'est étrange, pour un assassin. Si j'entrais dans ta cellule, je ne sais pas si tu te jetterais sur moi pour me scier la gorge ou si tu te mettrais en boule dans un angle. Ou les deux. Je ne sais même pas si tu te rends compte de ce que tu fais. Tu es tout en acte et je ne sais pas où est ta pensée. Alors que Damas est tout en pensée, et tout en 70 impuissance. Destructeurs l'un comme l'autre, toi avec tes mains, lui avec sa tête. Tu m'écoutes, Antoine ?

Le jeune homme frissonna, sans bouger.

Adamsberg lâcha les barreaux et s'éloigna, presque aussi désolé devant ce visage torturé et frémissant qu'il l'avait été devant l'impassibilité incon-75 séquente de Damas. Il pouvait être fier de lui, le père Heller-Deville.

---

1. Mâchoires.

Les cellules de Clémentine et de Damas étaient à l'autre extrémité du local. Clémentine avait entamé une partie de poker avec Damas, passant les cartes d'une cellule à l'autre en les faisant glisser au sol. Faute de pions, on misait en galettes.

80 — Vous avez pu dormir, Clémentine ? demanda Adamsberg en ouvrant la grille.

— Pas si mal, dit la vieille femme. Ça ne vaut pas chez soi, encore que ça change. Quand est-ce qu'on sort, avec le petit ?

— Le lieutenant Froissy va vous accompagner à la salle d'eau et vous
85 donner du linge. Où avez-vous trouvé les cartes ?

— C'est votre brigadier Gardon. On a eu une bonne soirée, hier.

— Damas, dit Adamsberg, prépare-toi. Ce sera ton tour après.

— De ? demanda Damas.

— De te laver.

90 Hélène Froissy emmena la vieille femme et Adamsberg gagna la cellule de Kévin Roubaud.

— Tu vas sortir, Roubaud, mets-toi debout. Tu es transféré.

— Je suis bien, ici, dit Roubaud.

— Tu reviendras, dit Adamsberg en ouvrant grand la grille. Tu es mis
95 en examen pour coups et blessures et présomption de viol.

— Merde, dit Roubaud, j'assurais les arrières.

— Des arrières terriblement actifs. Tu étais le sixième sur la liste. Un des plus dangereux, donc.

— Merde, je suis quand même venu vous aider. Assistance à la justice,
100 ça compte, non ?

— Dégage. Je ne suis pas ton juge.

Deux officiers emmenèrent Roubaud hors de la Brigade. Adamsberg consulta son mémento. Acné, Prognathe, Sensible, égale Maurel.

— Maurel, qui a relayé au domicile de Marie-Belle ? demanda-t-il en
105 consultant la pendule.

— Noël et Favre, commissaire.

— Qu'est-ce qu'ils foutent ? Il est neuf heures trente.

— Peut-être qu'elle ne va pas sortir. Elle n'ouvre plus la boutique
depuis que son frère est bouclé.

110 — J'y vais, dit Adamsberg. Puisque Hurfin ne parle pas, Marie-Belle
va me raconter ce qu'il lui a extorqué[1].

— Vous y allez comme ça, commissaire ?

— Comme ça comment ?

— Je veux dire, en sandales ? Vous ne voulez pas qu'on vous prête
115 quelque chose ?

Adamsberg considéra ses pieds nus à travers les lanières de cuir fatigué, cherchant le défaut.

— Qu'est-ce qui ne va pas, Maurel ? demanda-t-il, sincère.

— Je ne sais pas, dit Maurel qui cherchait comment faire marche
120 arrière. Vous êtes chef de groupe.

— Ah, dit Adamsberg. L'apparence, Maurel ? C'est cela ?

Maurel ne répondit pas.

— Je n'ai pas le temps de m'acheter des chaussures, dit Adamsberg en
haussant les épaules. Et Clémentine est plus urgente que mes vêtements,
125 non ?

— Si, commissaire.

— Veillez à ce qu'elle n'ait besoin de rien. Je vais chercher la sœur et
je reviens.

— Vous croyez qu'elle nous parlera ?

130 — Probablement. Marie-Belle aime raconter sa vie.

---

1. Pris de force.

Au moment de franchir le porche, un porteur spécial lui remit un colis qu'il ouvrit dans la rue. Il y trouva son portable et posa le tout sur le coffre d'une voiture à la recherche du contrat *y afférent*. Puce vivace. L'ancien numéro avait pu être conservé et transféré dans un appareil
135 neuf. Satisfait, il le rangea dans sa poche intérieure et reprit son chemin, la main posée dessus à travers le tissu, comme pour le réchauffer et reprendre avec lui le dialogue interrompu.

Il repéra Noël et Lamarre en garde rue de la Convention. Le plus petit était Noël. Oreilles, brosse, blouson, égale Noël. Le grand rigide
140 était Lamarre, l'ancien gendarme de Granville. Les deux hommes eurent un rapide regard vers ses pieds.

– Oui, Lamarre, je sais. J'en achèterai plus tard. Je monte, dit-il en indiquant le quatrième étage. Vous pouvez rentrer.

Adamsberg traversa le hall luxueux, emprunta l'escalier couvert d'un
145 large tapis rouge. Il aperçut l'enveloppe punaisée sur la porte de Marie-Belle avant d'atteindre le palier. Il gravit les dernières marches avec lenteur, choqué, et s'approcha du rectangle blanc qui portait simplement son nom, *Jean-Baptiste Adamsberg*.

Partie. Marie-Belle était partie sous le nez de ses hommes de guet.
150 Elle avait filé. Filé sans s'occuper de Damas. Adamsberg décrocha l'enveloppe, sourcils froncés. La sœur de Damas avait abandonné le terrain en flammes.

La sœur de Damas *et* la sœur d'Antoine.

Adamsberg s'assit lourdement sur une marche d'escalier, l'enveloppe
155 posée sur ses genoux. La minuterie s'éteignit. Antoine n'avait pas arraché les renseignements à Marie-Belle mais Marie-Belle les lui avait donnés. À Hurfin l'assassin, à Hurfin l'obéissant. Aux ordres de sa sœur, Marie-Belle Hurfin. Il appela Danglard dans l'obscurité.

– Je suis en voiture, dit Danglard. Je dormais.

160   – Danglard, est-ce qu'il y avait un autre enfant illégitime d'Heller-Deville, dans la famille de Romorantin ? Une fille ?

– C'est ce que j'essayais de vous dire. Marie-Belle Hurfin est née deux ans avant Antoine. C'est la demi-sœur de Damas. Elle ne le connaissait pas avant de débarquer chez lui à Paris, il y a un an.

165   Adamsberg hocha la tête en silence.

– Contrariant ? demanda Danglard.

– Oui. Je cherchais la tête du tueur, et je l'ai.

Adamsberg raccrocha, se leva pour allumer la lumière et s'adossa au battant de la porte pour décacheter la lettre.

170   *Cher commissaire,*

Je ne vous écris pas pour vous arranger les choses. Vous m'avez prise pour une idiote et ça ne me fait pas plaisir. Mais comme j'avais l'air d'une idiote, automatiquement, je ne peux pas vous en vouloir. Si j'écris, c'est pour Antoine. Je veux que cette lettre soit lue à son procès, parce qu'il n'est pas res-
175   *ponsable. C'est moi qui l'ai dirigé de bout en bout, c'est moi qui lui ai demandé de tuer. C'est moi qui lui disais pourquoi, qui, où, comment et quand. Antoine n'est responsable de rien, il n'a fait que m'obéir, comme il l'a toujours fait. Ce n'est pas de sa faute et rien n'est de sa faute. Je veux que ça soit dit à son procès, est-ce que je peux compter sur vous ? Je me dépêche,*
180   *parce que je n'ai pas trop de temps devant moi. Vous avez été un peu con d'appeler Lizbeth pour l'envoyer à l'hôpital auprès du vieux. Parce que Lizbeth, ça se dirait pas, elle a parfois besoin de réconfort. De mon récon-fort. Et elle m'a téléphoné tout de suite pour me raconter l'accident du Decambrais.*

185   *Donc le meurtre du vieux a raté et Antoine s'est fait gauler. Vous n'allez pas mettre longtemps à piger qui est son père, surtout que ma mère en fait*

vraiment pas mystère, et vous allez rappliquer ici en vitesse. Il y a déjà deux types à vous en bas, dans une voiture. C'est foutu, je me tire. Ne vous cassez pas la tête à essayer de me retrouver, c'est peine perdue. J'ai un tas de liquide
190 que j'ai pompé sur le compte de ce con de Damas, et je sais me débrouiller. J'ai un habit d'Africaine que Lizbeth m'avait passé pour une fête, vos gars n'y verront que du feu, je me fais pas de souci. Automatiquement, laissez tomber.

Je vous donne quelques détails vite fait pour qu'on pige bien qu'Antoine
195 n'est responsable de rien. Il détestait Damas autant que moi, mais il est incapable de manigancer quoi que ce soit. À part obéir à la mère, et au père quand il lui en collait une, tout ce qu'il savait faire enfant, c'était d'étrangler les poules et les lapins pour passer sa rage. Automatiquement, il a pas changé. Notre père, c'était peut-être le roi de l'aéronautique, mais c'était sur-
200 tout le roi des salopards, faut bien que vous le compreniez. Il ne savait qu'engrosser[1] et foutre des roustes[2]. Il avait un premier fils, un déclaré qu'il a élevé dans la soie à Paris. Je parle de ce timbré de Damas. Nous, on était la famille honteuse, les prolos de Romorantin, et il a jamais voulu nous reconnaître. Question de réputation, il disait. En revanche, question baffes, il ne
205 marchandait pas, et avec ma mère et mon frère, on s'en est pris des sérieuses. Moi, je m'en foutais, j'avais décidé de le tuer un jour mais finalement, il s'est fusillé tout seul. Et question fric, il en lâchait pas une à maman, juste de quoi survivre, parce qu'il avait peur que les voisins se posent des questions, si on nous voyait mener grand train. Un salaud, une brute et un lâche, voilà
210 ce qu'il était.

Quand il est crevé, avec Antoine, on s'est dit qu'on voyait pas pourquoi on aurait pas droit à une part du fric, déjà qu'on n'avait pas le nom. On y

---

1. Mettre enceinte.
2. Volées de coups.

avait droit, on était ses gosses, quand même. D'accord, mais fallait encore le
prouver, ça. Automatiquement, on savait que c'était râpé pour la preuve
215 génétique, puisqu'il s'était pulvérisé au-dessus de l'Atlantique. Mais on pouvait la faire avec Damas, qui se ramassait le magot sans partager.
Seulement, on pensait bien que le Damas, il accepterait pas de faire le test
génétique, puisque ça lui raflerait les deux tiers de son fric, automatiquement. À moins qu'il nous aime bien, j'ai pensé. À moins qu'il s'entiche de
220 moi. Je suis assez calée à ce jeu-là. On a bien imaginé l'éliminer, mais j'ai
dit à Antoine, c'est hors de question : quand on serait venus réclamer l'hé-
ritage, c'est qui qu'on aurait soupçonnés ? Nous, automatiquement.

　　Je suis arrivée à Paris avec juste cette idée : lui annoncer que j'étais sa
demi-sœur, pleurer misère et me faire accepter. Le Damas, il est tombé
225 comme une poire en deux jours. Il m'a ouvert grands les bras, encore un peu
il pleurait, et quand il a appris qu'il avait un demi-frère, pire encore. Il
m'aurait mangé dans les mains, une véritable andouille. Ça allait marcher
comme sur des roulettes pour notre plan ADN, à Antoine et à moi. Une fois
qu'on aurait les deux tiers de la fortune, je l'aurais planté là, le Damas.
230 J'aime pas trop ce genre de gars qui la ramène avec ses muscles et qui chiale
pour un oui pour un non. C'est plus tard que je me suis aperçue que Damas
était timbré. Comme il m'aurait mangé dans les mains et qu'il avait besoin
de soutien, il m'a raconté tout son plan de timbré, sa vengeance, sa peste, ses
puces et tout le fatras. J'étais au courant de tous les petits détails, il m'en par-
235 lait des heures. Les noms des types qu'il avait retrouvés, les adresses, tout. J'ai
pas cru une minute que ses puces débiles allaient tuer qui que ce soit.
Automatiquement, j'ai changé de plan, mettez-vous à ma place. Pourquoi
on aurait eu les deux tiers alors qu'on pouvait avoir tout ? Damas, il avait
le nom, lui, et ça, c'est énorme. Et nous, rien. Le mieux, c'est que Damas
240 voulait surtout pas toucher au fric de son père, il disait que c'était hanté,

pourri. Entre parenthèses, j'ai l'impression qu'il s'est pas trop marré non plus quand il était petit.

   Je me dépêche. Il suffisait de laisser Damas faire ses salamalecs[1] et nous, on tuait par-derrière. Si on terminait son idée, le Damas partait en taule à
245 *perpétuité. Après les huit meurtres, j'aurais mis les flics sur sa piste, l'air de rien. Je suis assez calée là-dessus. Ensuite, comme il me mangeait dans les mains, je gérais toute sa fortune, c'est-à-dire que je la lui piquais, avec Antoine, et adieu Berthe, juste retour des choses. Antoine, il n'avait qu'à m'obéir et à tuer, c'était bien distribué et il aime ça, et obéir, et tuer. Moi je*
250 *ne suis pas assez costaude et je n'ai pas bien le goût. Je lui ai donné un coup de main pour attirer deux mecs dehors, Viard et Clerc, quand les flics étaient partout, et Antoine les a dézingués coup sur coup. C'est pour ça que je vous dis que ce n'est pas la faute d'Antoine. Il m'a obéi, il ne sait pas faire autre chose. Je lui demanderais d'aller chercher un seau d'eau sur Mars, il*
255 *irait sans broncher. Ce n'est pas de sa faute. S'il pouvait être dans une maison de soins, quelque chose d'intensif, vous voyez, plutôt qu'en taule, ça serait plus juste parce que automatiquement, il n'est pas responsable. Il n'a rien dans la cervelle.*

   Le Damas, il a appris que les gens mouraient, et il n'a pas été chercher
260 *plus loin que ça. Il était persuadé que c'était sa « force Journot » qui fonctionnait, et il ne voulait pas se renseigner plus que ça. Pauvre andouille. Je l'aurais eu jusqu'au bout, si vous n'aviez pas rappliqué. Il ferait bien de se soigner, lui aussi, quelque chose d'intensif.*

   Moi, ça va. Je ne suis jamais en peine d'idée, je ne me bile pas pour mon
265 *avenir, ne vous faites pas de souci. Si Damas pouvait envoyer un peu de son fric pourri à maman, ça ne ferait de mal à personne. Oubliez pas Antoine surtout, je compte sur vous. La bise à Lizbeth et à cette pauvre cloche d'Éva.*

---

1. Politesses exagérées.

Je vous embrasse, vous avez tout fait foirer mais j'aime bien votre genre. Sans rancune,

270

Marie-Belle.

Adamsberg replia la lettre et s'assit dans l'ombre, le poing sur les lèvres, pendant longtemps.

À la Brigade, il ouvrit sans un mot la cellule de Damas et lui fit signe de le suivre. Damas prit une chaise, rejeta ses cheveux en arrière et le
275 regarda, attentif, patient. Toujours sans parler, Adamsberg lui tendit la lettre de sa sœur.

– C'est pour moi ? demanda Damas.

– Pour moi. Lis.

Damas encaissa le coup durement. La lettre pendait au bout de ses
280 doigts, sa tête s'appuyait sur sa main, et Adamsberg vit des larmes s'écraser sur ses genoux. Ça faisait beaucoup de nouvelles à la fois, la haine d'un frère et d'une sœur, et la foutaise totale de la puissance Journot. Adamsberg s'assit sans bruit face à lui, et attendit.

– Il n'y avait rien dans les puces ? chuchota enfin Damas, la tête tou-
285 jours baissée.

– Rien.

Damas laissa encore passer un long silence, les mains agrippées à ses genoux, comme s'il avait dû boire quelque chose d'atroce et que ça ne descendait pas. Adamsberg pouvait presque voir, comme une masse ter-
290 rifiante, le poids de la réalité fondre sur lui, lui écrasant la tête, crevant son monde rond comme une balle, saignant son imaginaire à blanc. Il se demandait si l'homme pourrait sortir debout de ce bureau, avec une telle charge tombée sur lui comme une météorite.

– Il n'y avait pas de peste ? demanda-t-il en articulant avec peine.
295 – Aucune peste.

– Ils ne sont pas morts de peste ?

– Non. Ils sont morts étranglés par ton demi-frère, Antoine Hurfin.
Nouvel affaissement, nouvelle torsion des mains sur ses genoux.

– Étranglés et passés au noir, continua Adamsberg. Ça ne t'a pas
300 étonné, ces marques d'étranglement, ce charbon ?

– Si.

– Eh bien ?

– J'ai cru que la police inventait ça pour cacher la peste, pour ne pas
affoler les gens. Mais c'était vrai ?

305 – Oui. Antoine passait derrière toi et les liquidait.

Damas regarda sa main, toucha son diamant.

– Et Marie-Belle le dirigeait ?

– Oui.

Nouveau silence, nouvelle chute.

310 À cet instant, Danglard entra et Adamsberg lui désigna du doigt la
lettre tombée aux pieds de Damas. Danglard la ramassa, la lut et hocha
gravement la tête. Adamsberg écrivit quelques mots sur un papier qu'il
lui tendit.

Appelez le docteur Ferez pour Damas : urgence. Prévenez Interpol pour
315 *Marie-Belle : aucun espoir, trop maligne.*

– Et Marie-Belle ne m'aimait pas ? chuchota Damas.

– Non.

– Je croyais qu'elle m'aimait.

– Moi aussi je le croyais. Tout le monde le croyait. C'est comme ça
320 qu'on s'est tous plantés.

– Elle aimait Antoine ?

– Oui. Un peu.

Damas se replia en deux.

— Pourquoi ne m'a-t-elle pas demandé l'argent ? Je lui aurais donné,
325 tout.

— Ils n'ont pas imaginé que ce serait possible.

— Je ne veux pas y toucher, de toute manière.

— Tu vas le toucher, Damas. Tu vas payer un avocat sérieux pour ton
demi-frère.

330 — Oui, dit Damas, toujours enfoui dans ses bras.

— Tu dois t'occuper de leur mère aussi. Elle n'a rien pour vivre.

— Oui. « La grosse de Romorantin. » C'est toujours comme ça qu'on
en parlait à la maison. Je ne savais pas ce qu'elles voulaient dire, ni qui
c'était.

335 Damas releva brusquement la tête.

— Vous ne lui direz pas, hein ? Vous ne lui direz pas ?

— À leur mère ?

— À Mané. Vous ne lui direz pas que ses puces n'étaient pas…
n'étaient pas…

340 Adamsberg n'essayait pas de l'aider. Il fallait que Damas prononce les
mots tout seul, un grand nombre de fois.

— N'étaient pas… infectées ? acheva Damas. Ça la ferait mourir.

— Je ne suis pas un tueur. Et toi non plus. Pense à ça, pense bien à
ça.

345 — Qu'est-ce qu'on va me faire ?

— Tu n'as tué personne. Tu n'es responsable que d'une trentaine de
boutons de puces et d'une panique populaire.

— Alors ?

— Le juge ne poursuivra pas. Tu peux sortir aujourd'hui, maintenant.

350 Damas se leva avec la maladresse d'un homme courbatu, serrant ses
doigts en poing autour de son diamant. Adamsberg le regarda sortir et
le suivit, attentif à son premier contact avec la rue réelle. Mais Damas

obliqua vers sa cellule ouverte, s'allongea en chien de fusil sur sa couchette et ne bougea plus. Sur la sienne, Antoine Hurfin était dans la même position, à contresens. Le père Heller-Deville avait fait du bon travail.

Adamsberg ouvrit la cellule de Clémentine, qui fumait en faisant une réussite.

— Alors ? dit-elle en le regardant. Ça se remue là-dedans ? Ça va, ça vient, on n'est jamais au courant de ce qui se passe.

— Vous pouvez aller, Clémentine. On va vous reconduire à Clichy.

— Pas trop tôt.

Clémentine écrasa son mégot au sol, enfila son chandail qu'elle boutonna avec soin.

— Elles sont bien, vos sandales, dit-elle d'un ton appréciateur. Ça seye[1] bien au pied.

— Merci, dit Adamsberg.

— Dites, commissaire, à présent qu'on se connaît un peu, vous pouvez peut-être me dire s'ils ont claqué, les trois derniers salopards ? Avec ce chambardement, je n'ai pas suivi l'actualité.

— Tous les trois sont morts de peste, Clémentine. Kévin Roubaud, d'abord.

Clémentine sourit.

— Puis un autre dont j'ai oublié le nom, et enfin Rodolphe Messelet, pas plus tard qu'il y a une heure. Il est tombé comme une quille.

— À la bonne heure, dit Clémentine en souriant largement. Il y a une justice. Faut pas qu'on soye pressé, c'est tout.

— Clémentine, rappelez-moi le nom du deuxième, ça m'échappe.

---

1. Convient.

– À moi, c'est pas près de m'échapper. Henri Tomé, à la rue de
380 Grenelle. Le dernier des fumiers.

– C'est cela.

– Et le petit ?

– Il s'est endormi.

– Forcément, à être comme ça sur son dos, vous le fatiguez. Dites-
385 lui que je l'attends dimanche pour déjeuner, comme d'habitude.

– Il y sera.

– Ben je crois qu'on s'est tout dit, commissaire, conclut-elle en lui
tendant une main ferme. Je mettrai un petit mot à votre Gardon pour
le remercier pour les cartes à jouer, et à l'autre, le grand, un peu mou,
390 dégarni, bien mis de sa personne, un homme de goût.

– Danglard ?

– Oui, il voudrait ma recette de galettes. Il ne me l'a pas présenté
comme ça mais j'ai bien compris le fond de la chose. Ça avait l'air
d'avoir de l'importance pour lui.

395 – C'est très possible.

– Un homme qui sait vivre, dit Clémentine en hochant la tête.
Pardon, je passe devant.

Adamsberg raccompagna Clémentine Courbet au porche et reçut
Ferez qu'il arrêta d'un geste.

400 – Lui ? dit Ferez en montrant la cellule où était replié Hurfin.

– C'est l'assassin. Grosse affaire de famille, Ferez. Il sera probablement interné en asile psychiatrique.

– On ne dit plus « asile », Adamsberg.

– Mais lui, continua Adamsberg en désignant Damas, il doit sortir
405 et il n'est pas en état. Cela me rendrait service, grand service, Ferez, que
vous l'aidiez et que vous le suiviez. Réinsertion dans le monde réel. Une
chute très douloureuse, dix étages.

– C'est le type au fantôme ?

– C'est lui.

410 Pendant que Ferez essayait de déplier Damas, Adamsberg lança deux officiers sur Henri Tomé et la presse sur Rodolphe Messelet. Puis il appela Decambrais, qui s'apprêtait à quitter l'hôpital dans l'après-midi, Lizbeth et Bertin, pour les prévenir de préparer en douceur le retour de Damas. Il termina par Masséna, puis par Vandoosler, qu'il informa de 415 l'issue de l'énorme bévue.

– Je vous entends mal, Vandoosler.

– C'est Lucien qui déverse les provisions sur la table. Ça fait du raf-fut.

En revanche, il entendit clairement la voix forte de Lucien qui décla-420 mait dans la grande pièce sonore :

– Dans la nature, on néglige trop souvent l'extraordinaire puissance de la courge.

Il raccrocha en pensant que cela aurait fait une bonne annonce pour la criée de Joss Le Guern. Une annonce robuste, saine et bien martelée, 425 sans histoire, loin, bien loin des sinistres résonances de la peste qui s'ef-façaient. Il reposa son téléphone sur la table, bien au milieu, et le consi-déra un moment. Danglard entra un dossier à la main et suivit le regard d'Adamsberg. À son tour, il se mit à observer en silence le petit appareil.

– Il y a quelque chose qui ne va pas avec ce portable ? demanda-t-il 430 après une longue minute.

– Rien, dit Adamsberg. Il ne sonne pas.

Danglard déposa le dossier *Romorantin* et sortit sans commentaires. Adamsberg se coucha sur le dossier, la tête calée sur ses bras, et s'endormit.

BIEN LIRE

**Qui est Antoine Hurfin ? Pourquoi Adamsberg pense-t-il :
« Il pouvait être fier de lui, le père Heller-Deville » (l. 75) ?
Quel rôle joue la lettre dans le déroulement de l'histoire ?**

XXXVIII

À sept heures et demie du soir, Adamsberg prit pied sur la place Edgar-Quinet, sans presser le pas, mais plus léger qu'il ne l'avait été depuis quinze jours. Plus léger et plus vide aussi. Il entra dans la maison Decambrais, dans le petit bureau où une modeste pancarte affichait :

5 *Conseiller en choses de la vie.* Decambrais était à son poste, le teint toujours blanc mais le dos à nouveau droit, et il parlait à un gros homme rouge et bouleversé installé face à lui.

– Tiens, dit Decambrais en jetant un regard à Adamsberg, puis à ses sandales. Hermès, le messager des dieux. Des nouvelles ?

10 – Paix sur la ville, Decambrais.

– Attendez-moi une minute, commissaire. Je suis en consultation.

Adamsberg s'éloigna vers la porte, saisissant un fragment de la conversation qui reprenait.

– C'est cassé, ce coup-ci, disait l'homme.

15 – Ça s'est déjà remis, répondait Decambrais.

– C'est cassé.

Decambrais fit entrer Adamsberg une dizaine de minutes plus tard et le fit asseoir sur la chaise encore chaude du prédécesseur.

– Quel était le sujet ? demanda Adamsberg. Un meuble ?

20 – Une relation. Vingt-sept ruptures et vingt-six recollages avec la même femme, un record absolu dans ma clientèle. On l'appelle Cassé-Remis.

– Et vous conseillez quoi ?

– Jamais rien. J'essaie de comprendre ce que veulent les gens et de les

25 aider à le faire. C'est cela, conseiller. Si quelqu'un veut casser, je l'aide. Si le lendemain il veut remettre, je l'aide. Et vous, commissaire, vous voulez quoi ?

– Je ne sais pas. Et si ça se trouve, ça m'est égal.

– Alors je ne peux pas vous aider.

30 – Non. Personne. Ça a toujours été comme ça.

Decambrais s'appuya sur le dossier de sa chaise avec un léger sourire.

– Je n'avais pas raison, pour Damas?

– Si. Vous êtes un bon conseiller.

– Il ne pouvait pas tuer *réellement*, je savais ça. Il ne le voulait pas

35 *réellement.*

– Vous l'avez vu?

– Il est entré dans sa boutique il y a une heure. Mais il n'a pas levé le rideau.

– Il a écouté la criée?

40 – Trop tard. La criée du soir est à dix-huit heures dix, en semaine.

– Pardon. Je ne suis pas fort sur les horaires, ni sur les dates.

– Il n'y a pas de mal.

– Parfois si. J'ai mis Damas dans les pattes d'un médecin.

– Vous avez bien fait. Il a dégringolé du nuage sur la terre. Ce n'est

45 jamais très plaisant. Là-haut, il n'y a pas de choses qui se cassent ou qui ne se recollent pas. C'est pour cela qu'il y était.

– Lizbeth?

– Elle est partie le voir aussitôt.

– Ah.

50 – Éva va avoir un peu de peine.

– Automatiquement, dit Adamsberg.

Il laissa passer un silence.

– Vous voyez, Ducouëdic, reprit-il en changeant de position pour se placer face à lui, Damas a fait cinq ans de taule pour un crime qui n'exis-

55 tait pas. Aujourd'hui il est libre pour des crimes qu'il a cru commettre.

Marie-Belle est en fuite pour un carnage qu'elle a ordonné. Antoine sera condamné pour des meurtres qu'il n'a pas décidés.

– La faute et l'apparence de la faute, dit Decambrais doucement. Ça vous intéresse ?

60 – Oui, dit Adamsberg en croisant ses yeux. On en est tous là.

Decambrais soutint son regard quelques instants et hocha la tête.

– Je n'ai pas touché à cette petite fille, Adamsberg. Les trois collégiens étaient sur elle, dans les toilettes. J'ai frappé comme un sourd, j'ai soulevé la petite et je l'ai sortie de là. Les témoignages m'ont accablé.

65 Adamsberg acquiesça d'un mouvement de cils.

– C'est ce que vous pensiez ? demanda Decambrais.

– Oui.

– Alors vous feriez un bon conseiller. À l'époque, j'étais déjà presque impuissant. C'est ce que vous pensiez aussi ?

70 – Non.

– Et maintenant, je m'en fous, dit Decambrais en croisant les bras. Ou presque.

À cet instant, le tonnerre du Normand résonna sur la place.

– Calva, dit Decambrais en levant un doigt. Plat chaud. Ce n'est pas 75 négligeable.

Au *Viking*, Bertin servait une tournée générale en l'honneur de Damas, dont la tête reposait, fatiguée, sur l'épaule de Lizbeth. Le Guern se leva et serra la main d'Adamsberg.

– Avarie colmatée[1], commenta Joss. Plus de spéciales. Les légumes à 80 vendre reprennent le dessus.

---

1. **Dégâts réparés (sens figuré).**

— Dans la nature, dit Adamsberg, on néglige trop souvent l'extraordinaire puissance de la courge.

— C'est exact, dit Joss avec sérieux. J'ai vu des courges devenir comme des ballons en l'espace de deux nuits.

85 Adamsberg se glissa dans le groupe bruyant qui commençait à dîner. Lizbeth lui tira une chaise et lui sourit. Il eut brusquement envie de se serrer contre elle, mais la place était déjà occupée par Damas.

— Il va s'endormir sur mon épaule, dit-elle en montrant Damas du doigt.

90 — C'est normal, Lizbeth. Il va dormir longtemps.

Bertin déposa avec cérémonie une assiette supplémentaire à la place du commissaire. Plat chaud, ce n'est pas négligeable.

Danglard poussa la porte du *Viking* à l'heure du dessert, s'accouda au bar, déposa la boule à ses pieds et adressa un signe discret à Adamsberg.

95 — J'ai peu de temps, dit Danglard. Les enfants m'attendent.

— Pas de pépin avec Hurfin ? demanda Adamsberg.

— Non. Ferez a été le voir. Il lui a donné un calmant. Il a obéi et il se repose.

— Très bien. Tout le monde va finir par dormir, ce soir, au bout du 100 compte.

Danglard commanda un verre de vin à Bertin.

— Pas vous ? demanda-t-il.

— Je ne sais pas. Je vais peut-être marcher un peu.

Danglard avala la moitié de son verre et regarda la boule qui s'était 105 calée sur sa chaussure.

— Elle pousse, hein ? dit Adamsberg.

— Oui.

Danglard termina son verre et le reposa sans bruit sur le comptoir.

– Lisbonne, dit-il en glissant un papier plié sur le bar. Hôtel *São*
110 *Jorge.* Chambre 302.

– Marie-Belle ?

– Camille.

Adamsberg sentit son corps se tendre comme sous une brusque poussée. Il croisa les bras, bien serrés, et s'appuya au comptoir.

115   – Comment vous le savez, Danglard ?

– Je l'ai fait suivre, dit Danglard en se penchant pour ramasser le
chaton, ou pour cacher son visage. Depuis le début. Comme un salaud.
Elle ne doit jamais l'apprendre.

– Par un flic ?

120   – Par Villeneuve, un ancien du 5e.

Adamsberg resta immobile, l'œil fixé sur le papier plié.

– Il y aura d'autres collisions, dit-il.

– Je sais.

– Et si ça se trouve…

125   – Je sais. Si ça se trouve.

Adamsberg observa sans bouger le papier blanc, puis il avança lentement la main et la referma dessus.

– Merci, Danglard.

Danglard remisa le chaton sous son bras et sortit du *Viking* avec un
130 signe de la main, de dos.

– C'était votre collègue ? demanda Bertin.

– Un messager. Des dieux.

Quand la place fut plongée dans la nuit, Adamsberg, appuyé au platane, ouvrit son carnet et en déchira une page. Il réfléchit, puis il écrivit
135 *Camille.* Il attendit un moment, et ajouta *Je.*

Le début d'une phrase, songea-t-il. Ce n'est déjà pas si mal.

Après dix minutes, comme la suite de la phrase ne venait pas, il posa un point après le *Je*, et plia le feuillet autour d'une pièce de cinq.

Puis, d'un pas lent, il traversa la place et déposa son offrande dans
140 l'urne bleue de Joss Le Guern.

BIEN LIRE

De qui parle Decambrais lorsqu'il affirme : « La faute et l'apparence de la faute » (l. 58) ? Pourquoi ?
Sur quel geste se conclut le roman ? Est-ce surprenant ?

Après-texte

L'INCIPIT ET LA SITUATION INITIALE

Lire

Chapitre I

1 Quel est le lieu évoqué ?

2 Quelles connotations sont associées aux animaux cités ?

3 Que suggère la typographie en italique ?

4 Que soulignent les points de suspension entre parenthèses et la phrase inachevée ?

5 Pour conclure, quelles impressions cet incipit suscite chez le lecteur ? (Reportez-vous à l'encadré « À savoir ».)

Chapitre II

6 Qui est le premier personnage décrit ? Qu'en concluez-vous sur son rôle dans l'histoire ?

7 Présentez-le : son identité, son âge approximatif, son origine géographique, son milieu professionnel, son caractère et son « accident » de parcours.

8 Quel est son nouveau métier ? Qui lui a conseillé de l'exercer ? Au nom de quel principe ? Depuis combien de temps l'exerce-t-il ? Que pensez-vous de cette activité ?

9 Commentez, au regard de ce que vous savez sur ce premier personnage, la formule que vous retrouverez souvent au fil du roman : « Chez les Le Guern, on est peut-être des brutes mais pas des brigands ».

10 Quels sont les critères de Joss pour classer les messages « dicibles » et « indicibles » ? Que révèlent-ils sur sa manière de penser ? Comment les jugez-vous ?

11 Pour conclure, pourquoi ce chapitre installe-t-il le lecteur dans une atmosphère à la fois réaliste et fantastique ? Définissez, en vous aidant d'un dictionnaire, ces deux registres narratifs, et illustrez-les par des exemples du chapitre.

Chapitre III

12 Qui est le deuxième personnage en position de sujet grammatical de la première phrase ? Qu'en concluez-vous sur son rôle dans l'histoire ?

13 Qualifiez ses relations avec Joss et relevez, dans l'ensemble du chapitre, les informations le concernant.

14 Qui est le troisième personnage ? Présentez son parcours. A-t-elle eu une vie facile ? Pourquoi ?

15 Quelles annonces de Joss marquent le lien avec le texte du premier chapitre ? Pourquoi ?

16 Qui est le quatrième personnage décrit ? Présentez-le physiquement et psychologiquement. Quelle information donne-t-il à Joss ? Comment réagit ce dernier ?

17 Qui est le dernier personnage présenté dans ce chapitre ? Quels liens l'unissent à Joss ?

18 Pour conclure, trouvez les points communs entre ces personnages apparemment si différents. Quel type d'histoire annoncent-ils ? Justifiez votre choix.

Écrire

19 Joss refuse de crier tous les messages tendancieux. « Tout ce qui promettait de pilonner les femmes et tout ce qui balançait aux enfers les blacks, les crouilles, les citrons et les têtes de pédés était envoyé au rebut. » Pourquoi a-t-il raison de procéder ainsi ? Argumentez votre réponse. Contre quels comportements s'oppose-t-il en agissant ainsi ?

Oral

20 Imaginez que vous êtes, comme Joss, « crieur professionnel ». Rédigez cinq petites annonces sur des sujets différents. Inspirez-vous de celles qui sont présentes dans ces chapitres, puis lisez-les à voix haute à l'ensemble de la classe.

Chercher

21 Procurez-vous un plan de Paris et localisez les noms des lieux parisiens cités dans ces trois premiers chapitres. Vous poursuivrez ce travail tout au long de la lecture du roman.

22 Cherchez tous les mots qui renvoient au métier de marin, puis établissez un lexique.

À SAVOIR

INCIPIT ET SITUATION INITIALE DE L'HISTOIRE

L'incipit, du verbe latin *incipere* (« commencer »), représente la première phrase (achevée ou inachevée) d'un livre. C'est le premier élément du pacte de lecture que tisse l'auteur avec son lecteur. Il peut renseigner sur un lieu, un personnage, une époque, un ton, que l'on retrouvera dans la suite de la narration.

La situation initiale, dans l'ouvrage de Fred Vargas, correspond à l'ouverture du roman. Elle peut se dérouler sur plusieurs chapitres et se situe, dans la linéarité chronologique du récit, avant la complication, qui lance l'histoire proprement dite. C'est le moment où l'auteur, dans une œuvre réaliste, décrit les cadres spatiaux et temporels du récit, ainsi que les personnages qui joueront un rôle important dans l'action.

LE NŒUD DE L'ÉNIGME

Lire

De nouveaux personnages dans de nouveaux lieux

1 Qui est Adamsberg ? Quel est son grade dans la police ? Où exerce-t-il ses fonctions ? Pourquoi ne représente-t-il pas un policier ordinaire ? Relevez des expressions significatives. Présentez ses « manies ».

2 Qui est Danglard ? Quel est son lien hiérarchique avec Adamsberg ? En quoi sont-ils différents ? Que sait-on de son passé ?

3 Qui est Camille ? Quel métier exerce-t-elle ? Sur quel sujet travaille-t-elle ? Quels sont ses liens avec Adamsberg ?

4 Qui sont, à part Lizbeth et Damas, les autres locataires de la pension ? Présentez chacun d'eux.

5 Qui sont Mané et Arnaud ? Dans quel environnement vivent-ils ? Comment jugez-vous leur relation ?

6 Pour conclure, montrez que les chapitres s'enchaînent sans lien apparent et que le lecteur est ainsi confronté à un puzzle qu'il essaie, au fil des pages, de construire. Cette technique narrative est-elle surprenante pour un roman policier ?

Les personnages déjà connus du lecteur

7 Quels faits rapprochent le « vieux lettré », Decambrais, du marin-crieur,

Joss ? Quelle est la véritable identité du vieux lettré ?

8 En quoi consiste la « double vie » de Lizbeth ?

9 Pour conclure, montrez que tous ces personnages possèdent une part d'ombre. Ressemblent-ils plutôt à des héros ou des anti-héros de roman ?

Les premières complications

10 Qu'apprend Adamsberg en interrogeant Maryse ? Comment réagit-il tout d'abord ? et ensuite ? Qu'est-ce qui motive ce changement de comportement ?

11 Recensez toutes les annonces « spéciales » criées par Joss. Que constatez-vous dans l'évolution de leur écriture et de leur contenu ? Quel rôle joue cette succession de lettres dans la construction de l'intrigue ? Quels effets produisent-elles sur le lecteur ?

12 Quel lien existe-t-il entre les chiffres et les annonces ? Qui donne cette information ?

13 À quel chapitre apparaissent les puces pour la première fois ?

14 Quel fait précis lance le début de l'enquête ? Avait-il déjà été annoncé ? Par qui ? Qui va diriger les opérations ?

15 Pour conclure, dans la construction de l'intrigue, ces chapitres représentent-ils des « complications » ou des événements perturbateurs ?

POUR COMPRENDRE

Écrire

16 Choisissez le personnage qui vous attire le plus et écrivez-lui une lettre pour le réconforter, comme si vous étiez son ami(e), car tous ces « héros » ont bien des soucis. Ce sera une lettre « intime » où vous montrerez à votre destinataire que vous le connaissez bien et que vous partagez ses peines. Vous pourrez lui donner quelques conseils.

17 Vous êtes le commissaire Adamsberg et vous complétez, au jour le jour, la main courante. Vous daterez ces textes, qui doivent avoir le ton neutre et objectif des rapports officiels. Vous rendrez compte de tous les événements qui se sont produits et dont a été informé le commissaire depuis le début du roman.

Chercher

18 Cherchez, dans un journal de votre choix, des petites annonces, des brèves ou d'autres articles qui pourraient être criés par Joss. Justifiez votre choix.

19 En vous reportant au groupement de textes de cet ouvrage et à d'autres documents, préparez un exposé sur la peste qui répondra aux questions suivantes : quand ? où ? avec quels symptômes ? quelles conséquences ? quels remèdes ? et aujourd'hui ?

À SAVOIR

HISTOIRE, NARRATION ET POINTS DE VUE

Pour raconter une énigme, l'auteur de roman policier peut choisir deux modalités de narration.

• Un crime a déjà eu lieu au début du roman et l'enquêteur remonte dans le temps et le passé des personnages pour trouver le coupable. La narration ne suit pas l'ordre chronologique des événements, et le roman commence par la fin.

• La narration suit le déroulement linéaire de l'histoire et le lecteur découvre en même temps que l'enquêteur les prémices de l'affaire, le crime, la succession des indices ainsi que sa résolution.

Fred Vargas a suivi dans ce roman cette seconde démarche. Toutefois, le lecteur en sait plus que le commissaire car il ne « voit » pas l'histoire uniquement du point de vue interne du policier. D'autres focalisations se mêlent et s'entremêlent pour mieux perdre le lecteur dans les méandres de l'intrigue et favoriser ainsi le suspense.

Lire

Fausses et bonnes pistes (chapitres XVII à XXI)

1 À l'aide de l'encadré « À savoir », expliquez pourquoi le chapitre XVII est un sommaire. Que savent le lecteur (et le commissaire) sur l'identité du présumé coupable, ses lieux d'intervention, ses signes de reconnaissance, l'origine des annonces, la première victime, le « profil » du criminel ?

2 Comment a été trouvé le suspect ? Correspond-il au portrait du chapitre XVII ? Pourquoi s'agit-il d'une « fausse piste » ?

3 Quelle information est confirmée sur les « 4 » ?

4 Quelle première erreur commet le criminel ? Pourquoi représente-t-elle un premier indice ?

5 Pourquoi les lettres CLT ne représentent-elles pas les initiales du nom du criminel ? Quelle piste est définitivement abandonnée ?

6 Existe-t-il des points communs entre les victimes ? Pourquoi ?

7 Quelles sont les étapes du rituel mis en œuvre par le tueur ?

8 Quel rôle joue la presse ? Commentez le proverbe inventé par le commissaire : « Qui sème l'audience récolte la panique. » Citez le proverbe d'origine.

9 Que sait le commissaire à la fin du chapitre XXI ? Cette conviction est-elle fondée sur un raisonnement ou une intuition ?

10 Pour conclure, quelle est la fonction des « fausses pistes » dans la narration d'une intrigue policière ?

Peurs collectives et souffrances intimes (chapitres XXII à XXVIII)

11 Pourquoi la panique commence-t-elle à gagner du terrain ? Par qui est-elle alimentée ?

12 La nouvelle victime a-t-elle un lien avec les autres cadavres ?

13 Que laisse entendre ce jugement sur le criminel : « Il ne veut pas tuer lui-même [...] Il ne se sent pas responsable » ?

14 Quelles informations supplémentaires, ignorées des enquêteurs, apporte le chapitre XXIII au lecteur ? Pourquoi l'auteur a-t-il multiplié les points de vue ?

15 Qu'apprend-on sur Éva ? et sur la famille de Marie-Belle ?

16 Quels autres indices sont donnés sur les origines familiales du criminel ?

17 Quelle sensation éprouve le commissaire pendant la criée de Joss ? Pourquoi est-ce un autre indice ?

18 Que devient la relation sentimentale entre le commissaire et Camille ?

POUR COMPRENDRE

19 Pour conclure, montrez en quoi ce roman policier est aussi une histoire d'amour et une critique contre les médias.

Déductions, sensations et révélations (chapitres XXIX et XXX)

20 Où s'est rendu le commissaire ?

21 Présentez la nouvelle victime.

22 Que suggère la remarque : « Il y avait pourtant deux gros verrous tout neufs » ?

23 En quoi consiste la technique d'assassinat du criminel ?

24 Par quelle « révélation » est touché le commissaire ? Comment ? Pourquoi est-ce un nouvel indice pour l'enquête ?

25 Où va probablement se déplacer la « peste » ?

26 Pour conclure, montrez que l'intrigue policière est construite sur des déductions, des sensations et des révélations. Expliquez la signification de chaque terme.

Écrire

27 Le commissaire Adamsberg rentre à Paris et raconte à son adjoint, Danglard, ce qui s'est passé à Marseille. Rédigez leur dialogue.

28 Imaginez ce que devient Camille après son départ et rédigez une page de son journal intime.

Chercher

29 Qui est le célèbre auteur anglais de romans policiers à énigmes comme *Le Chien des Baskerville* ? Comment s'appelle son enquêteur et son acolyte ? Donnez des titres de romans avec leur date de parution.

30 Cherchez d'autres auteurs français de romans policiers et présentez brièvement leurs œuvres.

À SAVOIR

LE TEMPS ET LE RYTHME DE LA NARRATION

Dans un roman, l'auteur ne consacre pas le même nombre de pages à chaque événement.

Dans un *sommaire*, il résume de nombreux événements en peu de lignes. Ce type d'énoncé est très important dans un roman policier, car il permet de faire le point sur le déroulement de l'enquête.

Dans une *scène*, à l'opposé, il détaille un fait en faisant parler ses personnages. Le dialogue, d'une longueur variable, crée un effet de réel.

Dans une *ellipse*, il passe sous silence un événement. Ce procédé est fréquent dans un roman policier, car c'est ainsi que l'auteur maintient le suspense.

LA RÉSOLUTION DE L'INTRIGUE

Lire

Doutes, présomptions et convictions

1 Quel objet a permis au commissaire d'identifier le supposé coupable ? Pourquoi ?

2 Qui est, en fait, Damas ? Présentez ses origines familiales.

3 De quoi, cependant, est convaincu le commissaire ? Est-ce suite à un raisonnement logique ou par intuition ?

4 Qui sont les deux autres personnages qui font avancer l'enquête ? Présentez-les.

5 Qui est Roubaud ? Quel lien existe-t-il entre lui et Damas ? Pourquoi est-il un personnage plus noir que les autres ?

6 Quelles informations capitales donne Roubaud durant son interrogatoire ? Quel pourrait donc être un des mobiles du criminel ?

7 Pourquoi Roubaud fait-il aussi douter un moment Adamsberg sur la culpabilité de Damas ?

8 Quelles autres informations livre Clémentine ? Pourquoi son attitude et celle de son petit-fils confortent-elles les présomptions du commissaire ?

9 Tout comme Adamsberg et Danglard ne ressemblent guère à l'image que l'on se fait des policiers, Clémentine et Damas ne sont pas des criminels « ordinaires ». Relevez tous les éléments qui en font des assassins « hors norme ».

10 Pour conclure, le commissaire Adamsberg se comporte-t-il comme un vrai professionnel dans ses enquêtes ? Comment semble-t-il trouver des pistes ? Comment sont-elles confortées ?

Écrire

11 Réalisez un arbre généalogique de la famille des semeurs de peste à l'aide des informations que vous a livrées le roman. Vous remonterez sur plusieurs générations et présenterez vos recherches généalogiques sous la forme d'un arbre.

Chercher

12 Présentez ce que à quoi va être confronté juridiquement le présumé coupable, Antoine, depuis son inculpation jusqu'à son éventuelle incarcération.

Qui devra-t-il rencontrer ? Aura-t-il le droit d'être assisté ? Par qui ? Combien de temps pourra durer son emprisonnement avant son procès ?

Par quelle cour sera-t-il jugé ? Qui rédigera l'acte d'accusation ? Qui le défendra ? Qui le jugera ?

Risque-t-il d'être condamné à mort ?

LE DÉNOUEMENT

POUR COMPRENDRE

Lire

1 Reconstituez l'histoire familiale de la famille Journot-Heller-Derville.

2 Pourquoi Damas a-t-il, en fait, été torturé ?

3 Pourquoi le semeur n'est-il pas le tueur ?

4 Relevez toutes les informations que livre Marie-Belle permettant de « boucler » l'enquête.

5 La fin vous semble-t-elle moralement correcte ? Commentez le jugement du commissaire, p. 371-372, l. 53-57.

6 Pour conclure, montrez, à l'aide de l'encadré « À savoir », que le roman de Fred Vargas ne peut être « enfermé » dans une seule catégorie de roman policier.

Écrire

7 Rédigez une critique littéraire. Votre opinion sera positive, négative ou nuancée. Vous l'argumenterez en vous fondant sur les événements de l'histoire, les personnages et l'écriture de la romancière.

Chercher

8 Relevez, dans le chapitre XXXVII, tous les termes appartenant au champ lexical du monde judiciaire et définissez-les. Classez-les alphabétiquement et réalisez un glossaire sur la justice.

À SAVOIR

LES TYPES DE ROMAN POLICIER

On distingue communément trois catégories de roman policier.

Le *roman d'énigme* présente l'histoire sous la forme d'un puzzle que le lecteur reconstitue au fil des pages. Deux récits se juxtaposent : celui du crime et celui de l'enquête, généralement menée par des enquêteurs à la logique implacable.

Le *roman noir* se situe souvent dans des environnements « glauques » où se côtoient des personnages fort peu recommandables. Le détective, généralement un « privé », se distingue parfois peu, par son langage, des criminels qu'il pourchasse. Crimes sanglants, viols, actes d'une grande violence en sont les ingrédients.

Le *roman à suspense* développe une intrigue davantage centrée sur la victime que sur les enquêteurs. Le lecteur connaît souvent le criminel et partage ses folies. Il s'angoisse pour les victimes qui vont tomber sous sa férule. Il en sait souvent plus que l'enquêteur et devient ainsi un « acteur » de l'histoire à part entière.

LES « PESTES » LITTÉRAIRES

La peste (comme le choléra) a souvent été traitée dans la littérature comme la métaphore de malédictions humaines ou divines et l'incarnation de souffrances individuelles ou collectives. En témoignent les textes ci-dessous – quatre représentations de ces fatales épidémies –, conçus à des époques et dans des genres et registres bien différents.

La Fontaine (1621-1695)

« Les Animaux malades de la peste », *Fables*, livre septième (1678)

Sur fond de peste et de culpabilité collective, un lion organise un tribunal pour trouver le « bouc émissaire » qui rachètera, par sa mort, les fautes de ses compères et libérera ainsi la terre de ce fléau. Malgré les fanfaronnades des uns et des autres prêts à se dévouer, c'est le plus faible et le plus innocent qui mourra. La peste n'est ici qu'un prétexte pour faire la satire d'une justice inique et courtisane, entièrement soumise au monarque absolu de droit divin, Louis XIV.

> Un mal qui répand la terreur.
> Mal que le Ciel en sa fureur
> Inventa pour punir les crimes de la terre,
> La peste (puisqu'il faut l'appeler par son nom),
> Capable d'enrichir en un jour l'Achéron,
> Faisait aux animaux la guerre.
> Ils ne mouraient pas tous, mais tous étaient frappés ;
> On n'en voyait point d'occupés
> À chercher le soutien d'une mourante vie ;

Nul mets n'excitait leur envie ;
Ni loups ni renards n'épiaient
La douce et l'innocente proie ;
Les tourterelles se fuyaient :
Plus d'amour, partant plus de joie.

Le Lion tint conseil, et dit : Mes chers amis
Je crois que le Ciel a permis
Pour nos péchés cette infortune.
Que le plus coupable de nous
Se sacrifie aux traits du céleste courroux ;
Peut-être il obtiendra la guérison commune.
L'histoire nous apprend qu'en de tels accidents
On fait de pareils dévouements.
Ne nous flattons donc point ; voyons sans indulgence
L'état de notre conscience.
Pour moi, satisfaisant mes appétits gloutons,
J'ai dévoré force moutons.
Que m'avaient-ils faits ? Nulle offense ;
Même il m'est arrivé quelquefois de manger
Le berger.
Je me dévouerai donc, s'il le faut : mais je pense
Qu'il est bon que chacun s'accuse ainsi que moi :
Car on doit souhaiter, selon toute justice,
Que le plus coupable périsse.
– Sire, dit le Renard, vous êtes trop bon roi ;
Vos scrupules font voir trop de délicatesse.
Eh bien ! manger moutons, canaille, sotte espèce,
Est-ce un péché ? Non, non. Vous leur fîtes, Seigneur,
En les croquant, beaucoup d'honneur ;
Et quant au berger, l'on peut dire

Qu'il était digne de tous maux,
Étant de ces gens-là qui sur les animaux
Se font un chimérique empire. »
Ainsi dit le Renard ; et flatteurs d'applaudir,
On n'osa trop approfondir
Du Tigre, ni de l'Ours, ni des autres puissances,
Les moins pardonnables offenses.
Tous les gens querelleurs, jusqu'aux simples mâtins
Au dire de chacun, étaient de petits saints.
L'Âne vint à son tour, et dit : « J'ai souvenance
Qu'en un pré de moines passant,
La faim, l'occcasion, l'herbe tendre, et, je pense,
Quelque diable aussi me poussant,
Je tondis de ce pré la largeur de ma langue.
Je n'en avais nul droit, puisqu'il faut parler net. »
À ces mots on cria haro sur le Baudet.
Un Loup, quelque peu clerc, prouva par sa harangue
Qu'il fallait dévouer ce maudit animal,
Ce pelé, ce galeux, d'où venait tout leur mal.
Sa peccadille fut jugée un cas pendable.
Manger l'herbe d'autrui ! quel crime abominable !
Rien que la mort n'était capable
D'expier son forfait : on le lui fit bien voir.

Selon que vous serez puissant ou misérable,
Les jugements de cour vous rendront blanc ou noir.

Robert Desnos (1900-1945)

« La Peste », extrait de *Contrée* (1944), © éditions Gallimard

Le poète Robert Desnos, un des chefs de file du mouvement surréaliste, a été un ardent défenseur de l'hypnose et de l'écriture automatique pour faire émerger toute la créativité poétique de l'inconscient. En 1942, il s'engage dans la Résistance et met ses talents de poète au service de la lutte contre l'occupant nazi. Arrêté sur dénonciation à son domicile le 22 février 1944, il est déporté et meurt du typhus le 8 juin 1945 dans le camp de Terezin en Tchécoslovaquie. Dans ce poème publié clandes-tinement, la peste incarne les souffrances engendrées par le nazisme.

Dans la rue un pas retentit. La cloche n'a qu'un seul
battant. Où va-t-il le promeneur qui se rapproche
lentement et s'arrête par instant ? Le voici devant
la maison. J'entends son souffle derrière la porte.

Je vois le ciel à travers la vitre. Je vois le ciel où les
astres roulent sur l'arête des toits. C'est la grande
Ourse ou Bételgeuse, c'est Vénus au ventre blanc, c'est
Diane qui dégrafe sa tunique près d'une fontaine de lumière.

Jamais lunes ni soleils ne roulèrent si loin de la
terre, jamais l'air de nuit ne fut si opaque et si
lourd. Je pèse sur ma porte qui résiste…

Elle s'ouvre enfin, son battant claque contre le
mur. Et tandis que le pas s'éloigne je déchiffre
sur une affiche jaune les lettres noires du mot « Peste ».

Albert Camus (1913-1960)

La Peste (1947), © éditions Gallimard

Le roman d'Albert Camus, publié deux ans après la fin de la Seconde
Guerre mondiale, raconte une épidémie de peste imaginaire à Oran.
C'est une réflexion philosophique sur le mal, dont la maladie est une
allégorie. Elle permet de révéler, par l'intermédiaire des personnages,
divers comportements face à la souffrance : doute, résignation, révolte.
Dans l'extrait ci-dessous, un enfant, atteint du terrible fléau, meurt.

Mais l'enfant continuait de crier et, tout autour de lui, les malades
s'agitèrent. Celui dont les exlamations n'avaient pas cessé, à l'autre bout
de la pièce, précipita le rythme de sa plainte jusqu'à en faire, lui aussi, un
vrai cri, pendant que les autres gémissaient de plus en plus fort. Une
marée de sanglots déferla dans la salle, couvrant la prière de Paneloux, et
Rieux, accroché à sa barre de lit, ferma les yeux, ivre de fatigue et de
dégoût.

Quand il les rouvrit, il trouva Tarrou près de lui.

« Il faut que je m'en aille, dit Rieux. Je ne peux plus les supporter. »

Mais brusquement, les autres malades se turent. Le docteur reconnut
alors que le cri de l'enfant avait faibli, qu'il faiblissait encore et qu'il
venait de s'arrêter. Autour de lui, les plaintes reprenaient, mais sourdement, et comme un écho lointain de cette lutte qui venait de s'achever.
Car elle s'était achevée. Castel était passé de l'autre côté du lit et dit que
c'était fini. La bouche ouverte, mais muette, l'enfant reposait au creux
des couvertures en désordre, rapetissé tout d'un coup, avec des restes de
larmes sur son visage.

Paneloux s'approcha du lit et fit les gestes de la bénédiction. Puis il
ramassa ses robes et sortit par l'allée centrale.

« Faudra-t-il tout recommencer ? » demanda Tarrou à Castel.

Le vieux docteur secouait la tête.

« Peut-être, dit-il avec un sourire crispé. Après tout, il a longtemps résisté. »

Mais Rieux quittait déjà la salle, d'un pas si précipité, et avec un tel air, que lorsqu'il dépassa Paneloux, celui-ci tendit le bras pour le retenir.

« Allons, docteur », lui dit-il.

Dans le même mouvement emporté, Rieux se retourna et lui jeta avec violence :

« Ah ! celui-là, au moins, était innocent, vous le savez bien ! »

Jean Giono (1895-1970)

Le Hussard sur le toit (1951), © éditions Gallimard

Dans le roman de Jean Giono, il n'est pas question directement de la peste, puisque l'histoire raconte une épidémie de choléra qui a frappé la Provence sous le règne de Louis-Philippe (1830-1848). Angelo, un colonel des hussards, traverse, médusé, des villages abandonnés jonchés de cadavres. Cependant, si la maladie est différente, elle permet aussi de révéler des comportements humains et témoigne, de manière métaphorique, de préoccupations contemporaines.

Malgré l'heure relativement matinale, la terre était déjà recouverte d'une épaisse couche d'air brûlant et gras. Angelo retrouva les nausées et les étouffements de la veille. Il se demanda si l'odeur fade et légèrement sucrée qu'il respirait ici ne provenait pas de quelque plante qu'on cultivait dans ces parages. Mais il n'y avait rien que des centaurées et des chardons dans les petits champs pierreux. Le silence n'était troublé que par le grésillement de mille cris d'oiseaux ; mais, en approchant des maisons, Angelo commença à entendre un concert très épais de braiments d'ânes, de hennissements de chevaux et de bêlements de moutons. « Il doit se passer quelque chose ici, se dit Angelo. Ceci n'est pas naturel. Toutes ces bêtes crient comme si on les égorgeait. » Il y avait aussi cette foule d'oiseaux qui, vue maintenant à hauteur d'homme, était assez effrayante, d'autant qu'ils ne s'envolaient pas ; la plupart des gros corbeaux qui noircissaient le seuil de la maison dont s'approchait Angelo avaient simplement tourné la tête vers lui et le regardaient venir avec des mines étonnées. L'odeur sucrée était de plus en plus forte.

Angelo n'avait jamais eu l'occasion de se trouver sur un champ de bataille. Les morts des manœuvres de division étaient simplement désignés dans le rang et marqués d'une croix de craie sur le dolman. Il s'était dit souvent : « Quelle figure ferais-je à la guerre ? J'ai le courage de charger, mais aurais-je le courage du fossoyeur ? Il faut non seulement tuer mais savoir regarder froidement les morts. Sans quoi, l'on est ridicule. Et, si on est ridicule dans son métier, dans quoi sera-t-on élégant ? »

Il resta évidemment droit en selle quand son cheval fit brusquement de côté un saut de carpe en même temps qu'une grosse flaque de corbeaux s'envolant découvrit un corps en travers du chemin. Mais ses yeux s'ouvrirent démesurément dans son front et sa tête s'emplit soudain du paysage désolé dans l'effrayante lumière des quelques maisons désertes qui bâillaient au soleil avec leurs portes par lesquelles entraient et sortaient librement les oiseaux. Le cheval tremblait entre ses jambes. C'était le cadavre d'une femme comme l'indiquaient les longs cheveux dénoués sur sa nuque.

Pour la collection « Classiques & Contemporains », Fred Vargas a accepté de répondre aux questions de Michèle Sendre-Haïdar, auteur du présent appareil pédagogique.

Michèle Sendre-Haïdar : Dans votre roman, *Pars vite et reviens tard*, le lecteur retrouve des personnages déjà présents dans vos œuvres précédentes, à savoir : le commissaire Adamsberg, son adjoint Danglard et « leur » amoureuse, Camille. Pourquoi choisissez-vous de les faire réapparaître depuis *L'Homme aux cercles bleus* ? Est-ce aussi pour marquer une filiation avec d'autres auteurs célèbres de romans policiers comme Simenon, Frédéric Dard ?

Fred Vargas : Non, ce n'est pas pour respecter une « filiation », mais il est vrai que le genre policier fait très souvent appel à des personnages récurrents. Pourquoi ? Parce que, je crois, le héros d'un roman policier est, à sa manière, dans la lignée des « héros » de l'épopée, dont l'action est résolutive, et dont la quête ne peut se faire en un seul épisode. Toutes proportions gardées, Ulysse ou Lancelot font de bien longs voyages. Eh bien, celui d'un héros de roman policier est assez comparable : son chemin vers la « vérité » est long, et se construit enquête après enquête. Un seul roman n'est qu'un fragment de sa route.

M. S.-H. : Ce roman donne des indications très précises sur les épidémies de peste qui ont sévi en Europe au Moyen Âge et sous l'Ancien Régime. Pourriez-vous expliquer aux élèves très concrètement comment vous avez procédé pour effectuer ces recherches ? Le texte que vocifère le « crieur », Joss, est-il authentique ?

F. V. : C'est tout simple. En tant qu'archéologue médiéviste, j'ai beaucoup travaillé sur le rat et la peste, et publié un livre sur l'épidémiologie de cette maladie. À mesure que je procédais à mes travaux de recherche, je mettais de côté certains textes en vue d'un roman policier. Tous les renseignements et les textes anciens sur la peste dans *Pars vite…* sont donc historiquement vrais, à l'exception d'un seul que j'ai partiellement inventé, celui sur le chiffre « 4 », dont il est dit qu'il ne sonne pas « juste ». Mais l'utilisation protectrice du « 4 » est vraie.

M. S.-H. : L'écriture de votre roman témoigne d'un réel travail sur la langue. Consacrez-vous beaucoup de temps à la rédaction du manuscrit ? à sa ou ses réécritures ?

F. V. : Très peu de temps à l'écriture : trois semaines. Mais beaucoup de temps au travail de correction sur la langue : environ une trentaine de relectures et réécritures, qui s'étagent sur plusieurs mois.

M. S.-H. : Vous a-t-on déjà fait des propositions pour adapter une de vos œuvres au cinéma ? Si oui, laquelle ? Et accepteriez-vous que vos intrigues, vos personnages soient donnés « à voir » au spectateur ?

F. V. : *Pars vite…* et *Sous les vents de Neptune* sont actuellement en tournage. Mais je ne veux pas m'en mêler et je m'en tiens très loin.

M. S.-H. : Le genre policier est aujourd'hui très en vogue. Comment expliquez-vous ce succès ?

F. V. : Au fait, sans doute, que le genre narratif a presque disparu de la littérature contemporaine, alors qu'il était encore très présent au XIXe siècle. Qui veut aujourd'hui « lire une histoire » est obligé d'aller chercher un roman policier.

BIBLIOGRAPHIE

Tous les ouvrages de Fred Vargas sont publiés aux éditions Viviane Hamy.

• Œuvres de Fred Vargas

– *Ceux qui vont mourir te saluent* (écrit en 1987, publié en 1994)
– *Debout les morts* (1995), prix Polar de la ville du Mans (1995), prix Mystère de la critique (1996)
– *L'Homme aux cercles bleus* (écrit en 1990, réédité en 1996), prix du festival de Saint-Nazaire (1992)
– *Un peu plus loin sur la droite* (1996)
– *Sans feu ni lieu* (1997)
– *L'Homme à l'envers* (1999), grand prix du roman noir de Cognac et prix Mystère de la critique (2000)
– *Les Quatre Fleuves* (2000), avec Baudoin, prix Alph-Art du meilleur scénario (Angoulême, 2001)
– *Pars vite et reviens tard* (2001), prix des libraires et prix des lectrices de « Elle » (2002), Deutscher Krimipreiz (2004)
– *Coule la Seine* (2002), recueil de nouvelles
– *Sous les vents de Neptune* (2004)
– *Dans les bois éternels* (2006)
– Dans la collection « Classiques & Contemporains » : *L'Homme à l'envers, L'Homme aux cercles bleus.*

• Ouvrages sur le genre policier

– Jean Bourdier, *Histoire du roman policier*, éditions de Fallois, Paris, 1996.
– Frank Évrard, *Lire le roman policier*, éditions Dunod, 1996.
– Patricia Highsmith, *L'Art du suspense*, éditions Calmann-Lévy, 1987.
– Tzvetan Todorov, « Typologie du roman policier », *in Poétique de la prose*, « Points », éditions Le Seuil, 1971.

• Revues sur le genre policier

– « Le roman policier », *NRP*, n° 4, décembre 1998, Nathan.
– « Le roman policier », *TDC*, n° 578, mars 1991 (publications du CNDP).
– « Le roman our la jeunesse, assurance frissons », *TDC*, n° 743, novembre 1997 (publications du CNDP).
– « La planète polar », *Magazine littéraire*, n° 344, juin 1996.

CENTRE DE DOCUMENTATION

Bilipo (Bibliothèque de littératures policières), 48-50, rue du Cardinal Lemoine, 75005 Paris.

INTERNET

- **Sites sur la peste**
– www.pasteur.fr/actu/presse/documentation/peste.htm
– www.peste.net
- **Site sur le roman policier**
– www.polars.org

Couverture
Conception graphique : Marie-Astrid Bailly-Maître
Choix iconographique : Cécile Gallou
Photographie : mise en scène et réalisée par Delphine Cordier

Intérieur
Conception graphique : Marie-Astrid Bailly-Maître
Réalisation : Nord Compo, Villeneuve-d'Ascq
Édition : Célia Michel

© **Éditions Viviane Hamy, octobre 2001.**

© **Éditions Magnard, 2006, pour la présentation, les notes, les questions, l'après-texte et l'interview exclusive**

www.magnard.fr

Achevé d'imprimer en janvier 2008 par Aubin Imprimeur
N° d'éditeur : 2008/074 - Dépôt légal mai 2006 - N° d'impression L 71765
Imprimé en France